CW00797621

Le jour d'après

Joss Olirius

Le jour d'après
Roman

LE LYS BLEU
ÉDITIONS

Prologue

Une météorite qui s'écrase sur terre.

Une femme qui est sur le lieu de l'impact et qui se découvre de nouveaux pouvoirs.

D'où lui viennent-ils ?

À quoi vont-ils lui servir ?

Un homme venant de nulle part et qui devient rapidement quelqu'un d'important dans notre monde.

Qui est-il ? Que veut-il ?

Est-il venu nous sauver où nous détruire ?

Cette météorite qui a croisé leur route va-t-elle les réunir ?

Ont-ils un futur et un destin commun ?

Seront-ils amis ou ennemis ?

Ce qui est certain c'est que cette météorite va changer leur vie à jamais.

Chapitre 1
Ce matin-là

L'histoire que je vais vous raconter s'est passée, il y a quelques années maintenant.

À cette époque, j'étais toute jeune et je démarrais tout juste dans la vie.

J'habitais dans une ville de campagne, dans un petit appartement en plein centre-ville.

Enfin « centre-ville » c'est un bien grand mot pour une commune de 1002 habitants accueillants, seulement trois commerces : une boulangerie, un bar et un coiffeur.

J'avais trouvé cet appartement un peu par hasard, il n'était pas bien grand mais étant célibataire, il me suffisait amplement.

Il appartenait à des amis de mes parents. Le locataire actuel venait juste de partir en le laissant dans un état désastreux.

Ils n'avaient donc pas envie de le relouer tout de suite et hésitaient même à le vendre.

J'avais alors sauté sur l'occasion pour prendre mon indépendance, en ai parlé à ma mère qui n'appréciait guère cette idée car elle ne voulait pas me voir partir tout de suite.

Mais en insistant un tout petit peu, elle a fini par céder et su convaincre ses amis de me le louer en l'état, qu'elle se portait garante, me connaissant par cœur ils n'auront aucun souci.

Quelques semaines de travaux avec mon père, puis j'aménagerai enfin dans mon premier chez moi.

Je n'avais pas de compagnon, quelques expériences ou des amourettes de passage, mais rien de concret, car approchant la trentaine je recherchais une relation stable et souhaitais trouver l'âme sœur.

Tout du moins un homme qui me comprenne, partage un peu de mon monde, ma vision et désireux de construire une famille.

Je me sentais donc bien seule et me consolais avec des animaux.

Les animaux étaient ma grande passion.

Combien de fois j'ai pu faire enrager mes parents en leur ramenant toujours de nouveaux chatons que je trouvais dans le village, ou que mes copines me donnaient ! Ma mère finissait toujours par céder.

— Je veux bien t'emmener les voir, mais on est bien d'accord, on n'en ramène pas !

Et finalement je n'avais même pas besoin de poser la question, car elle disait oui bien avant moi.

Il m'est arrivé aussi d'avoir tenté de sauver un oisillon qui était tombé du nid.

J'ai tout tenté, mais malheureusement il était trop petit et au bout de trois jours, il est mort.

Je m'en suis voulu et j'ai pleuré pendant une semaine.

Désespérée dans ma solitude et dans mon minuscule studio qui pour le coup me semblait bien grand et vide, j'avais décidé d'adopter deux petits chiots.

C'est Sandrine, ma meilleure copine d'enfance qui me les avait proposés.

Dans notre foyer, nous n'avions jamais eu de chiens, mon père les détestait et estimait que :

— Ça fait trop de bruit, ça servait à rien, que c'était stupide et que ça n'apportait que des ennuis avec les voisins. Ils font des dégâts dans la maison et le jardin, et en plus c'est une corvée car il faut toujours les sortir.

Sur ce point il n'avait pas tort, car en maître responsable il faut effectivement leur faire faire une promenade tous les jours, qu'il pleuve, vente ou neige.

Mais je ne m'en rendais pas compte au moment où j'ai décidé d'adopter Billy et Charlie.

Au départ je n'en voulais qu'un et je lui avais bien dit :

— Sandrine tu sais chez moi c'est minuscule, je ne peux en prendre qu'un.

Mais elle n'a rien eu à dire pour me convaincre de les adopter tous les deux.

Lorsque je les ai vus pour la première fois, ensemble jouant à se mordiller et courir, je me suis dit que ça aurait été cruel de les séparer.

Billy était un peu plus imposant, c'était le teigneux des deux, plus vif et plus joueur. Mais Charlie était plus choux avec sa tache blanche sur la truffe.

Je travaillais pour une société immobilière de la ville d'à côté.

Pas de grosse responsabilité, plutôt du secrétariat, du classement de dossiers, des relances fournisseurs.

Ce n'était pas forcément passionnant, l'amplitude horaire était grande, car il fallait être présent de huit jusqu'à dix-neuf heures.

Mais dans le fond cela me convenait et permettait surtout de payer toutes mes factures même s'il ne me restait plus grand-chose à la fin du mois.

On ne pouvait pas dire que j'avais une vie très excitante, faites de rencontres, de voyage ou de succès entrepreneurial.

Les week-ends par contre étaient consacrés à mon autre passion : le sport.

Je m'accorde toujours un moment le samedi ou le dimanche pour faire au moins le petit tour de village en courant. Cela peut paraître stupide, mais je n'ai pas au moins cela, je me sens mal.

Ce samedi-là, par contre, j'avais décidé et étais motivée pour faire une longue promenade.

La semaine ayant été très éreintante, j'avais plus que besoin de me vider la tête et me ressourcer. Le petit tour n'étant pas suffisant, il fallait au moins que je parte pour quelques heures.

Les soucis avec les délais de livraison, les retards cumulés des différents ouvriers et les mécontentements des clients m'avaient épuisé et apporté beaucoup de stress, de fatigue physique mais surtout morale.

Tout cela me pesait.

C'était beaucoup de charge mentale pour une seule personne frêle comme moi.

Cela m'empêchait même de dormir certaines nuits. Je ne parvenais pas à trouver le sommeil avant de trouver des solutions pour chaque problème.

Heureusement c'était le week-end, je m'étais dit :

— Ma fille, il faut arrêter de te laisser bouffer pas le travail, mets tout cela de côté pendant deux jours, les soucis seront toujours là lundi. Inutile de penser à cela, de toute façon, je ne pourrais rien y faire de chez moi.

À cette époque internet n'existait pas, nous ne pouvions travailler à distance et être toujours connectés.

En y repensant bien, c'était peut-être pas si mal… Au moins il y avait une vraie coupure entre le travail et la maison.

Bref sur ces bonnes résolutions, j'ai revêtu mon survêtement, mes dernières baskets, préparé ma gourde et avais prévu de faire au moins 12 kilomètres en courant.

Charlie avec son instinct surdéveloppé a dû le sentir.

C'est drôle à dire comme cela, mais c'est comme si je lui avais transmis mes intentions, on aurait dit que lui aussi voulait faire le marathon avec moi.

Billy lui était sur le canapé, c'était d'habitude lui le premier qui s'affolait quand je sortais la laisse.

Mais cette fois, j'ai presque été obligée de le réveiller.

Le véritable atout de vivre à la campagne, c'est que l'on peut trouver rapidement des petits chemins, sous les bois sans devoir prendre la voiture et ainsi être gêné par la circulation.

Ces routes je les avais parcourues 100 fois avec mes parents quand j'étais petite.

Puis avec mon petit vélo rose avec Sandrine et Béatrice.

J'espérais un jour perpétuer la tradition avec ma propre famille que j'aurais fondée avec un mari aimant et attentionné.

Un jour peut-être…

Nous avons donc commencé notre marathon par la route principale.

Un bref passage devant la boulangerie puis l'église avant de prendre la petite descente longeant le jeu de boules.

Charlie et Billy étaient heureux et sont partis en trombe.

Ils couraient tellement vite en tirant la laisse et m'entraînant avec eux que j'ai presque failli chuter.

Mais je ne pouvais pas encore les laisser courir tout seul avant d'avoir atteint la forêt. J'avais prévu de les détacher qu'à ce moment.

Nous continuons sur ces bonnes foulées, puis en bas de la descente, rejoignons la forêt.

Nous nous engageons alors sur le sentier qui mène jusqu'à Brive.

J'avais beau être motivé ce matin-là, mais nous n'irons pas jusque-là.

La randonnée complète fait 24 kilomètres et le retour se fait pas la route nationale.

C'est dangereux et pas du tout agréable.

3 km, 6 km, 7 km, allez, encore un petit effort et nous arrivons à la prairie.

Essoufflée mais fière de moi, je ralentis le pas et m'arrête pour reprendre mon souffle.

J'étais trop contente car je n'étais jamais allée aussi loin d'une traite.

Fière aussi de mon p'tit Charlie, lui aussi avait bien couru.

Billy qui avait eu du mal à démarrer avait encore de l'énergie et aurait pu continuer.

C'est à ce moment, alors que je me désaltérais, que j'ai senti le sol qui commençait à trembler.

Alors qu'il faisait beau et qu'il n'y avait pas de nuage, le vent s'est levé soudainement.

Le sol tremblait de plus en plus, le ciel s'assombrit d'un coup, les vents étaient de plus en plus forts.

Charlie était inquiet et s'est blotti contre moi. Je ne savais pas où était Billy, il était parti loin dans la forêt.

Un son étrange a retenti d'un coup.

Je ne saurais pas comment décrire ce son.

Il était à la fois grave et strident.

Presque agréable comme une petite mélodie avec beaucoup de basses.

Le son était de plus en plus fort et commençait à me faire mal aux oreilles.

Charlie a commencé à hurler à la mort. J'ai enfin aperçu Billy qui revenait vers nous.

Je commençais à avoir très mal à la tête et j'ai posé mes mains sur les oreilles de Charlie car je sentais sa souffrance.

Le son monta encore d'un cran, à tel point que j'ai cru que j'allais m'évanouir.

Le bruit était encore plus strident et percutant.

Je luttais, Charlie n'en pouvait plus, Billy tournait, courait, chercher un endroit pour se réfugier.

Je commençais à voir trouble et ressentir des vertiges.

Et alors que j'étais au seuil du supportable, que je pensais mourir, ça s'est arrêté d'un coup.

Plus rien, les nuages avaient disparu, plus de vent, plus de bruit.

Cela faisait presque peur, il n'y avait plus un son.

Est-ce que j'avais eu des illusions ?

Est-ce que je m'étais évanoui en ayant fait trop d'efforts ?

Étais-je en train de rêver ou pire ? Morte ?

Je me relevais donc et commençais à reprendre les esprits. Billy était à une dizaine de mètres de nous.

Charlie était toujours blotti contre moi et tremblait. Il avait cessé de hurler, mais je sentais bien qu'il était autant effrayé que moi.

Le temps de reprendre un peu mes esprits, de regarder autour de moi, que j'ai senti quelque chose me traverser en une fraction de seconde.

La douleur a été immense et intense mais étrangement que du côté gauche.

Et tout cela s'est produit lors d'une explosion accompagnée d'un boum retentissant.

Puis quelques microsecondes après, j'ai senti le sol se dérober sous mon pied gauche.

Mais ce n'était pas comme un effondrement ou une avalanche, mais comme s'il avait été aspiré.

Je ne saurais toujours pas dire, si c'était l'instant de survie, les réflexes ou la douleur dans mon pied gauche, mais j'ai basculé du côté droit pour enfin réellement m'évanouir cette fois.

Chapitre 2
Le réveil

— Viviane, Viviane, he, Viviane est ce que ça va ?

— J'étais en train de labourer juste à côté, quand j'ai vu l'explosion, je suis venu voir ce qu'il s'était passé et je t'ai retrouvé.

— Tu n'as rien ?

— Que... qu'...

— Qu'est-ce qui se passe ? Où suis-je ? Où sont Billy et Charlie ?

— Billy est juste là, il va bien mais je ne vois pas Charlie. Tu as de la chance, tu aurais pu tomber dans le cratère, ne bouge pas, les secours arrivent.

— Je, je...

Je ne me rappelle, que de ces quelques brides, Billy qui me léchait le visage, le père Raymond qui m'a secouru, les camions de pompiers puis plus rien.

— Viviane enfin tu te réveilles, comment ça va ?

— Maman, maman, où suis-je, quel jour sommes-nous ?

— Rassure-toi, on est à l'hôpital, on est lundi, tu es dans le coma depuis samedi.

— Tu n'as aucune séquelle et tout est normal. Les docteurs ne comprenaient pas pourquoi tu étais dans le coma.

— Comment te sens-tu ?

— Lundi ? Déjà ?

Bizarrement, à part ces trous de mémoire, j'allais bien.

Je me sentais même très bien dans mon corps et ma tête, presque même apaisée.

— Que s'est-il passé ?

— À la télévision, il parle d'une météorite qui se serait écrasée. Tu étais juste à côté de l'explosion.

— Et mes chiens ou sont-ils ?

— On n'a retrouvé que Billy qui était avec toi, mais pas de nouvelle de Charlie.

— Je ne comprends pas, il était juste à côté de moi.

— C'est la folie au village. Il y a plein de journalistes, la police, des scientifiques, il y a même l'armée qui est venue. Raymond n'est pas content, ils ont quadrillé une zone autour de la météorite et il ne peut plus accéder à ces champs. Il devait finir de labourer, il pensait que la saison allait être bonne.

— On n'avait jamais vu ça dans notre village ou il ne se passe jamais rien.

— Allez, repose-toi ma belle, le docteur va venir te voir et si tout va bien tu pourras bientôt sortir.

Il m'a bien fallu encore la journée entière pour reprendre de la force et mes esprits.

Ce n'est que le lendemain, après encore une nuit complète de semaine, que j'étais enfin totalement rétablie.

Je n'arrivais pas à réaliser que j'avais passé plus de trois jours totalement dans le coma.

Je n'avais plus que de vagues souvenirs sur l'après-explosion et mon arrivée à l'hôpital.

Mon patron, qui avait appris l'accident, s'était inquiété pour moi et m'avait conseillé de prendre une bonne semaine de repos afin de me remettre de toutes ces émotions.

Ce n'est donc que le mercredi que j'ai enfin pu quitter l'hôpital, n'ayant plus aucun symptôme et toutes mes constantes régulières, les médecins n'avaient plus aucune raison de me garder.

Je finis quand même la semaine chez mes parents, cela rassurait ma mère et elle pouvait de nouveau prendre soin de moi.

Elle avait quand même, quelle agitation et pagaille avait apporté toute cette histoire.

On s'est même retrouvé dans un bouchon le temps de faire le voyage entre l'hôpital et notre maison.

Je comprenais bien que le phénomène pouvait être extraordinaire, mais après tout ce n'était pas la première ni la dernière fois qu'un astéroïde s'écrase sur notre terre.

Et par chance celui-ci avait atterri dans un champ désert mis à part moi bien sûr.

Il n'y avait eu aucune perte civile ni matériel.

Pas de maison écrasée ni ferme détruite par les gravats ou partie de l'astéroïde.

J'espérais vivement que toute cette agitation cesse rapidement.

J'étais déjà lassé par mon séjour à l'hôpital et mes congés forcés, je souhaitais reprendre le cours normal de mon existence et mettre de côté toute cette histoire, ne serait-ce que pour quelques jours.

À vrai dire, que personne ne me reparle jamais m'aurait mieux convenu

Après tout, je ne suis pas une aventurière ou une journaliste.

Un astéroïde s'est écrasé, j'ai pris la foudre, pas besoin d'écrire un roman ou toute une étude scientifique.

La seule chose qui me préoccupait, c'était mon pauvre petit chien.

Où pouvait-il être, qu'a-t-il bien pu lui arriver ?

Pourquoi personne ne l'avait retrouvé et ramené ?

Tout le monde les connaissait dans le village, si un habitant l'avait retrouvé, il me l'aurait forcément ramené.

Mes amies qui s'inquiétaient pour moi étaient même venues me voir à l'hôpital, mais les médecins et mes parents n'avaient pas voulu sous prétexte que j'étais trop fatigué pour recevoir du monde.

Il avait alors fallu que je menace ma mère de rentrer chez moi si elles ne les acceptent pas le vendredi pour qu'enfin j'oublie tout cela le temps de l'après-midi avec elles.

Je les avais bien prévenus de leurs arrivées :

— Contente de vous voir, les filles.

— Je vous préviens, tout va bien, je suis en super forme. Alors s'il vous plaît, de me poser pas de questions, j'ai besoin de penser à autre chose. Passons une vraie après-midi fille.

Ce qu'elles ont fait sans sourciller ou poser des questions, et je les en remerciai vivement.

Chapitre 3
Zéon

— Que s'est-il passé ?

— Où suis-je ? Mon vaisseau n'a pas décollé ?

— Est-ce un coup des Xilianos ?

— Est-ce qu'ils m'ont mis dans la matrice pour découvrir mes secrets ?

— Où sont Eol et les autres ?

— Ont-ils survécu à leur mise à mort ?

— Des sirènes ? Vite, je dois m'en aller avant qu'ils ne me rattrapent.

— Mes armes, mon transmetteur, où sont-ils, pourquoi ne suis-je pas dans le vaisseau ?

— Mince, ils arrivent, allé Zéon, cours, cours.

— Jamais je ne retournerais dans la prison de Saturne !

Chapitre 4
La semaine suivante

— Et alors mamie, les médecins ont-ils trouvé ce qui t'avait traversé ?

Eh bien non, ils n'ont pas poussé les recherches plus que cela.

Ils ne m'ont d'ailleurs jamais donné de réponse ou d'explications sur mon coma de plusieurs jours.

Je suis rentré chez moi à la fin de la semaine, triste d'avoir perdu Charlie, mais prête à retourner au travail.

Étrangement je me sentais bien, je n'avais plus de fatigue ou de stress.

Était-ce le coma, le repos, ou le sentiment d'être passé très prêt de la mort ?

La vie allait reprendre son cours normalement, sauf pour le village.

C'était l'euphorie, tout le monde parlait de la fameuse météorite.

Notre cher village dont les seuls grands événements étaient le 14 juillet, le 8 décembre, les kermesses à l'école se retrouva alors à la une de tous les journaux.

Des équipes de télévision étaient venues et voulaient connaître l'origine de cet étrange phénomène.

Elles avaient toutes pris leurs quartiers dans les hôtels environnants, comme si elles savaient déjà qu'elles seraient ici pour un moment.

Même quelques excentriques et fans de science-fiction avaient fait le voyage en espérant découvrir la nouvelle zone 51.

Un camp de fortune constitué de camping-cars, caravanes et tentes s'était rapidement dressé non loin de là.

Plusieurs équipes de scientifiques avaient également investi les lieux et pris possession de la zone du crash qu'ils avaient rapidement clôturé afin d'interdire l'accès au public.

Je me demandais alors pourquoi ils avaient pu arriver aussi rapidement sur les lieux alors qu'ils n'avaient pas détecté plus tôt cette météorite ?

Et le tremblement de terre ?

Personne d'autre que moi ne l'avait ressenti ? En tous cas, ni les médias ni les habitants du village n'en parlaient.

Tant de questions sans réponses.

J'étais encore déboussolé et effrayé, mais il fallait bien reprendre le cours de ma vie.

Je suis donc retourné au bureau le lundi de la semaine suivante.

Sans savoir si c'était ma semaine de vacances improvisée ou tout ce chamboulement, mais alors que je redoutais de devoir retrouver le stress et tous les soucis, quelque chose avait changé en moi.

Je me suis même surprise à gérer les chantiers, les relances fournisseurs sans encombre et j'étais d'une efficacité redoutable.

Et quelle joie d'entendre Mme Chapuis au téléphone, qui m'appelait pour la énième fois, pour me faire des remontrances et se plaindre de ces ouvriers et leurs malfaçons !

Je me suis entendu dire :

— Bonjour, Mme Chapuis. Je suis content de vous avoir.

— J'ai enfin pu contacter notre maçon et le carreleur, je leur ai mis un peu la pression et ils vont pouvoir terminer votre terrasse dans les temps.

— Quant au plaquiste, il va prendre en charge ces malfaçons, et s'est engagé à reprendre votre placard intégré.

La pauvre dame est restée sans voix et surprise n'a juste pu me répondre :

— Très bien je vous remercie et bonne journée.

Malgré tout cela Charlie me manquait énormément, j'aurais voulu retourner dans la prairie. Chercher un peu dans la forêt et les alentours, mais tout était barricadé.

Il ne m'avait jamais fait ça auparavant, ce n'était pas un grand aventurier. Lorsque nous nous promenions, il restait toujours prêt de moi.

Même tout petit, il n'avait jamais fugué ou ne serait-ce que tenter de quitter la maison ou fuir.

Où avait-il pu passer ? Se serait-il fait écraser par la météorite ?

Avec maman, nous sommes allés à la gendarmerie afin d'avoir des informations, savoir s'ils avaient organisé des recherches ou si nous pouvions nous même le chercher.

Malheureusement, ils n'ont même pas pris le temps de nous recevoir.

Ils étaient trop occupés à gérer l'arrivée soudaine de tout ce monde et surtout ne comprenaient pas pourquoi ils devaient sécuriser les lieux.

Après tout, ce n'était qu'une météorite, pourquoi faisait-il appelle à la gendarmerie ?

Et ils devaient en plus gérer les agriculteurs qui commençaient vraiment à s'énerver car il ne pouvait plus travailler ces terres-là.

Après nous être fait poliment sortir de la gendarmerie, il nous restait plus que l'option de la mairie.

Ce cher Monsieur Imbert, trop occupé par sa notoriété soudaine, ne nous a pas reçus non plus.

Ça ne pouvait pas mieux tomber pour lui, enfin il passait à la télévision, cela permettait d'augmenter sa cote de popularité et par la même occasion ses chances de devenir député.

Que pouvais-je faire ?

Tenter de joindre les journalistes, pour expliquer mon histoire, faire un peu de bruit, pour qu'il me prenne au sérieux ?

Mais à bien y réfléchir, j'avais beaucoup trop à perdre. Et surtout moi qui étais plus discrète, je risquais d'avoir une notoriété soudaine et malsaine difficile à supporter.

Je ne baisserais pas les bras pour autant, j'allais trouver une autre solution coûte que coûte.

Ce pauvre petit Charlie, tout seul dans la forêt, je ne pouvais pas l'abandonner.

Lui qui avait été toujours le plus fragile.

Quand il était petit, il prenait régulièrement des infections urinaires. J'ai même cru le perdre une fois, car il ne mangeait plus et n'allait plus à la selle.

La vétérinaire m'avait sermonné de l'avoir amené trop tard et avait fini par me prescrire un régime alimentaire avec des croquettes hors de prix.

Une autre fois alors que nous étions chez ma tante, il a voulu sauter par-dessus une barrière pour imiter Billy, mais en retombant il n'a pas assuré la chute et s'était cassé la patte arrière, depuis il boite toujours un peu, ce qui lui donnait une démarche atypique.

Les jours passaient alors sans que je ne puisse rien faire pour lui.

Je suis plusieurs fois retourné au plus près des barrières en sortant du travail en espérant l'apercevoir, mais rien.

Le mercredi je me suis même levé très tôt et refait une partie du parcours, et fouiller dans la forêt en comptant sur le fait qu'il serait peut-être moins effrayé le matin, et qu'il me répondrait si je l'appelais.

Malheureusement après une bonne heure de recherche, je n'avais toujours aucun signe de lui et dus me rendre au travail.

C'est alors que je commençais à perdre espoir et ne plus avoir de solution que trois personnes sont venues chez moi.

Il y avait Mr le Maire en personne, un gendarme et un homme d'une quarantaine d'années.

Venaient-ils me voir car, je les avais un petit peu harcelés pour qu'il se bouge pour Charlie ?

Mr Imbert commença alors les présentations.

L'homme qui les accompagnait était un scientifique.

Je n'ai pas tout compris son rôle et sa fonction, mais il était chargé de mener l'enquête sur l'astéroïde.

Il a avait été prévenu que je me trouvais sur les lieux à ce moment et souhaitait reconstituer les pièces du puzzle.

Il était avec son binôme : le sergent-chef Gustin, qui menait l'enquête de son côté également.

Après avoir préparé le café « sans sucre pour Mr le maire, car il fait attention à sa ligne », et apporté le plateau dans le salon, le scientifique prit la parole :

— Tout d'abord je tiens à vous remercier de nous recevoir, et de prendre le temps de répondre à quelques-unes de nos questions.

— La situation doit être difficile pour vous. Toujours pas de nouvelle de votre chien, Charlie c'est ça ?

Comment se fait-il qu'il connaisse son nom, sûrement Mr Inber qui lui a dit ?

« À ça pour parler sur les autres ça va, mais pour agir il n'y a plus personne. »

— Non malheureusement, je suis inquiète car il est faible et fragile, il n'a jamais fugué, je me demande où il a bien pu passer.

— Je comprends, mais si vous nous aidiez, en échange, je vous proposerais d'aller sur le site avec nous et vous aiderais dans votre recherche.

— Merci.

Le gendarme me demanda si cela ne m'embêtait pas qu'il enregistre la conversation et alluma un petit magnétophone qu'il posa sur la table.

— Très bien. Alors je voudrais que vous me racontiez ce qu'il s'est passé, ce que vous avez vécu en rentrant dans les détails si possible. Ça vous convient ?

— Oui, bien sûr.

Je leur racontais alors mon histoire :

Donc après avoir fait mon jogging, je me suis arrêté dans le pré pour souffler, et c'est à ce moment que les phénomènes ont commencé.

Ça a commencé par les tremblements de terre puis les vents violents.

Et ensuite ce son, qui était de plus en plus fort et qui retentissait dans ma tête.

Puis l'espace d'une dizaine de secondes, ça s'est arrêté et il n'y avait plus aucun. Plus de vent, plus de cris d'oiseaux.

Et c'est à ce moment que l'astéroïde s'est écrasé. Et par chance je suis tombé du bon côté, mais je pense que Charlie a dû tomber dans le cratère.

Le scientifique me reprit alors d'un air surpris et embêté.

— L'astéroïde, quel astéroïde ?

— Eh bien, c'est bien un astéroïde qui est tombé ?

— Dans le village et à la télévision, on ne parle que de lui.

— Nous n'avons trouvé aucun astéroïde, reprit alors le gendarme, tout en fouillant dans son porte-document.

Puis il en sortit des photos qu'il étala sur la table basse.

C'était complètement irréaliste.

Ce n'est pas possible, je suis en train de rêver.

Plusieurs de ces photos devaient avoir été prises par avion.

On y voyait alors clairement le cratère.

Mais au lieu d'être difforme avec des contours irréguliers, c'était un cercle parfait. Ou plutôt une sphère.

Comme si on avait laissé tomber une bille dans du sable.

— Comme je vous l'ai dit, il n'y a pas d'astéroïde. Et si ça avait été le cas, l'impact et le souffle auraient été beaucoup plus fort, cela aurait probablement détruit la terre.

— Qu'est-ce que c'était alors ?

— Nous n'en savons pas plus pour le moment. Nous avons constaté beaucoup de radiations.

Après avoir parcouru mon dossier médical et fait un tour de mon état de santé, la conversation se termine très rapidement.

Finalement je n'avais pas plus de réponses qu'eux pouvaient m'en apporter.

Mais si au moins cela me permettait de retourner sur les lieux pour rechercher Charlie, il y avait au moins quelque chose de positif qui en était ressorti.

Chapitre 5
Un samedi soir comme les autres au bar du quartier

— Hé, Léo, ça va ? Tu payes ta tournée ?

Il n'y avait pas tellement de monde en début de soirée :
Léo est sa bande, Jean, Christophe, Denis, Pierre et Elsa.
Il y avait aussi le vieux Fernand.

Le pauvre depuis que sa femme était partie, il ne faisait plus rien et traînait dans tout le temps dans ce bar.

Ce n'est plus une ardoise qu'il devait à Francine mais un tableau noir.

Enfin Francine avait toujours eu de l'intention pour lui. C'était un peu comme un deuxième père.

Il a toujours été tendre et attendrissant avec elle, alors que son propre père la battait et la rabaissait à longueur de journée.

Alors s'il profitait des tournées et ne mettait que rarement la sienne, ce n'était pas si grave car tout le monde l'aimait bien et il mettait l'ambiance.

Ce soir-là Francine voulait apporter un peu d'animation dans le village et avait organisé une soirée Paella.

Le but était de ramener un peu de monde dans le restaurant et surtout de rentrer un peu d'argent, car les temps étaient durs.

Francine travaillait toute seule, elle ne faisait que les repas du midi car il fallait à la fois faire la cuisine et le service.

Le village étant en pleine campagne, il fallait connaître l'adresse.

La clientèle était surtout des habitués, les ouvriers des chantiers des alentours.

Elle aurait aimé être considérée comme un resto routier, mais depuis la création de la déviation, presque plus aucun chauffeur ne passait dans les alentours.

Le chiffre d'affaires n'était donc pas très haut, tout juste de quoi payer les frais, les charges et se dégager un salaire minuscule et encore pas tous les mois.

Sandrine, toujours prévenante envers tout le monde, lui avait suggéré de faire des soirées à thème « Paella, Couscous, le Nouvel An… »

Francine ne se sentait pas d'assurer de tels événements et surtout gérer le repas et le service.

Sandrine s'était alors proposé de faire le service gratuitement afin de lui donner un coup de pouce.

De plus, de par sa personnalité un peu forte et son habitude à se mettre en avant, le tout accompagné du Fernand ne pouvait qu'apporter le plus pour que tout le monde s'amuse.

— T'inquiètes avec Fernand, on va mettre le feu, on va les faire bouger. Ça va être une soirée de ouf.

Pendant que Francine se chargerait des courses et du repas, Sandrine et Fernand s'occuperont de la « com ».

La communication, c'était la toute première passion de Sandrine.

C'était même une vocation, qu'elle n'avait malheureusement pas saisi, ayant quitté l'école rapidement et le travail n'étant pas difficile à trouver, elle avait pris le premier venu.

Elle était secrétaire pour une entreprise de meuble à 22 kilomètres.

C'était un travail sur et pas trop mal payé, mais au fond d'elle ce qui lui plaisait vraiment c'était l'événementiel.

Son rêve ultime aurait été d'être organisatrice de mariage ou préparer des festivals.

Prenant donc cette mission très à cœur, accompagnés du Fernand, Ils avaient alors passé plusieurs jours à faire le tour des amis, des connaissances, passer quelques coups de fil.

On pouvait dire que ça avait plutôt bien fonctionné car environ cinquante personnes s'étaient inscrites tout de suite.

À vingt et une heures, il y avait déjà quarante-trois personnes installées, sirotant leurs apéritifs.

C'est à vingt et une heures dix qu'un inconnu est entré dans le bar.

Il était plutôt grand, les cheveux très blonds, avec une barbe discrète de quelques jours.

Il avait également une cicatrice sur la joue droite.

Son trait le plus marquant était sans aucun doute son regard.

Il avait de grands yeux verts percutants capables d'entrer en vous et de vous analyser en une fraction de section.

Il avait fait une entrée des plus remarquée comme dans un vieux western spaghetti.

Qui pouvait être cet homme ?

Tous les autres invités étaient des gens du village et des alentours et tout le monde se connaissait alors quand un inconnu atypique entre on ne peut que le voir.

Il prit une table et s'assit seul dans un coin en toute discrétion.

Les cinquante-trois couverts étaient servis et la véritable soirée allait pouvoir commencer.

Alexandre, le fils de la voisine de Francine, faisait le DJ.

Il avait profité des quelques travaux rémunérés par-ci par-là pour s'équiper en matériel de sonorisation et d'éclairage et passait des disques tout en assurant les mix.

L'homme étrange restait à sa place paisiblement, il observait attentivement chaque personne.

Était-il un flic ? Y avait-il un trafic de drogue, un réseau de prostitution ?

Il resta là et guetta, guetta bien deux heures durant.

La soirée prenait bien, les invités dansaient, chantaient, buvaient.

Peut-être un peu trop, mais bon, il faut bien faire vivre le commerce.

Puis d'un coup il devait être une heure trente du matin, l'inconnu se leva et se dirigea tout droit vers Léo.

Il se positionne juste devant lui et commence à le fixer du regard.

Léo qui était plutôt de nature bagarreuse et était souvent dans les embrouilles, prit cela à la rigolade puis lui dit.

— Qu'est qu'il y a ? Tu veux ma photo, banane ?

L'homme continua de le fixer, prit quelques secondes puis lui répondit.

— C'est toi Léo ?

— Alors tu es toujours un petit pleurnichard, qui cherche les embrouilles et finit toujours par pleurer ?

— Et là, attention, l'inconnu. C'est à moi que tu parles ?

— Pourquoi il y a d'autres Léo dans cette salle ?

— C'est bien ce qu'il me semblait, en plus d'être une vraie gonzesse, tu es stupide.

Léo ne pouvait supporter un tel affront !

Il y a eu effectivement une période dans sa vie, étant petit, où il était faible.

Les autres petits ne comprenaient pas que quand ils leur faisaient des croche-pattes ou leur piquaient leurs affaires, c'était juste pour s'amuser ou rigoler un peu. Mais au lieu de ça ils le frappaient.

Il subissait, subissait, jusqu'à ce que Jérémy le pousse trop violemment et lui provoque une fracture du tibia en tombant.

C'est à ce moment qu'il s'était fait la promesse de devenir un homme. Et ne plus jamais laisser personne lui manquer de respect.

Et sûrement pas un blondinet, qui n'est même pas du village.

Sans hésitation il se leva brusquement, serra son poing droit, prit son élan et lui envoya un crochet qui allait le mettre KO direct.

Plus de pitié !

L'étranger devait avoir senti son intention, et il devait être un soldat ou un spécialiste en art martial car au tout dernier moment il s'écarta juste ce qu'il fallait et en profita pour lui envoyer un coup de poing dans les côtes.

Le choc a été terrible et Léo surprit, fit un bond en arrière et s'écroula sur la table.

Fernand voyant l'action a tout de suite voulu intervenir et tenter d'attraper l'intrus.

Sans même se retourner, l'homme lui envoya un coup de coude qui lui arriva en plein visage, le faisant reculer et chuter.

Sa tête frappa le bar, puis il s'écroula.

L'inconnu alla ensuite voir le DJ, choisit un disque et lança « Poison » d'Alice Cooper.

Il commença à se dandiner, claqua des doigts, puis se retourna ensuite brusquement, regarda les amis de Léo et leur lança

— Alors les filles, on va se regarder dans le blanc des yeux encore longtemps ou on va finir par se battre ?

Sur ce, Fabrice se leva. Il était impressionnant du haut de son mètre quatre-vingts.

Il n'avait que dix-sept ans mais c'était déjà un grand gaillard, un bon bœuf comme on dit par chez nous.

Il avait pratiqué cinq ans de boxe dans son adolescence, il savait encaisser.

Il se prépara, monta sa garde et avança vers lui.

Il se dandina un peu en l'observant, puis tenta de lui décrocher une droite.

Son adversaire qui avait la main gauche dans le dos l'esquive sans soucis.

— C'est tout ce que tu as dans le ventre ?

Fabrice énervé revient ensuite à la charge.

Gauche, droite, crochet, puis encore une droite.

Bizarrement, on aurait dit qu'il anticipait tous les coups car il se déhanchait juste ce qu'il fallait pour n'être que frôlé.

Puis, juste avant le dernier coup, il surprend Fabrice en lui envoyant un coup de poing, juste dans l'intestin.

Le souffle coupé Fabrice s'écroula à son tour.

Les autres amis de Léo ne sachant plus quoi faire et ne voulant sûrement pas subir la même correction ne bougent pas.

Le disque s'arrêta juste à ce moment-là.

Il se dirigea alors vers le bar, régla son repas et laissa un pourboire.

Il introduisit ensuite une pièce dans la machine à un bonbon, tourna la molette, saisit le bubble gum qu'il mit tout de suite dans sa bouche.

Il attrapa ensuite Léo par le pied et se dirigea vers la sortie en le traînant.

À trente centimètres de la porte, il se retourna, regarda la salle et tous les invités le dévisageaient et dit.

— Merci à tous pour cette excellente soirée et de votre hospitalité.

Il saisit ensuite Léo par le bras, le souleva comme on soulève un sac à doc, le mit sur les épaules, puis quitta la salle.

Personne ne savait qui il était, mais ce qui est sûr c'est qu'il cherchait Léo et cette confrontation.

La scène qui venait de se dérouler était tellement surréaliste que personne n'était intervenu ou ne souhaitait s'interposer.

Même Francine qui pourtant était la propriétaire n'avait pas eu le réflexe d'appeler la gendarmerie.

Les bagarres dans les bars les samedis soir trop alcoolisées étaient chose courante. Ils n'avaient pas l'habitude de se déplacer dans ce genre de situation.

Sandrine fut la première à réagir quand elle constata que Fernand ne se réveilla pas, le choc avait été terrible et elle redoutait qu'il soit tombé dans la coma ou pire mort.

Francine finit tout de même par appeler les urgences et la gendarmerie dans un deuxième temps.

Fernand respirait normalement et son pouls était correct lorsqu'il l'emmenait à l'hôpital le plus proche dans un état encore inconscient.

La bande à Léo avait vite déguerpi de peur d'être impliqué malgré eux à un encore un dans un de ses mauvais coups.

Les gendarmes avaient finalement fait le déplacement car il y avait quand même un blessé grave, le SAMU étant intervenu, ils étaient dans l'obligation de faire un rapport.

Quel rapport ? s'énerva Sandrine, qui les accusa de ne pas faire leur travail, car ce ne sont que quelques témoignages vagues qu'ils relevèrent sans même prendre de notes ou en description de l'inconnu.

Il connaissait bien Léo et avait souvent eu affaire à lui pour des délits plus ou moins importants.

Sûrement un dealer à qui il devait une dette importante et qui venait réclamer son dû.

— Ne vous inquiétez pas, il refera bien son apparition d'ici quelques jours.

De plus, avec tout ce qu'il se passait en ce moment dans le village, ils n'avaient ni le temps ni l'envie d'ouvrir une enquête.

La soirée s'était donc terminée ainsi sans plus d'explication.

Chapitre 6
1ᵉʳ flash

Une semaine s'était passée depuis la visite du maire et des enquêteurs.

Elle s'était écoulée sans encombre et les soucis se réglaient un à un.

Malgré cela, les photos du gendarme et tout ce que m'avait raconté le scientifique me revenaient sans cesse en tête.

J'avais bien quelques hypothèses toutes plus douteuses les unes que les autres, mais je ne pouvais pas en rester là et trouver des explications.

J'ai épluché les journaux qui relayaient le peu d'informations qu'il arrivait à obtenir du gouvernement et des scientifiques.

J'ai élargi alors les sources en me rendant à la bibliothèque.

Autant balayer large et chercher dans tous les domaines, j'ai donc emprunté des ouvrages qui parlent d'astronomie, de phénomènes inexpliqués, de sciences occultes et d'ovnis.

Mais rien dans tout ce que j'ai pu lire ne me donne quelques pistes pour expliquer mon coma, ce trou gigantesque, la disparition de Charlie et pourquoi je me sentais si différente.

Malgré la promesse du scientifique, personne ne m'avait encore autorisé à pénétrer sur la zone.

Mes harcèlements et mes coups de téléphone répétés à la gendarmerie ont donc fini par payer puisqu'ils ont accepté que je retourne sur les lieux du crash et que je fasse des recherches pour tenter de retrouver mon chien.

À la seule condition bien sûr qu'ils m'accompagnent.

Ce sera également l'occasion de faire le point et raviver quelques souvenirs.

Le rendez-vous était fixé au samedi matin à 10 heures à la gendarmerie.

Je me suis donc rendu à vélo.

Les deux enquêteurs m'attendaient devant et nous sommes partis tout de suite, sans prendre un café ni faire le point sur l'avancement de l'enquête.

Nous nous sommes rendus sur les lieux en voiture de la gendarmerie, les deux enquêteurs étaient assis devant et moi sur le siège passager.

En d'autres circonstances, si ma mère m'avait vu passer, elle aurait tout de suite paniqué. Cette idée me fait toujours autant sourire.

En arrivant sur les lieux, je n'ai rien ressenti, alors que je m'attendais à revivre certains souvenirs.

Ces images, je les ai repassés cent fois, dans ma tête.

Cela me réveillait même certaines en sueur, en revivant le moment où j'ai été frappé par la « Foudre ».

Le cratère était là devant moi, encore plus gigantesque et impressionnant que sur les photos.

Je commençais à regarder autour de moi.

La théorie de la météorite fut complètement abandonnée, quand j'observais les alentours.

Imaginez un rocher de milliers de tonnes s'écrasant sur terre, il y aurait dû avoir des blocs de terre tout autour.

Le souffle aurait dû pencher ou carrément arracher les arbres et la végétation.

Encore une fois, je ne m'explique pas ce qu'il avait pu se passer.

Le scientifique proposa alors de s'approcher du cratère.

Étrangement plus nous nous approchions du trou, plus je ressentais des fourmillements.

Ils commencèrent dans le pied gauche, puis remontèrent dans la jambe et me paralysèrent finalement le bras droit.

C'est à ce moment que j'entendis des voix qui m'appelaient sans comprendre d'où elles pouvaient venir.

— Viviane, c'est toi ?

— Approche-toi !

— Rejoins-nous. Nous avons besoin de toi ?

— Viviane, Viviane…

— Qui ? Qui m'appelle ?

— Qui êtes-vous ?

L'inspecteur qui du me prendre pour une folle ou Jeanne d'Arc s'approcha et me lança.

— Est-ce que ça va ? vous êtes toute pâle ?

— Oui, je… je me sens toute bizarre, vous avez entendu ces voix ?

— Quelles voix ? Il n'y a que nous ici.

— Viviane, dépêche-toi, approche-toi !

— Et maintenant, vous n'avez rien entendu, on m'appelle ?

Le sifflement, il revient.

— VIVIANE !

Je n'ai entendu que mon prénom, très fort dans ma tête avant de m'écrouler.

À ce que m'a raconté l'inspecteur, je me serais évanoui comme ça d'un coup sans signe précurseur.

Pour moi c'est comme si j'étais dans un rêve, mais pas un cauchemar, bien au contraire, j'étais bien, apaisé, presque euphorique.

Je me suis vu tomber en arrière, et à quelques centimètres du sol, je me suis mise à flotter.

Puis je me suis élevé à un mètre, puis deux et trois. Ensuite, je me suis retourné et j'ai commencé à voler.

Cela ne pouvait être qu'un rêve, il n'y a que dans les rêves ou l'on vole.

J'étais juste au-dessus des enquêteurs qui ne bougeaient pas. Comme si le temps s'était soudainement figé.

Comme si on avait mis « pause » dans un film.

Sur le film de ma vie, sur moi ?

Cela devait être les prémices de ma mort car on dit souvent que dans les dernières secondes on voit toute sa vie défiler devant soi, comme un K7 vidéo que l'on passe en accéléré.

Mais alors que je m'attendais à faire en retour en arrière rapide et me revoir bébé, je suis parti d'un coup. Telle une fusée qui venait d'atteindre le Zéro du compte à rebours.

J'ai d'abord survolé le pré, la forêt, le clocher du village, puis tout en accélérant j'ai changé d'inclinaison pour prendre de plus en plus d'altitude.

En quelques secondes seulement, j'étais dans l'espace.

Je pouvais respirer, j'étais bien, j'aurais pu continuer jusqu'au fin fond de l'univers.

Mais alors que j'avais la lune en face de moi, je me suis retourné d'un coup.

Je ne savais pas à quelle distance de la terre je me trouvais, mais je pouvais la contempler dans sa globalité.

Je distinguais parfaitement les continents et les océans.

J'étais entre l'Europe et l'Afrique.

Puis, alors que j'observais sur ma droite ce que je pensais être la station MIR.

Je ressentis une secousse, qui me traversait tout le corps cette fois-ci, mais sans aucune douleur.

C'est comme si j'avais traversé un mur d'eau très mince.

La station MIR avait disparu. Il n'y avait plus aucun satellite alors que les continents et les océans étaient toujours là, à la même place.

Mais quelque chose était différent. Ce n'était plus la même terre, notre terre.

Je ne saurais dire exactement ce qui était différent, mais je savais ou plutôt je ressentais que ce monde n'était pas le nôtre.

Comme au jeu des sept différences, j'analysais chaque parcelle de notre globe, Quand tout à coup, derrière moi surgit un vaisseau spatial. Il était gigantesque avec beaucoup de lumières bleues et rouges.

J'ai vraiment cru que je rêvais.

Car comme dans les rêves, on peut vivre des situations très proches de la réalité pour qu'ensuite viennent se greffer des éléments complètement incohérents.

En étant allé voir la guerre des étoiles il y a deux semaines, j'avais sûrement dû voir ce vaisseau dans le film.

Il continuait en direction de la terre, puis il traversa l'atmosphère et je suppose qu'il avait dû atterrir quelque part car je ne l'aperçus plus.

Le temps s'accélère tout d'un coup, comme quand on appuie sur la touche avance rapide des magnétoscopes.

Pour enfin s'arrêter jusqu'à cette scène terrible où la terre explose.

Des débris s'envolèrent dans tous les sens, je voulais partir, m'éloigner le plus loin possible.

Quitter et oublier cette vision d'horreur.

Mais j'étais figé, je ne pouvais bouger car je ne contrôlais pas mon corps.

J'allais sûrement mourir dans l'onde de choc qui s'approchait de moi à toute allure ?

Je pouvais juste fermer les yeux et retenir ma respiration en espérant que ça passe.

Je me rappelle m'être dit :

— Ma fille y est, c'est ton heure.

Mais au lieu d'être expulsé et partir avec l'onde de choc, j'ai retraversé le mur d'eau en douceur.

Tout s'est alors accéléré, et c'est allé tellement vite que je n'ai rien vu du voyage de retour.

En quelques secondes, je suis revenu dans notre ville puis j'ai réintégré mon corps.

Le temps avait passé aussi sur la terre et n'était pas figé comme je l'avais imaginé car les inspecteurs étaient accroupis près de moi et tentaient de me réanimer.

Et c'est dans ces moments on l'on passe du réveil la réalité, de l'état presque inconscient à conscient que j'ai entendu.

— Viviane, Viviane... Nous devrions te montrer ça. Tu comprendras.

Je n'ai pas compris tout de suite lequel des inspecteurs me parlait et surtout pourquoi il me disait cela.

Montrer quoi ? Comprendre quoi ?

Est-ce le genre de parole que l'on prononce pour réveiller quelqu'un ?

Ce n'est que plus tard dans la journée que j'ai réalisé que la voie qui m'avait dit ça était celle qui m'avait attiré dans ce rêve.

Mais au fond était-ce bien un rêve ?

Chapitre 7
Léo et Eol

— Léo, Léo réveille toi.

Le ravisseur et Léo étaient dans un garage désaffecté en dehors de la ville.

Cela devait être le refuge de l'inconnu.

Il l'avait transporté sur ses épaules jusqu'à ici.

Léo qui avait subi un choc puissant ne s'était pas encore réveillé.

Il avait alors pu l'attacher à une chaise en bois bancale, avec des fils électriques de voiture qu'il avait dû dénicher dans l'atelier.

Quel coup foireux avait-il pu lui faire afin qu'il le prépare de cette manière ?

Se préparait-il à le torturer ?

Était-ce pour le plaisir, de la vengeance ou pour lui soutirer des informations importantes ?

Avec Léo, il ne fallait douter de rien, il se pourrait même que ce soit pour les trois à la fois.

Il était donc maintenant prêt pour son interrogatoire, et l'individu, commençant à perdre patience, lui mit une grande claque sur la joue droite sans effet.

Il alla alors remplit en seau d'eau froide, qu'il lui jeta dessus.

Cette méthode fut beaucoup plus efficace car elle le réveilla en sursaut

— Que, qu'est-ce que je fais ici ?

— Mais, mais c'est toi ? Pourquoi tu m'as emmené ici ?

41

— Détache-moi !

— Calme-toi, je vais tout t'expliquer

— Je m'en fous de tes explications enculées, détache-moi, putain.

CLAC, fit le bruit d'une autre claque sur la joue gauche, cette foi.

— Ta mère ne t'a pas appris la politesse ?

— Je t'ai dit que j'allais tout t'expliquer, je vais te détacher après, ne t'inquiète pas.

— Si je t'ai convoqué, c'est parce que j'ai besoin de toi, ça fait un moment que je te cherche.

— Et pourquoi tu me cherches ? Merde !

— J'ai besoin de toi, ton corps et ton esprit.

— Je me suis échappé mais je n'ai pas pu sauver mes compagnons qui ont été exécutés.

— C'étaient mes plus fidèles mercenaires.

— Et maintenant que je suis libre, je dois réformer mon clan.

— Des mercenaires ? T'es un gangster, un voleur ?

— Disons que je ne suis pas du coin. On a fait plein de « casse » comme vous dites chez vous.

— On faisait régner la terreur et le monde avait peur de nous, nous étions riches.

— Mais malheureusement lors de notre dernier coup, nous sommes tombés dans une embuscade et ils nous ont attrapés.

— Nous avons passé cinq ans dans une prison pire que l'enfer en attendant notre jugement.

— Seul dans des pièces, séparées et dans le froid.

— Mais j'avais un plan, lors de notre jugement, nous devions nous échapper, mais mes équipes chargées de cette mission m'ont trahi.

— Plusieurs de mes mercenaires ont été exécutés sous mes yeux.

— Ce qui m'a fait rager.

— C'est à ce moment que mon plan b est arrivé.

— Mais celui-ci ne s'est pas passé comme prévu. Il n'y a que moi qui ai pu m'enfuir finalement.

— OK, OK mais et moi dans tout ça, je fais quoi dans cette histoire ?

— Toi, mon cher Léo.

— Disons que je suis arrivé un peu par hasard dans ton village, je ne peux pas retourner chez moi, et je pense que plus personne ne me recherche maintenant.

— Par contre je peux remonter mon clan et redevenir riche et respecté.

— Je t'ai choisi car tu es fourbe, malhonnête, bagarreur mais aussi meneur d'hommes.

— Je t'ai provoqué dans le bar car je voulais être sûr que tu allais être l'homme de la situation.

— Ce que je te propose c'est de devenir mon bras droit, mon premier lieutenant.

— De former notre nouveau clan, et je te promets que d'ici peu nous seront riches.

— Qu'en penses-tu ?

— Non mais j'en ai rien à foutre de tes conneries, libère-moi, c'est tout.

— Ce que tu n'as pas compris, c'est que je t'explique pour t'informer, pas pour que tu me donnes ton accord.

Il lui colla une sorte de puce électronique sur la tempe.

Léo se mit alors à trembler de tous ses membres, ses yeux commencèrent par clignoter jusqu'à se retourner pour finalement ne montrer que le blanc.

C'était comme s'il subissait une électrocution et qu'il recevait des flashs.

Peut-être cherchait-il à crier et à hurler mais il ne le pouvait pas car sa mâchoire était contractée.

Puis au bout de 3 minutes 53, ça s'est arrêté.

Ces yeux se sont refermés, tous ces membres se sont relâchés, sa tête est tombée en avant.

Plus de tremblement ou de spam, une respiration calme, très calme, plutôt lente même.

Il semblait même apaisé, dans un état de transe ou comme s'il était en train de faire un rêve merveilleux.

Son ravisseur, lui, assista à toute la scène posément, calmement. Il attendait impatiemment qu'il se réveille.

Léo reprend son souffle, ouvre ses yeux, regarde fixement l'intrus et lui dit.

— Zéon, c'est toi ?

Chapitre 8
Sandrine et Xiana

Une semaine jour pour jour à la même heure, Zéon et Léo revinrent dans le bar.

Il n'y avait que Francine faisant un peu de ménage et Sandrine qui l'aidait.

Zéon avança alors que Léo ferma la porte à clé.

Surprise, Francine s'écria :

— Hé, qu'est-ce que vous faites ?

Sandrine aussi surprise regarda Léo et demanda :

— Léo, ça va ? On t'a pas revu depuis la semaine dernière ? Et qui est cet homme ?

Léo ne répondit pas tandis que Zéon s'approcha du bar, s'assit reprit un Bubble gum comme la semaine dernière puis regarda Francine et lui soupira :

— Bonjour Francine, désolé pour cette intrusion soudaine, mais c'est surtout à Sandrine que nous souhaitons parler.

— Serait-il possible de nous laisser le bar quelques instants ?

Francine s'exécute alors sans un mot.

Sandrine qui fut la première surprise s'écria.

— Mais tu ne vas pas laisser ton bar à ces inconnus ? Ne me laisse pas toute seule ici.

Mais elle ne répondit rien et ne se retourna même pas. C'est comme si elle avait été hypnotisée.

— Mais que me voulez-vous ?

Léo commença alors :

— Ne t'inquiète pas, il ne te veut pas de mal.

Il va tout t'expliquer, tu vas vite comprendre et ta vie va changer en bien mieux.

— Mais ma vie me convient, répondit-elle sèchement.

Je ne veux rien de plus.

Sur ce, c'est Zéon qui prit la parole et d'un ton moqueur lui rétorqua :

— Ta vie te convient ? Es-tu sûr d'avoir réalisé tes rêves ?

Où en est ta carrière ? Es-tu riche et célèbre comme tu l'imaginais ?

Ton emploi de secrétaire pour ces cons de patrons te rapporte suffisamment d'argent ?

Qui sont tes fans : les ouvriers, les clients, les prestataires ?

Et ton album solo Idyllique où en est-il ?

Sandrine ne revenait pas, comment pouvait-il être au courant de tout cela ?

Cela ne pouvait pas être Léo, bien qu'il se connaissait depuis l'enfance, il n'avait jamais rien partagé et on ne pouvait pas simplement dire ni même penser qu'il était ami.

C'est le genre de confidences que l'on réserve à des amis très proches.

— Comment savez-vous ça, je ne l'ai dit à personne ?

— Je sais tout Sandrine, répondit-il d'un air hautain et sûr de lui.

J'ai besoin de toi. Tu as du charisme, de la prestance.

Je t'offre l'opportunité de ta vie : devenir célèbre.

Tu seras notre porte-parole, notre image, notre icône.

Tous nos actes, notre organisation et tout ce que nous allons accomplir, c'est toi qui les représenteras.

— Et on sera riche. Surenchérit bêtement Léo.

— Je ne comprends pas ? Qui êtes-vous ? De quelle organisation parlez-vous ?

— Tu n'as pas besoin d'en savoir plus pour le moment.

Accepte, c'est tout.

Sandrine prit peur et commença à courir vers la porte, mais Léo, l'attrapa par le bras et la saisit fermement.

C'est alors à ce moment que Zéon lui colla la puce sur sa tempe.

Elle eut la même réaction que Léo et heureusement qu'il la tenait car elle se serait sûrement écroulée par terre.

3 minutes 53 exactement puis elle se réveilla.

— Zéon, Eol c'est vous ?

— Oui, Xiana. C'est nous.

Zéon nous a ramenés.

Étrangement, dans ce qu'il semblerait être des retrouvailles entre amis de longue date qui s'apprêtent à se raconter leurs dernières anecdotes et aurait des milliards de choses à dire, eux en restèrent là.

Ils n'échangèrent que ces quelques mots dénoués totalement d'émotion.

Sandrine reprit son balai, tandis que les autres sortaient du bar sans se retourner.

Ce n'est que lorsqu'ils croisèrent Francine que Zéon s'approcha d'elle.

Pendant tout ce temps, elle avait attendu ici sur le trottoir.

Elle ne se souvenait même plus pourquoi elle était sortie si précipitamment.

Lorsqu'elle s'était réveillée, elle était là debout juste en face du bar, le regard vide à ne penser à rien, mais vraiment rien.

Pourquoi avait-elle abandonné son bar ?

Il était encore tôt dans l'après-midi, beaucoup trop tôt pour l'apéro.

Elle ne pouvait pas être ivre au point de faire des choses complètement stupides et rechercher au plus profond d'elle les événements qui l'avaient amenée là.

Quand elle traversa la route et s'apprêtait à retourner au bar afin d'obtenir un minimum d'information, elle croisa Zéon.

Il s'approcha d'elle, mais elle s'en méfiait et ne voulait surtout pas échanger avec cet inconnu.

L'avait-elle sentie ou avait-il manigancé son coup autrement, il lui dit juste :

— Alors vous avez trouvé votre bonheur au marché ?

Avec une belle saison comme cette année, les fruits doivent être juteux et savoureux ?

Aucune réponse de Francine.

Elle se contenta de masquer cette rencontre et rentra tout simplement dans le bar.

Elle fila directement à la cuisine et déposa le panier plein de fruits qu'elle n'avait pas.

Sandrine contempla la scène presque en s'amusant, sans rien dire.

C'est Francine qui entama la conversation :

— Désolé de t'avoir abandonné si longtemps ma belle, je voulais juste acheter quelques trucs au marché, mais je suis tombé sur un maraîcher super sympa qui m'a proposé des fruits de saison juteux et savoureux. Peut-être que tu veux en goûter un ?

Sandrine l'arrêta net dans son élan alors qu'elle se rendait déjà dans la cuisine.

— Cool ma poule, mais n'oublie pas que l'on a du boulot ?

On a toute cette pièce à nettoyer, alors donne-moi un coup de main et je te promets que je goûterais tes fruits juteux et savoureux après avec plaisir.

Francine changea d'objectif alors directement, au lieu d'aller chercher une pomme qui n'existait pas, elle allait dépoussiérer les étagères de la salle principale qui en avait grand besoin.

Ce n'est que plus tard, que Francine qui ne pouvait s'empêcher de songer à toutes ces situations comprit qu'il se passait des choses anormales.

Deux fois cet homme était venu dans son bar, deux fois elle a vu des scènes que personne ne pourrait avouer, même pas à lui-même.

La première fois, l'homme rentre, passe la soirée et repart tranquillement avec un autre qu'il a assommé puis l'emporte tout naturellement avec lui.

La deuxième fois, ce même homme rentre, l'écarte gentiment de son bar et quand elle revient elle retrouve sa copine différente.

En quoi était-elle différente ? Ça elle ne pouvait pas l'expliquer, mais elle était plus attentive, non pas plus attentive, plus expressive, non pas plus expressive…

Plus, plus… Plus ?

C'était plus elle tout simplement.

Chapitre 9
Le retour de Charlie

J'étais toujours allongée par terre en train de me réveiller et de me remettre de ce « voyage » lorsque j'ai ressenti sa présence et quasiment reconnu son souffle.

J'ai juste eu le temps d'ouvrir les yeux, que sa langue râpeuse me léchait déjà le visage.

Je repoussais machinalement sa tête pour enfin réaliser que c'était Charlie, mon petit chien qui m'avait tant manqué.

— Charlie ? Charlie !

Je le pris dans mes bras tendrement avant de lui caresser le museau et la joue comme il aimait tant.

Les deux inspecteurs étaient là aussi et me regardaient fixement, avant de me lancer.

— Viviane, est-ce que ça va ? Vous vous êtes encore évanoui, que s'est-il passé ?

— Combien de temps suis-je resté dans les vapes ?

— Je dirai, une minute.

— C'est étrange ?

On aurait dit un rêve qui m'avait semblé bien plus long que cela en réalité.

D'où vient Charlie ?

— On ne sait pas d'où il est arrivé, mais il a tout de suite accouru quand vous vous êtes évanoui, il a posé sa tête sur votre poitrine, comme s'il était avec vous et s'il vous soutenait pendant votre voyage.

— Qu'avez-vous vu, avez-vous encore rêvé ?

— Attendez que je reprenne un peu mes esprits.

Je... c'est très vague, mais j'ai eu comme une sorte de flash.

J'ai le sentiment qu'il va se passer quelque chose de terrible.

Ce cratère et l'explosion ne sont que les prémices.

Viviane prit alors quelques minutes pour se relever, et réfléchir à tout cela.

Tous les trois commencèrent à regarder autour d'eux puis élargir leur champ de recherche afin de comprendre d'où venait Charlie.

Où était-il pendant tout ce temps ?

On aurait pu penser qu'il tente de retourner à la maison, tout du moins qu'il sorte du pré pour rejoindre une ville.

Ce qui surprit le plus Viviane, c'est que toute cette région Charlie la connaissait bien, ils étaient souvent venus se promener par là en empruntant quasiment à chaque fois le même chemin.

Comment ne pouvait-il pas se retrouver, et pourquoi était-il resté là ?

Elle prit le temps de l'ausculter, elle le caressa de partout doucement.

Mais plus que des caresses, elle cherchait des hématomes ou des blessures, mais elle ne trouva rien, il était en parfaite santé.

Et pourtant le souvenir du moment où il tombe dans le cratère est bien clair dans sa tête.

C'est donc un miracle qu'il s'en soit sorti sans rien.

Ayant retrouvé le chien, l'inspecteur suggérait d'amener Viviane à l'hôpital, mais elle refuse catégoriquement car elle se sentait très bien et n'avait sûrement pas envie d'un nouveau séjour de repos.

Par contre elle proposa de retourner à la gendarmerie pour leur expliquer ce qu'elle avait vu et réétudier plus en détail les éléments de l'enquête.

Un bureau de la gendarmerie avait été dédié spécifiquement, il n'était pas bien grand, mais l'inspecteur avait pu accrocher toutes les photos sur le mur et disposait d'un grand tableau blanc pour inscrire différentes hypothèses.

Viviane leur expliqua alors en détail son rêve.

Ce qui la troublait le plus, c'est qu'elle ne pouvait pas certifier que ce soit réellement un rêve.

Tout d'abord, la voix qui l'a appelée.
Elle est rentrée en communication avec elle alors qu'elle était belle et bien éveillée.

Puis son évanouissement, en général on ne rentre pas d'un un sommeil paradoxal tout de suite.
Il y a plusieurs phases distinctes.
Celle où l'on réfléchit à la journée et aux soucis.
La deuxième plus vide où c'est un peu le trou noir.
Vient alors la phase des rêves où l'imagination entre en action et nous transporte dans des situations plus ou moins cohérentes.
C'est cette incohérence-là qui remettait en doute toute l'analyse de Viviane.
Certes elle volait, certes elle était dans l'espace et pouvait respirer.
Cela bien sûr n'est pas possible, mais c'est bien la deuxième partie qu'elle a vue qui la questionnait.
L'autre monde, le vaisseau qui arrive, l'explosion.
C'est comme si on lui avait montré cela depuis les yeux de quelqu'un d'autre.
Quel pouvait en être le sens et qui aurait pu lui montrer cela ?
Et enfin cette sensation, c'est la même qu'elle ressentait depuis qu'elle avait été traversée par l'éclair.
Un sentiment d'apaisement et de bienêtre.

Ce n'est qu'à la fin de son récit puis d'une petite phase de réflexion qu'elle finit par leur dire :

— On m'a transmis un message !

Les deux inspecteurs ne comprirent pas tout de suite le lien entre tous ces événements et son rêve, mais admettaient qu'un autre mode qui explose est relativement inquiétant.

— Ce qui est étrange c'est que je ne peux pas dire, si tout cela s'est déjà produit ou si ça va arriver très prochainement.

Le gendarme qui pour l'instant se contentait d'écouter questionna Viviane.

— Attendez, ce n'est pas très clair. Qu'est-ce qui va arriver ? Quand ? Qui vous a transmis ce message ?

— C'est difficile à expliquer et à accepter.

On aurait dit que des êtres supérieurs ou qu'une intelligence sont rentrés dans ma tête ou qu'ils ont pris possession de mon esprit, ils voulaient me montrer ce qu'il pourrait être leur monde.

— Leur monde, vous seriez en quelque sorte leur sauveur ? suggéra alors le scientifique.

— Leur sauveur, je ne le voyais pas dans ce sens-là. Vous pensez qu'ils ont besoin de moi ?

Mais pourquoi moi, je n'ai aucun don ? Nous n'avons pas de vaisseau pour aller dans l'espace.

— Effectivement, s'ils sont capables de contrôler les esprits et possèdent une technologie beaucoup plus évoluée, pourquoi auraient-ils besoin d'êtres inférieurs ?

— C'est un piège ! s'écria l'inspecteur, ce qui fit sursauter Viviane.

— Il nous envoie un message pour nous dire qu'ils ont besoin de nous, comme cela ils nous étudient pour ensuite nous envahir.

— Je ne pense pas, répondit Viviane.

— Cette voix me semblait plutôt protectrice et bienveillante. Je ne saurais dire pourquoi, mais j'ai confiance en elle.

— La question serait plutôt, m'ont-ils montré leur passé ou leur futur ?

— Il faut se concentrer là-dessus, affirma le scientifique.

— En toute franchise, je ne crois pas aux phénomènes paranormaux. Mais je ne souhaite pas pour autant écarter cette possibilité.

Nous pourrions faire plus d'examens ou un encéphalogramme, mais je suis presque persuadé que nous ne trouvions rien de plus.

Et enfin, je pense qu'il serait dommage de passer à côté d'éléments importants à cause de nos croyances.

Le scientifique proposa alors de déterminer quelles recherches ils devraient mettre en œuvre pour confirmer dans un premier temps si effectivement c'est du passé ou du futur.

Ils n'avaient pas véritablement de pistes sérieuses pour le moment. Mais celle-ci lui semblait pertinente et pourrait être le début des explications.

Il allait donc passer deux ou trois coups de téléphone à des collègues astronomes afin de savoir si un événement de ce type ou similaire ne venait pas de se produire.

Le gendarme lui n'aurait pas d'autre mission pour l'instant, juste veiller sur le cratère et s'alarmer si d'autres personnes relèvent ce genre d'expérience.

Qui sait peut-être que d'autres habitants ont reçu ou recevront ce type de message ?

Viviane, elle, devait juste rentrer chez elle, prendre soin de ses chiens et d'elle et les prévenir si elle revit ce genre d'expérience.

Dernier point, le scientifique lui conseilla de ne pas trop parler de cette expérience à ses amis, ses connaissances et encore moins à la presse.

Il était important maintenant qu'elle reprenne le cours de sa vie, tout du moins en apparence.

Chapitre 10
Yohan et Xzip

Il devait être 14 h 30 quand Yohan arriva au lavoir.

Il venait souvent ici le week-end ou les après-midi où il n'avait pas cours.

C'était relativement tranquille et même si la route passait juste au-dessus c'était rare que des inconnus ou des gens qui n'étaient pas du village descendent jusqu'ici.

Et c'était toujours mieux que chez lui.

Dans sa chambre ou dans le garage où il n'était pas réellement tranquille pour se détendre.

Difficile de rouler, de masquer les odeurs de fumée et surtout de devoir tirer des grosses tafs et finir le bedo rapidement de peur de se faire surprendre par son père.

Si cela arrivait, c'était sûr qu'il prendrait une grosse punition, et que sa mère l'enverrait chez le psychiatre et culpabiliserait en se disant.

— Notre fils est un drogué. Pourquoi ça nous arrive ? Suis-je une mauvaise mère ?

Il commença donc par sortir son paquet de feuilles OCB de la poche de sa veste.

Il en sortit deux feuilles et fit son collage en L.

Il posa alors celui-ci sur sa jambe droite. Il sortit ensuite son paquet de tabac à rouler et son sac de congélation contenant son herbe de son sac à dos.

C'est un copain du Lycée qui lui avait fourni et elle était plutôt bonne.

Un peu de tabac, un peu d'herbe, on mélange, on roule et c'est parti, on peut s'éclater.

Il alluma alors son joint et commença à tirer dessus quand il entendit.

— Yohan.

— Yohan, t'es là ?

Il ne répondit pas tout de suite et cacha son joint dans son dos.

— Qui est là ?

— Ne t'inquiète pas Yo, c'est moi Sandrine, pas la peine de jeter ton joint.

Puis elle entra avec Zéon.

Salut, Yo, ça va ? Cela faisait longtemps que je ne t'avais pas vue. J'ai quelqu'un à te présenter.

— Bonjour, dit Zéon.

Alors c'est toi Yohan. Je suis enchanté de te rencontrer.

— Salut, salut.

— Bizarre, je sais pas qui pourrait avoir envie de me rencontrer et je sais pas en quoi je pourrais t'aider.

Tu veux de l'herbe ? Sandrine, tu te souviens de celle que je t'avais fournie l'autre fois. J'en ai encore une meilleure. Tu veux goûter ?

Il lui tendit alors le joint. Elle le prit tout de suite, tira deux bouffées, puis le passa à Zéon.

Celui-ci le prit de la main droite, le regarda quelques secondes, prit également un taf et le tendit à Yohan.

— Tu sais petit, tu devrais faire plus attention. Tu ne sais pas qui je suis, je pourrais être un flic, un éducateur ou un voyou.

— Je pourrais te dénoncer, te faire chanter ou te voler ta came.

— Je vois que tu as confiance en Sandrine et que tu en pinces même pour elle, mais il ne faut faire confiance à personne, car tôt ou tard, les mauvais amis se retournent toujours contre toi.

Yohan ne peut qu'être d'accord avec Zéon. Il s'était effectivement dit qu'il devait faire plus attention, car il ne voulait sûrement pas faire un séjour au commissariat. Sur le coup il avait bêtement fait confiance à Sandrine.

Il avait effectivement des sentiments pour elle, mais il ne se connaissait finalement pas tant que ça et ne pouvait pas savoir si elle ne le vendrait pas si elle en était forcée.

— Bref, nous ne sommes pas venus te rencontrer pour faire la morale. On m'a dit que tu faisais des études dans l'électronique et que tu pouvais réparer des téléviseurs, des postes de radio ou tout type de matériel électronique.

— Oui c'est pas faux. J'ai un peu de matériel et il m'arrive de dépanner les amis ou connaissances.

— Impeccable et que penses-tu de ça ?

Sur ce, Zéon lui montra une puce identique à celle qu'il avait utilisée pour « Réanimer » Léo et Sandrine.

Elle était en forme de pastille, pas très grande, grise sans aucun bouton.

Il l'a tenait dans sa paume, et sans qu'il n'agisse dessus, une lumière verte s'allume au centre.

Une sorte de colonne de brouillard apparut au centre, puis s'éclaircit et le visage de Léo apparut.

— Salut, Yohan, ça va ? dit Léo.

— Oh, putain de merde, qu'est-ce que c'est que ce truc ? J'ai trop fumé ou quoi ?

— Mais non, t'inquiète pas Yohan, c'est bien réel, c'est une nouvelle technologie encore secrète pour l'instant, mais c'est un truc de fou. Lui expliqua alors Léo à travers l'écran de fumée.

Zéon reprit la parole :

— Eol, tu as trouvé ce que je t'ai demandé ?

— Oui, Zéon c'est en cours, je rentrerais demain avec toutes les infos.

— Très bien.

Le tunnel de brouillard se referma et la lumière s'éteignit.

Eol, pourquoi tu l'appelles Eol ?

Ce n'est pas important pour le moment, ce que j'ai besoin de savoir, c'est si tu veux étudier cet objet et surtout si tu peux le connecter à un poste de télécommunication.

En quelque sorte de le faire communiquer avec les technologies plus basiques.

— Oh bordel, bien sûr que je peux, bien sûr que je le veux.

— Allons chez moi.

Le trio se rendit alors chez Yohan.

Ils entrèrent directement par le garage et découvrirent le Laboratoire.

Sur l'établi principal, il y avait tout un tas d'appareils, comme une alimentation variable, un oscilloscope, un fer à souder.

Sur le mur pendaient des pinces, tournevis et petites clés du parfait électronicien.

Enfin sur la gauche, il y avait une boîte à tiroirs contenant divers composants électroniques : des lampes, des condensateurs, des résistances de toutes les gammes.

Et enfin une étagère avec des postes radio démontés, une petite télévision noir et blanc, des tourne-disques.

— Eh ben, dit Sandrine, c'est ça que tu appelles un peu de matériel ? Tu as carrément un atelier de réparation digne d'un professionnel.

— Eh oui, on s'équipe petit à petit.

Il posa alors le transmetteur sur son établi et alluma son oscilloscope ainsi qu'un fréquencemètre.

— Ça va, tu as tout ce qu'il faut pour étudier ça ? demanda alors Zéon.

— Oui, t'inquiète pas. Par contre ça risque de me prendre un petit moment.

— OK pas de soucis. Dès que tu auras une piste, tu pourras me contacter via cet appareil.

— Mais comment on l'allume ?

— Je te laisse le découvrir, tu dois commencer tes recherches par ça.

Bon, Sandrine laissons notre ami à ses travaux, nous aussi avons des choses à faire.

Zéon et Sandrine s'avançaient en direction de la porte du garage, puis avant d'ouvrir la porte, il se retourna et murmura.

— Au fait, inutile de te préciser que tout cela est secret et que personne, je dis bien personne doit être au courant de tes recherches. Tu as vu que cet appareil permet d'échanger à distance, mais il peut aussi filmer.

— Cela m'embêterait vraiment, de devoir montrer à tes parents le joint que l'on a partagé ensemble.

— Est-ce que c'est bien clair pour toi ?

Yohan acquiesce sans répondre, en montrant qu'il avait bien saisi le message.

De toute façon, il n'avait pas spécialement envie de partager ce nouveau joujou avant de l'avoir totalement étudié.

De plus, la peur que son père découvre qu'il se droguait le terrise plus que tout. Il n'avait pas été assez prudent avec lui, et maintenant qu'il savait il ne voulait pas le trahir.

Le message était suffisamment clair pour être mis en exécution s'il faisait un pas de travers.

Chapitre 11
La nouvelle technologie

Il aurait aimé passer son après-midi à étudier son nouveau joujou, mais ses parents avaient prévu d'aller rendre visite à mémé dans sa nouvelle maison de retraite.

On ne pouvait pas dire que c'était l'amour fou avec mémé.

C'était une femme plutôt dure, qui n'avait jamais eu de mots gentils ou d'attention pour lui.

Ils n'avaient même jamais échangé sur sa vie, son passé ou sur lui, son enfance, l'école.

Ce n'était pas comme mémé boulette, sa grand-mère paternelle qu'il adorait.

Il n'avait pas eu le choix et devait les accompagner « Pour faire plaisir à ta mère, tu comprends ? c'est important pour elle, que nous y allions ensemble ».

Ils partirent donc de la maison, à 16 h. Il fallait bien compter une heure de route car la maison de retraite qu'avait choisie mémé était à Granville.

Le trajet avait été long, Yohan réfléchissait à cette puce. Il l'avait amené et la tenait dans sa poche de peur que quelqu'un la trouve dans son laboratoire.

Il jouait avec, la tournait dans tous les sens, et sentait bien qu'elle ne chauffait pas à son contact ni absorbait sa transpiration.

Comment pouvait-elle marcher ? Comment l'allumer et communiquer ?

Quels tests allait-il lui faire passer ?

Il avait déjà établi son plan, les étapes et outils qui lui faudrait pour percer tous ces mystères.

Enfin ils arrivèrent à la maison de retraite.

Chambre 213 leur avait dit le personnel à l'accueil

Il fallait donc monter les escaliers depuis le hall d'entrée jusqu'au deuxième étage, passer devant le bureau des infirmières, puis c'était la dernière chambre à droite.

Mémé était là, allongée dans son lit, une perfusion dans le bras droit, et des sondes devaient être collées sur sa poitrine car des câbles sortaient de sa robe de chambre et étaient branchés à un appareil qui mesurait son rythme cardiaque.

On aurait dit un détecteur de mensonges comme dans les films. Un rouleau de papier se déroulait sous des aiguilles qui s'agitaient selon son battement de cœur et sa tension.

Cette image fit peur à la mère qui était de nature émotive.

Mémé avait dû le remarquer, et lui lança de manière sèche.

— Ne t'inquiète pas ma fille, je ne vais pas crever tout de suite.

Ils me font juste des examens de routine.

Soulagée et habituée à ce genre de remarque agressive, elle s'avança vers elle et l'embrassa.

Puis ce fut le tour du père qui lui glissa simplement.

— Bonjour, Denise, comment ça va aujourd'hui ?

Elle ne répondit pas et ce fut au tour de Yohan d'embrasser sa grand-mère.

Au moment où il s'approcha et tendit la joue, les aiguilles se mirent à trembler et s'affoler pendant quelques secondes.

Surpris, il s'éloigna, et elle lui dit.

— Eh ben, dit donc, quel magnétisme, t'affole mes appareils.

Ce qui est sûr c'est que ce n'est pas mon cœur, ça fait bien longtemps qu'il ne s'est pas emballé comme cela.

— L'aide-soignant m'a dit que c'était du nouveau matériel de haute technologie et bien, si ça s'emballe pour rien, quelle misère.

Le reste de l'après-midi fut encore bien plus long que le voyage en voiture.

Plus de 2 heures à parler du cousin Maurice qui avait des soucis avec sa ferme, la récolte n'allait pas être bonne cette année, ou encore de Ginette qui ne voit plus trop ces petits enfants.

Yohan sentait bien que ces histoires le passionnaient autant que cela intéressait son père.

Si bien que celui-ci finit par se lever et dire.

— Bon et bien c'est pas tout cela mais il se fait tard, la route est longue, nous allons devoir partir.

Ma mère répondit alors.

— Jacques à raison, nous allons y aller maman, mais nous reviendrons très vite.

Le retour paru moins long, peut-être parce qu'il se faisait tard ou que Yohan s'était assoupi quelques instants.

Le repas du soir vite pris, Yohan partit s'enfermer dans son labo. Il fallait qu'il perce les mystères de cette technologie, qu'il réalise les tests au plus vite.

Il alluma tous ces appareils, prit un bloc-notes, un crayon et commença.

Malheureusement au bout de 2 heures, il n'avait rien.

Il avait effectué tous les tests qu'il avait programmés.

Mesure de la tension, scan des fréquences, et même l'ouvrir pour l'étudier était impossible, il n'y avait pas de vis, de clips ou autres.

Comme Zéon l'avait dit, il devait l'activer alors que là il n'y avait rien, aucun signal, aucune émission, radio, fréquence ou magnétisme.

C'est à ce moment que son père rentra, il fut surpris car il pensait avoir fermé la porte à clé pour travailler secrètement.

Il n'avait bien sûr aucune envie que son paternel découvre ses vices en voyant les images de Zéon.

Il saisit alors l'émetteur dans sa paume et ferma sa main. Il glissa également le bloc-notes sous son étagère.

— Alors, fiston, ça va ? Sur quoi tu travailles ?

— Oh rien de spécial papa, je fais un peu de tri dans mes affaires.

— Je voulais juste te remercier d'être venu avec nous. Je sais que ça doit pas être les samedis après-midi idéal pour un ado de ton âge, mais c'est important pour maman.

— Je sais que ta grand-mère n'est pas facile et de super compagnie, mais elle n'a pas toujours été comme ça. Quand Pépé était là, elle était radieuse et agréable. Mais depuis sa mort brutale, elle a changé du tout au tout.

Yohan écoutait sans rien dire, même content que son père se confie un peu à lui.

Il posa alors son coude droit sur l'établi et posa sa joue contre sa paume.

C'est dans cette main qu'il avait le transmetteur.

Au moment où celui-ci toucha sa joue, il sentit une petite décharge électrique et vit aussi que l'oscilloscope s'affola, un peu comme les aiguilles à la maison de retraite.

Mince alors, il faut d'abord qu'il y ait une connexion entre l'appareil et le système pour que ça fonctionne ?

Comment était-ce possible ? Dans toutes les revues scientifiques et technologiques qu'il avait lues, ce genre d'interface personne-machine n'était qu'au stade de la théorie et ne pouvait pas encore être développé avant des décennies.

Il se débrouilla alors pour chasser son père, enfin le faire sortir gentiment, maintenant qu'il avait un début de piste, il fallait qu'il creuse cela.

Il s'assura alors que la porte était bien fermée à clé et se remit à ces expériences.

Il recalibra l'oscilloscope et le scanner de fréquence, brancha des sondes sur sa poitrine et tout en tenant le transmetteur du bout des doigts le rapprocha de sa joue.

Les appareils s'affolaient de nouveau.

— Oh putain, mais c'est quoi cette technologie, il faut que je filme ça !

Il prit une cassette neuve et la mit dans sa caméra.

Il la cadra en direction de sa chaise et enclencha le bouton REC.

Il retourna s'asseoir, rebrancha ses sondes et s'exclama.

— Bonjour, je m'appelle Yohan, aujourd'hui on m'a prêté une technologie incroyable. C'est un type bizarre, surnommé Zéon, qui me l'a donnée. Je ne sais pas de quelle planète il débarque mais je ne lui fais pas confiance. Il m'a fait promettre de ne rien dire, mais c'est trop important pour que je le garde pour moi.

— C'est peut-être une nouvelle arme du gouvernement ou un ovni qui s'est écrasé et dont ils ont récupéré les appareils.

— Voici ce qu'il m'a demandé de tester et de connecter avec nos appareils.

Il montra le transmetteur à la caméra.

— Regardez il n'y a pas de vis, de clips, pas de pile ou fil de branchement, et pourtant ça réagit avec mon corps.

Puis par instinct ou bêtement, il mit le transmetteur sur sa tempe droite.

L'enregistrement de la caméra s'arrêta net, et le compteur passa à zéro.

— Où, où suis-je ? Je suis en train de rêver. C'est la sonde qui me fait voyager ?

— Mais je vole, je suis au-dessus de la maison, ho putain trop bonne cette sensation ?

— Pourquoi je ne peux pas contrôler ?

— Où va-t-on ? Je reconnais l'église, le clocher, mais c'est quoi ce cratère ?

— On dirait le trou de météorite dont tout le monde parle.

— Ha non on va s'écraser, en plein dans le trou HAHAHAH. Arrête-toi...

— Mais, mais...

— Mais on est passé au travers, je suis dans un autre monde ?

— C'est quoi cette planète, on dirait bien la terre, Oh merde, il y a des vaisseaux.

— On est dans le futur ?

— Olala, ça va vite, pourquoi on s'éloigne, où va-t-on ?

— Mais c'est pas Jupiter cette planète ? Ah on s'approche, on va encore s'écraser ?

— C'est quoi ce bâtiment, un bunker, une prison ?

— Putain c'est quoi ces flingues, et ces prisonniers.

— Mais, mais c'est Zéon.

— Zéon, c'est moi Yohan, qu'est-ce que je fais là ? Zéon tu m'entends ?

— Pourquoi je dois rester là à vous observer, pourquoi je ne peux rien contrôler ?

— Pourquoi êtes-vous prisonniers, ou vous emmènent-ils ?

— Quoi, une mise à mort ?

— Non, arrêtez, c'est qui elle ? Oh non je peux pas regarder.

— C'est pas vrai, ils sont en train de les exécuter un par un.

— C'est à son tour maintenant.

Le prisonnier leva alors les yeux en direction de Yohan. Il pouvait le voir ?

Le gardien approcha alors sa lance et le transperça d'un coup sec.

Puis il tourna la poignée, ce qui déclencha une série d'éclairs qui le traversa de part en part.

Malgré sa douleur et ses cris, il fixait Yohan jusqu'au dernier moment.

Puis quand il baissa la tête lors de son dernier souffle, Yohan la releva.

Il était de nouveau dans son laboratoire sur sa chaise.

La caméra indiqua 3 minutes 53.

Le temps de reprendre un peu ces esprits, puis il enleva le transmetteur de sa tente, ouvrit sa main, la communication s'établit alors avec Zéon.

— Xzip te revoilà mon vieil ami ?

— Zéon, tu as tenu ta parole, tu nous as ramenés, où sont les autres ?

— Eol et Xiana sont avec moi, il me reste plus que Lius et Rona à ramener.

— Qu'est-ce que je dois faire maintenant ?

— Je t'expliquerais tout ça en détail plus tard, pour l'instant fais-toi discret. Vit la vie de Yohan, fait comme si de rien était je te recontacte rapidement, et surtout détruit les preuves.

Sur ce, Yohan s'exécuta. Il prit le bloc-notes, le mit dans la poubelle, et l'enflamma.

Il sortit la cassette de la caméra, la jeta par terre, l'écrasa et la mit également dans la poubelle. Le bloc-notes avait fini de brûler, le plastique de la cassette se mit alors à fondre.

Il quitta alors le laboratoire et alla se coucher.

Chapitre 12
Charles et Stéphanie

— Charles, tu es sûr de ton coup pour les sangliers ?

Il faisait frais ce dimanche matin-là, il devait être 5 heures du matin, car la brume se levait à peine.

— Bien sûr que je suis sûr de mon coup. J'ai passé tout l'après-midi hier à relever les pistes et les traces de pas.

— Je te dis que c'est une famille, Il y a au moins un adulte qui doit faire au moins 100 kilos et 3 ou 4 marcassins.

— Ils doivent habiter dans les coins car certaines branches sont arrachées et ils ont dû déterrer des racines.

— Okay, okay frérot, je te fais confiance. Mais ça fait plus d'une heure qu'on est là et je ne les ai pas encore vues.

— Occupe-toi de tes jumelles plutôt que de poser des questions bêtes. La chasse c'est une histoire de patience.

— Elle finit toujours par payer, je sais, je sais papa nous le répète bien assez comme ça.

Charles et Stéphanie étaient frères et sœurs. Ils n'avaient que 17 mois de différences, ce qui explique leur grande complicité.

Cette journée était exceptionnelle et spéciale pour eux.

C'est la première fois qu'il partait en expédition tous les deux.

D'habitude, ils partaient avec le club, et n'étaient que de simples observateurs.

Bien qu'ils s'étaient déjà entraînés sur des cannettes ou aux balles trappes et que Charles était plutôt bon tireur, ils devaient attendre d'être adultes pour réellement participer aux battues et tuer leur premier sanglier ou cerf.

Ce week-end chasse, cela faisait trois mois qu'ils le préparaient.

Ils avaient dû emprunter puis faire un double des clés du râtelier en toute discrétion.

Le père était très vigilant là-dessus car chaque année il y a avait des accidents, des histoires ou les enfants voulaient jouer avec les fusils et provoquaient un drame.

Il fallait également qu'ils travaillent leurs parents pour leur suggérer l'idée d'un week-end en amoureux.

Cela ne leur était jamais arrivé depuis leurs naissances à tous les deux. Les quelques sorties ou voyages, ils les faisaient toujours en famille.

Ils leur étaient arrivés de leur laisser la maison, mais ce n'était que pour l'espace d'une soirée. Il était encore hors de question de partir tout le week-end sans les enfants.

Stéphanie avait alors préparé le terrain, longtemps à l'avance.

Plusieurs fois en parlant des parents de copines qui faisaient cela régulièrement.

Puis en laissant traîner « volontairement » des prospectus d'hôtel, de cure ou de séjours relaxants.

Elle les a tellement travaillés longuement, qu'ils ont fini par être persuadés que l'idée venait d'eux et leur ont même demandé la permission.

Ils s'étaient donc enfin décidés et avaient finalement réservé une chambre d'hôte dans le cantal.

Ils étaient donc partis tôt le matin car il y avait de la route.

Stéphanie était allée faire quelques courses pendant que Charles s'occupait des préparatifs : la tente, les sacs de couchage et bien sûr le plus essentiel, le matériel de chasse.

Ce n'est que vers onze heures, qu'ils ont pu enfin quitter la maison.

Une bonne heure de marche et ils étaient sur les lieux.

Après avoir installé le campement, Charles s'était occupé de préparer et installer quelques pièges.

La chasse allait véritablement commencer le lendemain matin très tôt.

— Hey, tu as vu ? ça a bougé là.
— Quoi non j'ai rien vu ?
— Passe-moi les jumelles, je crois qu'ils sont là !

Charles eut beau regarder fixement les lieux qu'il pensait être leurs habitations mais plus rien ne bougeait.

Stéphanie se retourna pour attraper une longue-vue dans son sac à dos et sentit à son tour du mouvement direction sud-sud-est.
— Tu as entendu ? Là aussi ça a bougé.
— Mince, ils sont plusieurs groupes.

Charles n'eut pas eu le temps de répondre qu'ils entendirent une détonation, puis il sentit une balle qui le frôla et qui atterrit en plein dans la canette de soda juste à côté de lui.

Stéphanie surprise ne bougea pas et 10 secondes plus tard par une autre balle percuta les sa longue-vue qu'elle avait dans ses mains et lui arracha.

Elle recula, puis finit par se laisser tomber jusqu'à côté de Charles. Il s'écria :
— Putain, qu'est ce qui se passe, on nous attaque ou quoi ?
On est à découvert, il faut que l'on s'abrite.
— La tente, vite, courons à la tente.

Ils eurent juste le temps de faire deux pas qu'une autre balle frôla le pied de Charles.
— Oh punaise c'est pas une bonne idée. Le tas de bois derrière toi.

Cette fois, ils purent s'y rendre sans qu'aucune autre balle les frôle, comme si le tireur leur indiquait la bonne réaction à avoir dans cette situation.

Charles saisit alors son fusil, se mit en position de tir et regarda devant lui.

En tenant compte des trois balles qui les avaient frôlés, il déduit que le tireur devait sûrement être au Nord Nord-Est.

Il ajusta alors sa position dans ce sens et commença à scruter l'horizon. Il aperçut alors une casquette de chasseur.
— Ça y est je te tiens l'ami, on va jouer maintenant on va voir qui est le meilleur tireur.
Il arma son fusil et tira.
Il eut juste le temps de lâcher la gâchette, qu'il se dit « putain qu'est-ce que j'ai fait, je suis fou. Je ne suis pas un meurtrier. »
Mais heureusement pour lui, il n'y avait personne sous le chapeau.
Il avait juste été posé là pour faire diversion. Il voulait recharger son fusil quand il sentit quelque chose derrière sa tête.

C'était Zéon qui tenait son fusil contre son crâne.
— Alors petit tu as l'air bon tireur, mais tu as encore des choses à apprendre.
Stéphanie, surprise, s'écria :
— Non, arrêtez, ne le tuez pas ! Il n'a rien fait.
— Ne t'inquiète pas, je ne vais pas le tuer, je voulais juste vous donner une leçon à tous les deux.

Il retira alors son fusil et se retourna Charles.

— Qu'est-ce que tu nous veux ? demanda-t-il ? Et qui t'es d'abord ? T'es pas du coin, on ne t'a jamais vu ?
— Et non, je ne suis pas d'ici, j'ai débarqué un peu par hasard. Et je suis en train de recruter des talents, pour divers projets.
— Ça vous tente ?
— Quels projets ?
— Vous n'avez pas besoin d'en savoir plus pour l'instant, mais j'ai besoin de tireurs d'élite.
— Non mais attends, on est pas des criminels, on ne veut tuer personne.

Sur ce, Zéon pointa alors son fusil sur Charles et dit.

— Pensez-vous avoir le choix ?

Il tendit alors sa main en direction de Stéphanie et l'ouvrit.
Celle-ci contenait deux puces.

— Tiens, Stéphanie, prends ces puces. Une pour toi et une pour ton
frère.
Elle les attrapa alors sans broncher.

— Très bien, dit-il. Maintenant, mets en une sur la tempe de
Charles et une sur ta propre tempe.

— Attend c'est quoi ça, pourquoi le ferait-on ?
Il ne répondit même pas, mais arma son fusil comme s'il s'apprêtait
à tirer.

Terrifiée par l'idée de perdre Charles et d'être abattu, elle
s'exécuta.

...

3 minutes 53.

Chapitre 13
Rémission

— La fin de leur monde ! Mais c'est terrible mamie.

— C'est ce qui allait vraiment se passer ?

À ce moment, je n'étais pas encore arrivé à comprendre le sens de leur message, et émit également l'hypothèse, que finalement c'était peut-être une mise en garde pour notre monde et non le leur.

Mais c'était encore flou étant donné que ce n'était pas la terre que j'avais vu exploser. Je n'en étais plus sûr.

J'étais tellement heureuse d'avoir retrouvé mon Charlie.

Pour fêter cette bonne nouvelle, Sandrine m'invita à dîner chez elle un samedi soir.

Je m'y suis rendue donc avec mes deux petits.

J'aurais tant aimé partager avec elle mes visions, mes comas, peut-être qu'elle aurait pu m'apporter un autre regard.

Des fois, il suffit de voir les choses sous un autre angle pour trouver la vérité.

Mais le scientifique m'ayant prévenu, je ne souhaitais pas la mettre en danger, il suffit de peu de chose pour que cela dérape et que l'on ne soit plus maître de la situation.

C'est ma meilleure amie, je devais donc la garder en dehors de tout cela.

C'est au cours de l'apéritif que je me suis rendu compte que Sandrine semblait différente, pensive, plus songeuse.

Comme si elle était avec moi mais son esprit divaguait ou prise par des soucis.

Je lui demandai alors si tout allait bien ? Elle me répondit.

— Oui, ne t'inquiète pas, je suis un peu fatiguée en ce moment, il y a beaucoup de problèmes au travail, c'est stressant.

L'apéritif terminé, nous sommes passés à table.

Sandrine nous avait préparé un festin comme à son habitude.
On commença donc par une petite entrée :
Une petite salade composée, accompagnée de son friand garnie de farce à légumes.

Ça avait l'air appétissant, en tous cas, ça sentait tellement bon.
Je l'ai compris plus tard, mais quand elle apporta les assiettes, Charlie s'agita.
Il tournait d'abord autour de Sandrine, puis lorsqu'elle posa mon entrée, il vint vers moi.
Il posa d'abord sa tête sur mes genoux, puis, comme je ne réagissais pas trop, il s'est mis à aboyer.
— Et alors Charlie, qu'est ce qui t'arrive, je peux pas manger tranquillement ?

Alors que j'approchais la première bouchée à ma bouche, il me monta dessus, l'attrapa et le cracha par terre.
— Non mais ça va pas, ça suffit Charlie ?
J'ai dû le mettre dehors tellement il m'agaçait. Pourquoi agissait-il de la sorte ?
— Qu'est-ce qu'il y avait, mamie ?

Je ne sais pas si vous allez le croire mais il avait changé, il était différent, il l'avait sentie.
— Il avait senti quoi ?

L'huile d'arachide. Je suis allergique à cette huile.
Ma première crise s'est déroulée lorsque j'avais 5 ans.
C'est ma mère qui me l'a raconté.
C'est la première fois qu'elle utilisait de l'huile d'arachide pour une nouvelle recette qu'elle voulait tester.

Je n'avais pris qu'une bouchée que déjà je commençais à trembler puis m'étouffer.

Maman a cru qu'une partie de la nourriture était coincée dans ma gorge mais ce n'était pas ça.

Heureusement pour nous, notre voisin était pompier et, en entendant les cris de ma mère, a tout de suite accouru.

Il a donc eu le temps de me faire les gestes de premiers secours, puis le camion est arrivé et ils m'ont conduit à l'hôpital.

Il s'est révélé que c'était une allergie sérieuse, qu'il fallait à tout prix éviter l'huile et que je pouvais réellement en mourir.

Je faisais très attention à ça et Sandrine aussi le savait.

C'était pas faute de le lui répéter à chaque fois qu'elle m'invitait à dîner.

Exceptionnellement cette fois je ne lui avais pas demandé, cela me semblait évident.

Comment avait-elle pu oublier ?

Ce qui est le plus étrange dans tout cela, c'est que ça ne m'a rien fait, et pourtant j'ai fini son friand.

Ce n'est qu'après lui avoir demandé la recette que je me suis inquiétée et l'ai rabroué.

— Quoi de l'huile d'arachide, mais tu es folle, tu veux me tuer ?

Alors que je commençais à paniquer et réfléchir à appeler les urgences.

Sandrine, toute calme, me dit :

— Non mais attends, il n'y a pas de soucis.

Tu vas bien et tu n'es pas en train de mourir.

— Mince mais oui tu as raison. Je panique pour rien.

Et c'est tout naturellement que nous avons continué le repas, car j'avais bien senti que Sandrine souhaitait passer outre rapidement ce petit incident.

Sur le chemin du retour, d'autres interrogations sont donc venues s'ajouter à ma longue liste de mystère.

Comment était-il possible que Sandrine ait oublié ce détail si important ?

Souvent je l'avais vu cuisiner devant moi, et préoccupé ou non par ses soucis, à chaque fois elle faisait attention à cela.

C'était presque même ancré en elle, à tel point qu'elle ne se posait même plus la question et qu'elle changeait d'huile systématiquement.

Peut-être était-elle en pleine dépression et que je ne la voyais même pas ?

Elle était belle et bien différente, mais ne semblait pas le moins du monde dépressive.

Elle était bien habillée, bien maquillée, elle m'avait même dit que l'après-midi elle était allée faire du shopping pour décorer un peu son appartement.

Et que ce n'était qu'une première étape car elle pensait reprendre se cuisine et sa chambre, elle hésitait encore sur les couleurs.

Ce ne sont pas vraiment les questions que l'on se pose quand on est en dépression.

Dans ces cas-là, on se moque totalement de son apparence et encore plus de son habitat.

Puis je repensais alors à Charlie.

S'il s'était agité et volé ma nourriture, était-ce pour me sauver ?

Comment pouvait-il savoir que j'étais allergique à l'huile d'arachide, la sentir dans le friand et tenter de m'empêcher de le manger ?

Les animaux peuvent-ils faire ce genre de choses ?

Et enfin la dernière question, peut-être la pluie importante, peut-on guérir de ce type d'allergie ?

Je n'avais jamais mangé d'huile depuis mon premier incident, peut-être qu'elle était passée toute seule.

Peut-être qu'il n'y avait pas assez de quantité pour que cela me fasse quelque chose ?

J'allais devoir éclaircir tout cela rapidement, en tous cas j'en parlerais certainement au docteur lors de ma prochaine visite.

Chapitre 14
Le gang réuni

Tous s'étaient rejoints dans le laboratoire de Yohan dans ce qui allait être leur quartier général temporaire.

Zéon, n'ayant pas encore trouvé de locaux, et souhaitant rester discret pour l'instant, préférait ce lieu plutôt que le garage où il avait amené Léo.

Il devait juste faire attention à ne pas se montrer devant ses parents, car un adulte au milieu de tous ces jeunes pourrait éveiller des soupçons.

Ils étaient donc tous là :

Léo, Yohan, Sandrine, Charles et Stéphanie et Zéon qui se tenait devant eux et commença alors son discours :

— Mes chers amis, quelle joie de tous nous retrouver après tant d'années !

— Nous avions acquis une solide réputation par nos exploits, notre renommée n'était plus à faire, mais malheureusement nous avons été trahis.

— Un de nos plus fidèles amis et compagnons nous a vendu pour sauver sa peau.

Nous lui faisons confiance, mais il a brisé notre pacte et vendu son âme pour être libre.

— Jamais nous lui pardonnerons un tel affront !

— Par sa trahison nous avons subi un enfer. Enfermés pendant 7 ans, tous séparés dans ces cellules froides en attendant notre jugement.

— J'avais un plan qui devait tous nous libérer et nous venger de tous nos ennemis.

Mais nous avons subi un autre revers et celui-ci ne s'est pas passé aussi bien que souhaité.

— Je suis le seul à avoir survécu et à m'échapper.

Fort heureusement, j'ai pu nous venger car en m'enfuyant je les ai tous anéantis.

— Mon arrivée ici, sur cette terre n'était pas prévue et je ne comprends toujours pas comment c'est possible, mais j'ai survécu et j'ai pu vous ramener.

— De nouveau réunis, nous devons profiter de cette occasion en or. Nous pouvons repartir de zéro, nous pouvons reconstruire notre empire, nous pouvons conquérir ce monde et retrouver notre gloire datant.

— Ce monde est nouveau pour vous et pour moi, nous ne le connaissons pas encore, mais nous pourrons le dominer.

— Ensemble nous sommes forts.

— Ensemble nous sommes forts, répétèrent-ils tous en cœur.

— Ensemble nous sommes puissants.

— Ensemble nous vaincrons.

— Vive Zéon, vive l'Alliance.

— Mais dis-nous, Zéon, quel est ton plan ? demanda alors Yohan.

— Ne nous précipitons pas, nous venons d'arriver. Nous devons découvrir et appréhender cette nouvelle terre.

— Continuons de vivre la vie de nos hôtes, restons dans l'ombre pour le moment.

Zéon avait sûrement déjà tous les plans en tête, et des missions diverses et variées pour tous ces membres.

Il avait en tout cas une équipe complète, avec des compétences diverses et complémentaires pour préparer et exécuter son plan.

De façon très directive, il attribua alors à chacun leurs nouvelles missions.

— Léo, j'ai besoin que tu commences à rassembler des troupes. Soit subtil, ne parle pas de troupe et d'armée pour le moment, mais plus de rassemblement de confrérie. Nous aurons besoin d'homme fort, de guerrier.

— Yohan, mets tes compétences de technicien à notre cause. Tu dois étudier leur technologie.

— Fais-la évoluer pour qu'elle arrive au même niveau que la nôtre. Nous en aurons besoin pour étudier comment je suis arrivé ici.

— Sandrine, soit discrète pour le moment, mais commence à réfléchir à la « com », à tout ce que tu vas mettre en place pour nous faire connaître. Sois subtile car nous aurons besoin d'alliés très différents. Ils vont tous très bientôt entendre parler de nous.

— Et enfin, vous deux, entraînez-vous et renseignez-vous pour reconstruire notre arsenal. Léo vous aidera aussi, il vous mettra en contact avec les bonnes personnes qui nous fourniront autre chose que des simples fusils de chasse.

— Allez mes frères, partez de votre côté, je vous recontacterai très bientôt.

— Vive Zéon, vive l'Alliance, crièrent-ils tous en cœur avant de partir chacun de son côté.

Zéon leur avait également précisé que pendant cette première phase d'observation et d'apprentissage, ils devaient éviter de se côtoyer.

Il fallait éviter d'éveiller des soupçons, la discrétion étant la priorité absolue.

Chapitre 15
Deuxième flash

Une semaine jour pour jour s'était écoulée depuis mon premier flash, et je ne pouvais m'empêcher de penser à tout cela.

Pourquoi Charlie et moi étions si différents ?

Où avait-il pu passer pendant tout ce temps et pourquoi me l'avait-il renvoyé ?

Quelle pouvait être cette autre terre, ces voix, cette révélation ?

Quelle pièce du puzzle me manquait-il pour comprendre tous ces phénomènes ?

Espérant en découvrir plus sur moi et cette soudaine guérison, j'ai pris rendez-vous chez mon médecin traitant.

J'ai dû ruser pour qu'il me reçoive car comment obtenir un rendez-vous alors que tout va bien ?

— Allo docteur, je souhaiterais consulter, car je suis en superbe forme, je n'ai plus d'allergie, même mon chien va mieux.

Prétextant alors un mal de dos important, il m'a reçu et fait un bilan complet.

Il resta lui aussi perplexe de ma soudaine rémission. Il me connaissait bien et m'avait toujours suivi.

Il m'avait tellement ausculté pour mes angines à répétitions, les grippes, les fièvres et rhumes dès qu'arrivait l'hiver.

C'était lui qui avait détecté mon allergie à l'huile d'arachide et ne comprenait pas comment j'avais pu en manger sans avoir aucune réaction.

Il me supplia même de faire des examens supplémentaires et une IRM complet, pour comprendre tout cela, faire avancer les recherches et pouvoir soigner d'autres personnes.

Il était tellement intrigué et excité qu'il obtint un rendez-vous dans l'heure et me conduisit lui-même à l'hôpital.

Je n'appréciais guère l'idée d'être une bête de foire, une expérience scientifique, mais je ne pouvais rester avec tant de questions.

Je pris alors sur moi et mis de côté ma claustrophobie quand il a fallu entrer dans la machine sachant surtout que l'examen complet allait prendre du temps.

Allongé sur la table, je commençais alors à stresser quand elle se mit à avancer dans le tunnel.

Une fois totalement en position, un bruit sourd se déclencha. Je supposais donc que la séance photo de mon intérieur débutait.

Il y eut d'abord un flash, puis deux, mais ne comprenait d'où ils venaient car il n'y avait pas de lumière à l'intérieur du tunnel.

Puis enfin un troisième beaucoup plus important qui me mit en transe.

Cela ne pouvait être L'IRM qui provoque ça car je ressentais exactement les mêmes sensations que lors de mon premier flash.

Je sortis de nouveau de mon corps et m'envola. En quelques secondes, j'étais arrivé au cratère et le traversais.

J'étais de nouveau sur l'autre terre qui était intacte.

Je survolais une ville magnifique constituée d'immenses bâtiments en métal et verres et resplendissant de lumières de différentes couleurs.

Cette autre terre semblait tellement plus évoluée technologiquement. Des voitures volantes circulaient dans toutes les directions et toutes les hauteurs.

Des robots autonomes s'occupaient des tâches rébarbatives comme le nettoyage des vitres en extérieur et l'entretien des espaces verts.

J'imaginais qu'une fois dans une ville tellement évoluée, il n'y aurait que des buildings, des bureaux, mais ce n'était pas le cas.

Bien au contraire, les architectes et ingénieurs avaient conçu cette ville avec la nature déjà en place.

Cet arbre-là semblait centenaire mais bien vivant car tout feuilleux. Pour le mettre en valeur, une grande place était construite tout autour.

Des façades de bâtiments étaient recouvertes de végétation et les habitants des différents étages les entretenaient en les taillant. D'autres ramassaient des grappes de raisins à leur portée.

Même les animaux semblaient chez eux et n'avaient pas été chassés pour construire d'innombrables blocs de béton.

Différentes espèces d'oiseaux chantaient et volaient dans tous les sens. Et là, dans ce pré, ce sont bien des vaches qui broutent.

Quelle intelligence ! Ce monde supérieur, en voyant tout cela maintenant je pensais qu'ils avaient habilement peuplé et organisé cette terre en totale harmonie.

La nature, les animaux, les humains et les robots vivaient ensemble, mais sans empiéter sur la liberté des autres.

Par exemple, dans ces bâtiments qui devaient être une ferme, les vaches broutaient paisiblement.

Deux robots apportaient de la nourriture à des poules.

J'observais alors cette vache pleine de lait et dont les pis semblaient bien dures.

Pas de robots ou d'humains pour la traire ?

Elle se dirigea alors dans un petit enclos et s'installa tranquillement. Des tuyaux munis de tétons viennent se brancher à ces mamelles.

C'est fou ça. C'est la vache elle-même qui décide quand elle a besoin que l'on tire son lait.

Les habitants vaquaient à leurs occupations. Malgré qu'ils y aient différentes origines, on pourrait supposer qu'il n'y avait pas de classes sociales.

Les pauvres d'un côté qui voyagent entassés dans les métros et les ultras riches de l'autre qui ne se déplacent qu'en jet privé.

Ils ont tous les mêmes types de vêtements, très colorés et beaux mais sans chichi ou bijoux pour se mettre en valeur et prouver que l'on a réussi.

Il y a les commerçants d'un côté qui agencent leurs étales, les passants qui se rendent au travail à vélo, les touristes qui visitent les parcs.

Je n'ai pas remarqué de policiers ou d'agents de la circulation.

Était-ce ça leur monde ?

En supprimant les classes et les différences entre humains, il n'y a plus d'inégalité et donc de vols, de violences.

Ce n'était pas possible, tout le monde à des vices, des phantasmes.

Qui n'a jamais joué à la guerre et se rêve super sniper en étant petit ?

Après une semaine de travail difficile, on aime bien s'alcooliser. Peut-être un peu trop parfois.

Ce devait vraiment être un rêve ou je devais être morte car cela ressemblait bien au paradis.

Dommage que personne ne me voyait et que je ne pouvais pas interagir avec eux car j'avais temps de questions et envie de découvrir cette civilisation si évoluée.

J'entrais alors dans un palais, ornée de statues romaines. Mais était-ce des Romains ?

Avait-il eu la même histoire que nous et le même vécu ?

J'atterris alors en plein milieu d'une assemblée composée de 10 « ministres ».

Mais cette fois-ci je fus surprise car ils pouvaient me voir et me dévisageaient.

Je me tenais droite devant eux.

Ça y est c'est mon jugement.

C'est un saint-pierre qui est au centre et il m'a montré le paradis avant de m'envoyer au purgatoire ?

Je sais que je n'ai pas fait que des choses bien dans ma vie, mais d'ici à mériter l'enfer !

L'assemblée était constituée d'autant de femmes que d'hommes. Il y avait des Noirs, des Blancs, des Arabes, des Chinois.

La personne la plus à droite prit la parole :

— Bonjour Viviane, bienvenue dans notre Palais.

— Cela faisait un moment que nous voulions échanger avec toi.

— Jusqu'à présent, nous n'avons pu te transmettre que des flashs, mais grâce à la machine dans laquelle tu te trouves nous pouvons communiquer.

— Mais qui êtes-vous, que me voulez-vous, pourquoi moi ?

C'est alors la deuxième personne à droite qui prit la parole.

— Nous voulons te prévenir et te préparer.

— Nous ne savons pas encore complètement ce qu'il s'est passé, mais tu es la seule personne avec qui nous pouvons échanger.

— Le monde que tu as découvert, ces animaux et ces habitants n'existent plus maintenant.

— Nous ne sommes pas réellement présents devant toi.

— Nous avons juste sauvegardé nos esprits dans le cube et c'est à lui que tu es connecté.

— Nous voulons te prévenir que si tu ne fais rien, le même sort pourrait arriver à ton monde, ou tout du moins quelque chose de tragique.

— La terre que nous t'avons montrée était celle juste avant la destruction.

— Comme tu as pu le constater, elle était magnifique et tout le monde vivait en harmonie.

— Mais ça n'a pas toujours été le cas.

Le troisième membre enchaîne.

— Dans notre histoire, nous avons connu des guerres, des empires et des dictateurs.

— Plusieurs dynasties de divers continents se sont succédé et ont imposé leur mode de vie et leur religion.

— Il y eut des rois, des empereurs, des esclaves et des millions de morts.

— Notre technologie a évolué bien plus vite que la vôtre. Nous sommes arrivés à relier les humains et les machines par la pensée.

— Nous aurions pu continuer comme cela et nous entre tuer mais il est certain que nous allions vers la destruction totale.

— N'importe quel grand maître avait les armes suffisantes pour réduire n'importe quel continent en cendre, et la riposte aurait été immédiate.

— Ayant compris cela, et la guerre s'étalant depuis plusieurs décennies, ils ont décidé de se réunir lors du grand Consortium et ont voté un traité de paix.

— Ce traité de paix leur retira tout leur droit et privilège au profit d'un élu choisi par le peuple de chaque grande nation.

— Ces élues allaient alors fonder l'alliance moderne. Une alliance d'égalité et de liberté pour chaque individu indépendamment de sa religion et de son origine.

— C'était le juste partage des ressources et des richesses entre chaque humain.

— Ce nouvel ordre a mis du temps pour se mettre en place, mais finalement tout le monde vivait heureux, en ayant ce dont il avait besoin pour vivre et être heureux.

— Les rebelles, ceux qui n'acceptaient pas ce nouveau régime ont été capturés et envoyés sur notre prison de Jupiter.

— Parmi eux se trouvait un prénommé Zéon. C'était un général de notre milice.

Il était avide de pouvoir et n'hésitait pas à sacrifier nos troupes pour remporter des terres ou des victoires qui n'en valaient parfois pas la peine.

— Il était clairement contre ce nouveau régime et aurait probablement détruit tous nos adversaires si on l'avait laissé faire. Ce qui nous aurait menés à notre propre perte.

— Nous l'avons donc capturé, jugé et emprisonné.

— Mais il a pu s'échapper, reformer une milice de 5 personnes et perpétrer des crimes dans toute la galaxie.

— Au bout de 3 ans, nous avons pu le capturer. Et c'est lors de son jugement final que l'événement s'est passé.

— Nous supposons qu'il avait prévu de s'échapper, lui et ses complices, et déclencher une bombe d'une puissance inouïe pour nous détruire, mais qu'il a mal jugé et au lieu de détruire juste notre citadelle, il a carrément fait exploser notre planète.

— Comme tu l'as compris, tu ne peux plus rien pour nous, mais nous te donnerons les facultés et les armes pour le combattre et que tu puisses sauver ton monde.

— Nous allons maintenant te renvoyer chez toi, mais sache que nous sommes avec toi et te soutiendrons dans cette épreuve que tu dois te préparer à affronter.

Je n'ai malheureusement pas eu le temps de répondre ou de poser d'autres questions que je sortais de l'IRM.

— Voilà l'examen est fini, j'envoie tout cela à votre médecin traitant qui vous expliquera les résultats.

Chapitre 16
Le camp militaire

— Salut, Léo, ça va ?

— Hello les frangins, prêts pour la première mission sur ce nouveau monde ?

— Ah ça, oui. Hâte de s'y mettre.

— Zéon t'a expliqué ce qu'il attendait de nous ?

— Je n'ai pas encore tous les détails de son plan, mais il m'a dit que l'on va avoir besoin d'armes, de beaucoup d'armes et même si elles sont primaires par rapport à celle que l'on avait avant ça devrait aller.

— Et on va-t-on les trouver ?

— Allons Sandrine réfléchit, ou peut-on trouver différentes armes et en quantité ?

— Le camp militaire de La Valbonne, s'écria Charles !

— C'est tout à fait ça.

— Le camp militaire ? Mais vous êtes fou, il y a plein de monde et il est surprotégé.

— Et alors, ça te fait peur ? On a fait bien des coups pire que ça non ? Tu t'es ramolli, tu t'es réincarné dans un corps de mauviette.

— Tu as raison, mais tu as un plan au moins ?

— T'inquiète on le planifiera une fois là-bas, mais j'ai un plan de la base.

Léo, Stéphanie et Charles montèrent alors dans le 4x4 beige, que Zéon avait « emprunté » à un « Ami » militaire.

Si Léo était plutôt imprévisible et agissait beaucoup à l'instinct, Zéon lui était méticuleux, et préparait chaque coup.

Il considérait chaque bataille comme une partie d'échecs où il devait anticiper les 6 prochains déplacements de son adversaire.

Il s'était donc renseigné sur le camp, l'artillerie, et avait pu voler le badge et persuader son nouvel ami de lui prêter sa voiture pour le week-end pour « Déménager quelques babioles ».

Ils s'arrêtèrent alors sur une petite butte qui dominait la base.

Le lieu était idéal pour préparer l'attaque.

Léo sortit des jumelles et une carte de son sac, la tendit à Charles et commença l'observation.

Il pointait alors un hangar et dit :

— Voilà notre cible.

C'est dans ce bâtiment que nous trouverons notre bonheur.

— Ça y est, je sais comment nous allons opérer.

— On t'écoute, chef.

— Alors, Charles, toi tu restes ici, tu observes ce qu'il se passe et les mouvements. Si tu vois quelqu'un approcher, tu nous préviens.

— Mais surtout, tu nous couvres quand nous sortirons, n'hésites pas à dégommer tous ceux qui nous empêcheront de sortir.

— Stéphanie et moi nous allons entrer avec le 4x4 par la grande porte.

Nous nous rendrons au hangar, on charge et on repart tout simplement.

— Comme des princes ! s'exclama Stéphanie.

— Et oui comme des princes.

— Sauf que pour cette fois on la joue discret, Zéon m'a expliqué que pour l'instant on doit encore agir dans l'ombre, pas de photo, pas de média…

— Nous devons anticiper et nous préparer à nous révéler au monde.

Léo et Stéphanie reprirent alors la route tandis que Charlie se préparait.

Il monta et chargea son fusil de sniper. L'astuce du double des clés était bien utile en attendant d'avoir de meilleures armes.

Il avait alors pu emprunter discrètement un fusil dans l'armurerie de son père sans qu'il s'en aperçoive.

5 minutes s'écoulèrent avant que le 4x4 arrive devant la grille d'entrée.

Léo s'arrêta alors devant le poste et l'officier de garde sortit de la cabine.

Il alluma sa lampe de poche et approcha du conducteur.

Léo baissa la fenêtre.

— Bonsoir, Qui êtes-vous ? questionna le garde.

— L'accès est interdit au public.

Il pointa alors sa lampe de poche à Léo en premier puis sur Stéphanie.

Elle le fixa alors droit dans les yeux, mais ne dit pas un mot.

L'officier surpris au départ ne put détacher son regard et baissa sa lampe.

Léo lui tendit alors le badge de leur nouvel ami et lança.

— Salut, Simon, j'ai oublié un truc super important dans ma chambre, j'en ai vraiment besoin. Ça va me prendre 10 minutes maximum.

— Salut Khaled, tu sais que le lieutenant n'aime pas trop que l'on se balade dans le camp en dehors des heures officielles.

— Je sais, je sais mais c'est vraiment important et il lui fit un clin d'œil et un hochement de tête en direction de Stéphanie pour lui envoyer un message.

Il voulait lui faire comprendre qu'il allait sûrement conclure ce soir, mais qu'il avait vraiment besoin de son truc.

— Bon OK. OK mais fait vite, je veux vraiment pas d'ennui.

Il rentra alors dans la cabine et leur ouvrit la barrière.

Ce fut aussi simple que ça.

Le garde avait-il confondu Léo avec une autre personne ?

Ou plutôt comment avait-il réussi ce tour de passe-passe de se faire passer pour lui sans masque ou accessoire ?

De la télépathie, de l'hypnose ? En tout cas, il était très fort à ce jeu, car il n'avait quasiment rien dit pour le tromper.

Ils démarrèrent alors et roulèrent en direction du hangar.

Stéphanie descendit, entra par l'entrée de service, puis appuya sur l'interrupteur de la porte déroulante.

Léo rentra alors la voiture dans le garage, puis referma tout de suite celle-ci.

— Ça y est maintenant, nous sommes tranquilles, commençons à charger, je n'ai pas trop envie que l'on s'attarde ici…

Tous les armes et fusils étaient dans une autre pièce fermée par une imposante grille en fer.

Mais ce n'était pas un problème pour Léo qui crocheta la serrure en 2 minutes.

Ils trouvèrent alors des Famas, des grenades, des pistolets, et les chargèrent dans leur véhicule.

— Effectivement, c'était facile, dit Stéphanie.

— Je te l'avais dit, comme sur des roulettes.

— On peut y aller, Léo ?

Léo ne répondit pas car il était intrigué par une armoire qui était bien trop sécurisée selon son lui.

— Attend ta vue dans cette armoire, tu vois la taille du cadenas et le renfort, il doit y avoir des choses importantes pour la sécuriser comme ça.

— Je vois Léo mais on a pas le temps, tu nous as pas dit que l'on devait être discret et prendre que le minimum.

— Si mais s'il y a dans des lance-roquettes, ça vaut peut-être le coup.

Il s'activa alors et crocheta le cadenas. Aucune serrure ne lui avait encore résisté.

Il finit par l'ouvrir, enleva le cadenas, mais ce qu'il n'avait pas anticipé c'est que l'armoire était sous alarme et au moment où il ouvrit la porte une sirène se mit à retentir.

— Eh merdre, je l'avais pas vu venir celle-là.

— Charles, t'es là ? Tu me reçois, je crois qu'il va y avoir du mouvement. Il y a une sirène qui s'est déclenchée, prépare-toi on va sortir.

— Pas de soucis, chef, je suis prêt.

Son instinct ne l'avait pas trompé car il y avait effectivement un lance-roquette dans l'armoire ainsi que trois roquettes.

Il les chargea alors rapidement et s'apprêtait à partir quand ils entendirent :

— Arrêtez-vous, qui êtes-vous, que faites-vous ?

C'était le lieutenant de la base.

Il était le premier à avoir entendu l'alarme et était venu voir car ce n'était pas la première fois qu'elle se déclenchait pour rien.

Il pointa alors son revolver à Léo tout en surveillant Sandrine.

Léo et Sandrine levèrent les bras tranquillement.

Puis Léo fit un signe de la tête à Sandrine qui comprit tout de suite le message.

Elle fixa alors le lieutenant qui baissa dans un premier temps, son arme.

On pouvait voir la peur s'installer dans ses yeux, quand il comprit qu'il ne pouvait plus contrôler ses bras.

Il arma alors son pistolet avant de le retourner contre lui et tirer.

Ils remontèrent alors dans le 4x4.

Sandrine ouvrit la grande porte.

Quatre autres militaires ayant entendu la sirène et les coups de feu se trouvaient alors devant la porte.

Surprise, Sandrine leva de nouveau les mains.

Léo, lui, qui était au volant, ne leur fit qu'un petit coucou.

Il y eut une détonation lointaine, puis le premier s'écroula.

Les autres surpris n'eurent pas eu le temps de comprendre et de réaliser qu'ils étaient la cible d'un sniper que le deuxième tomba, puis le troisième.

Le quatrième quant à lui fut éliminé par Léo qui ne voulait plus perdre de temps.

Toute la base était alors en alerte, des soldats couraient alors dans tous les sens et ne comprenaient pas ce qu'il se passait.

Il ne leur restait que la barrière à franchir. Ils auraient pu foncer dedans, mais le 4x4 n'aurait sûrement pas résisté.

Comment allait-il sortir alors qu'il n'avait plus beaucoup de temps ?

Et là, tout simplement, le gardien leur ouvrit la barrière, comme s'il avait été envoûté par Sandrine et qu'il pensait que Khaled avait récupéré son truc et qu'il pouvait souffler car ça s'était bien passé.

Il leur fit même en signe de la main.

Sandrine lui répondit alors en jetant le badge.

Avant de récupérer Charles, Léo avait une dernière chose à faire.

Il voulait tester le lance-roquette.

Sandrine voulut l'en dissuader, mais c'était lui le chef, et pendant qu'ils s'occuperont de sauver les victimes, au moins, ils ne leur courront pas après.

Il se mit alors en position, charge le lance-roquette et visa l'armurerie.

Avec ce qu'il restait dedans, ça allait sûrement faire un beau feu d'artifice.

— Vive l'alliance s'écria-t-il avant d'appuyer sur la gâchette.

91

Ils restèrent alors quelques instants à contempler le spectacle.

Léo était presque en extase devant ce spectacle, il aimait le feu. Il aimait voir des bâtiments brûlés et ressentir la chaleur sur son visage.

Cette sensation, il l'avait découvert petit lorsqu'il avait mis le feu à la grange du père Jean.

Il ne pensait pas que les bottes de foin s'enflamment aussi vite lorsqu'il jouait avec les allumettes et qu'il en avait jeté une par mégarde.

Il ne faisait que s'amuser à les allumer et attendre le plus possible avant de les jeter par terre.

Mais là il avait trop attendu et s'était finalement brûlé les doigts et lancer par réflexe la dernière allumette dans le foin devant lui.

Il aurait pu rester encore longtemps si Stéphanie ne lui avait pas rappelé qu'ils devaient vite quitter les lieux pour être discrets.

Dans tous les cas, pour lui, cette première mission était un succès total. Ils avaient pu récupérer plus d'armes que prévu.

Sandrine et Charles, eux, ne partageaient pas ce sentiment.

Zéon lui avait bien répété qu'il fallait être discret, car ils n'étaient pas encore prêts pour la médiatisation.

Un jour bien sûr, ils feront parler d'eux, mais le risque était encore trop important pour être démasqué et finalement arrêté.

Quand ils arrivèrent au quartier général, ils s'attendaient donc à se faire réprimander.

Mais Zéon ne dit rien, il se contenta de faire un inventaire rapide du matériel puis les félicita rapidement avant de quitter les lieux.

Chapitre 17
Le datacenter du Crédit Agricole

Il ne restait alors plus que Yohan et Léo dans le garage.

Stéphanie et Charles avaient rangé tout l'arsenal dans des casiers en ferraille que le père de Yohan avait pu récupérer d'une usine qui avait fermée.

Yohan avait alors acheté des cadenas dont lui seul possédait les clés.

De toute façon, il savait bien que ses parents ne viendraient jamais regarder ce qu'il y avait dedans.

Ce garage, son père lui avait en quelque sorte cédé provisoirement, il était plutôt fier de ce qu'il en avait fait et ne viendrait donc jamais trahir sa confiance en fouillant dans ses affaires.

Cette première mission achevée, Léo pouvait donc enchaîner sur la suite des opérations.

Et c'est donc Yohan qui en était le premier membre actif.

— Alors Yohan t'en est où ? questionna alors Léo.

— C'est un truc de fou le retard technique qu'ils ont.

Ils en sont toujours aux gros ordinateurs centraux.

Ils ne communiquent même pas entre eux. Ils n'ont pas encore inventé l'intranet ou d'internet.

— Ça va être compliqué ou impossible de les faire communiquer avec nos systèmes ?

— Tu me connais, rien n'est impossible pour moi.

— Jusqu'à maintenant ça va on est arrivé à entrer discrètement et ne pas déclencher d'alarme, mais Zéon même s'il ne me l'a pas dit directement m'a bien fait comprendre que pour les armes j'avais merdé et que pour ce coup, j'avais pas le droit à l'erreur.

— Il faut absolument que l'on puisse s'introduire dans leur système et les contrôler, et tout cela sans se faire remarquer ou qu'il risque d'enlever nos mouchards.

— T'inquiète, ils ne découvriront rien. Répondit Yohan qui maîtrisait parfaitement son sujet.

— Le système COBOL, c'est vraiment du bas niveau. Il faudrait être une machine pour comprendre le code que je vais introduire.

— Par contre, il faut que j'écrive le protocole de communication, les interconnexions, la prise en main à distance, ça risque de me prendre un certain temps.

— Mais heureusement dans cette nouvelle vie j'ai déjà des scripts que je peux utiliser.

— Et une fois que tu auras fini, on pourrait bien tout contrôler comme l'a demandé Zéon ?

— Mais oui t'inquiète laisse faire le maître.

C'est donc alors en toute confiance que Léo quitta à son tour le quartier général.

Il devait maintenant laisser son coéquipier agir et savait qu'il travaillerait mieux s'il était tout seul.

Sans prendre de pause, ni le temps de fumer une cigarette ou un joint, Yohan se mis alors à la tâche.

C'était sûrement ce qu'il aurait fait avant. Il avait établi un certain rituel avant de s'attaquer à une nouvelle mission.

Lorsqu'on lui amenait un poste de télévision, il se roulait son joint et le fumait tranquillement et en toute discrétion devant la porte du garage.

Cela lui laissait alors le temps d'établir un diagnostic et un plan d'action en fonction des symptômes.

Mais plus maintenant, il ne fumait plus ni joints ni cigarette.

Le dernier datait de la rencontre avec Zéon.

Il avait même jeté toute la marchandise qu'il lui restait. Il se devait maintenant de prendre soin de lui, et d'être sobre pour les prochaines missions qui l'attendaient.

Il y passa alors une bonne partie de la nuit car il s'était promis de ne pas aller se coucher avant d'avoir terminé.

Chapitre 18
Le maire

— Bonjour, ma petite Sandrine, contente de te voir cela faisait longtemps.

— Que deviens-tu ?

— Ça va, ça va ?

Beaucoup de travail, je suis surchargé en ce moment, mais on fait aller.

— Beaucoup d'événements se sont passé ces derniers temps dans notre petit village. Le cratère, les militaires, la bagarre et la disparition de Léo.

— Ça doit vous faire beaucoup de choses à gérer ?

— Oh oui ne m'en parle pas.

Depuis 12 ans que je suis maire, je n'ai jamais eu ce genre de situations à gérer.

D'un côté il y a les militaires et les scientifiques qui se sont installés et ont quadrillé toute la zone.

Et de l'autre les agriculteurs qui ne comprennent pas pourquoi ils ne peuvent pas encore retourner sur leurs terres.

— Et en plus de ça il y a les journalistes, qui mettent leurs nez de partout, ils essaient de me tirer les verres du nez, difficile de garder certaines choses secrètes.

— Mais pourquoi viens-tu me voir ?

— Eh bien pour faire comme les journalistes ?

Sur ce, elle lui fit un clin d'œil.

— Non je rigole, c'est surtout que je m'inquiète pour Léo, ce n'est pas que je l'apprécie réellement mais je reste perplexe sur l'altercation qu'il y a eu avec l'inconnu et la façon dont il l'a amené.

— Ça fait peur, il ne faudrait pas qu'il recommence avec d'autres personnes, vous avez des pistes ?

— La gendarmerie mène l'enquête, mais aucune nouvelle pour l'instant de Léo ou de ce fameux inconnu.

— Mais connaissant Léo, avec toutes les histoires et les conneries qu'il a faites dans le passé, c'est pas dit qu'il réapparaît un jour sans aucune explication.

— Pensez-vous que ça peut avoir un lien avec l'attaque du camp militaire ?

— Et ce que ce fameux inconnu pourrait être la tête d'une cellule terroriste et qu'il prépare un attentat d'une plus grande ampleur ?

— Je vois que tu es drôlement bien renseigné ?

— Je ne devrais pas te le dire, c'est un peu le genre d'information que je ne devrais pas divulguer, mais je te fais confiance pour ne pas le répéter et l'ébruite d'accord ?

— Oui bien sûr vous savez que je peux garder ma langue dans ma poche ?

— Alors d'accord, je te dirais ce que je sais, mais à une condition ?

— Oui, bien sûr, laquelle ?

— La gendarmerie et les scientifiques ne me disent pas tout, et même presque rien.

— Ça m'agace car je suis quand même le maire de cette ville, et tu sais que je vise plus haut.

— Si je gère mal la situation à cause de ça je risque de passer pour un abruti au niveau des médias et de la population. Et tu dois savoir qu'une réputation c'est très difficile à construire. Il faut beaucoup de temps et nouer des relations, mais elle peut être détruite en un claquement de doigts par une mauvaise publicité ou affaire.

— À je vois ou vous voulez en venir, vous voulez que je mène un peu l'enquête de mon côté pour vous ?

— Mener l'enquête ? Non, tu n'es pas une inspectrice.

— Disons plutôt que toi aussi tu as beaucoup de connaissances et s'il t'arrivait de laisser traîner l'oreille et entendre certaines choses que tu me rapporterais en toute amitié cela pourrait être une action citoyenne, pour le bien de notre communauté.

— Mais bien sûr, je me suis toujours beaucoup investi dans cette ville et je suis toujours volontaire pour apporter ma contribution.

— OK alors marché conclu.

— J'ai eu un entretien avec le responsable de la gendarmerie qui est un ami.

— Selon lui les deux affaires n'ont aucun lien.

— L'enquête sur la disparition de Léo, cette fameuse altercation et selon les témoins, l'inconnue serait plutôt de type européen voir Nordique.

— Concernant le camp militaire, c'est un engagé qui aurait fait le coup. Ils ont retrouvé sa carte d'identité sur les lieux. Ils l'ont arrêté et cuisiné pendant de longues heures, mais il n'a encore rien dit.

— Mais il le soupçonne fortement d'être en lien direct avec une cellule terroriste.

— Enfin dernier point, pour le cratère, les scientifiques m'ont confirmé la piste de l'astéroïde, mais je les soupçonne de ne pas m'avoir dit toute la vérité.

— Je ne comprends pas comment il aurait pu transporter l'astéroïde sans que l'on s'en aperçoive.

— Transporter l'astéroïde, comment ça ?

— J'ai dû faire des pieds et des mains, mais j'ai pu me rendre sur les lieux et au fond du cratère il n'y a rien.

L'astéroïde n'y est plus. Ils n'ont pas voulu me donner d'explication, mais quand on voit la taille du trou, j'imagine que ça devait faire un sacré caillou, et pour l'éviter même en le découpant en plusieurs morceaux, il aurait fallu plusieurs convois exceptionnels.

— Et même l'armée doit forcément avoir ma validation pour ce genre d'opération, mais il y en a eu aucune.

— Voilà tu sais tout, comme je te l'ai dit, je compte sur toi pour ne rien dire à personne, mais reviens vite me voir dès que tu en sais plus.

— Merci, monsieur le maire, comptez sur moi. Bonne journée.

— Bonne journée à toi et à très vite.

Si Sandrine était venue voir le maire ce jour-là ce n'était surtout pas pour avoir des informations sur Léo car elle savait pertinemment où il était et ce qu'il faisait, mais bien pour soutirer des informations.

Elle ne s'attendait pas à ce qu'à son tour, il lui demande d'être son espionne, mais ce n'était que du pain béni pour l'alliance.

Elle était gagnante de tous les côtés, elle pouvait obtenir les informations qu'elle souhaitait et qui étaient difficilement accessibles sans avoir une « Taupe » à l'intérieur et deuxièmement elle pourrait s'en servir pour divulguer de fausses informations sur le plan de Zéon.

Ainsi, le jour où il risquerait d'être découvert, elle pourrait alors persuader son nouvel ami d'aider les enquêteurs et surtout les mener sur de fausses pistes.

Il a tellement les dents longues et il est prêt à tout pour se montrer et se faire valoir qu'il serait capable de tout faire pour apparaître dans les médias.

Le gentil maire de la toute petite ville qui permit de résoudre une attaque terroriste.

Quelle magnifique publicité !

En tous cas sur ce coup-là elle savait que Zéon serait plus que satisfait de ce nouveau partenariat.

Elle était plus fine, plus discrète et manipulatrice que Léo.

Même si elle avait du mal à se l'avouer, il avait quand même eu un coup de génie en jetant le badge du militaire.

Le temps que l'enquête se porte sur lui et son éventuelle implication avec des groupes terroristes leur laisse une bonne longueur d'avance.

L'avait-il fait exprès ou alors l'avait-il seulement jeté pour s'en débarrasser ?

Elle ne le saura jamais et ne lui posera même pas la question, car pour une fois qu'il fait une chose intelligente il est certain qu'il s'en vantera.

Il était également très important pour Zéon qu'ils obtiennent ce partenariat car même si ce n'était qu'un maire d'une petite ville, dans son précédent emploi il avait un carnet d'adresses très important dans des secteurs très différents.

Zéon n'allait donc sûrement pas tarder à le solliciter pour se créer un nouveau réseau.

Chapitre 19
Le repère

Une nouvelle fois le gang s'était réuni dans leur quartier général afin de faire un point de la situation et de diverses missions de chacun. Sans ambiguïté, c'était bien sûr Zéon, le maître de cérémonie qui débuta.

— Mes amis, heureux de vous revoir dans notre repère.

Comme d'habitude, je sais que je peux compter sur vous, car vous avez effectué les missions que je vous avais confiées.

— Comment ça s'est passé ?

— De notre côté, nous avons bien toute l'artillerie. Commença Charles.

— Oui, Charles, mais j'avais dit de faire ça discrètement. Je ne voulais pas éveiller trop de soupçons pour l'instant.

— Ne t'inquiète pas, enchaîna Stéphanie, je suis allé voir le maire comme tu me l'as demandé et il sera à notre service.

C'est vraiment un abruti car c'est lui-même qui a proposé d'échanger les infos.

— Très bien il sera nos oreilles. Que t'a-t-il dit d'intéressant ?

— Ils ne savent rien du tout pour l'attaque du camp ni de ton arrivée sur ce monde.

On peut continuer tranquillement.

— Et toi Yohan et tu es arrivé à te connecter à leur système basique ?

— Oui sans problèmes, je peux maintenant contrôler tous leurs systèmes électroniques.

Dommage que l'on ne puisse pas partager ça avec eux car je leur ferais gagner 50 ans de recherche et développement. Quoiqu'ils ne soient sûrement pas prêts pour cela.

— Et si tu nous en disais un peu plus sur ton plan ?

— Patience, mes amis, il ne faut jamais dévoiler tout son jeu. Je peux juste vous parler de la prochaine étape.

— Maintenant que nous avons les armes et la technologie, il nous manque plus qu'une seule chose ? Laquelle ?

— Faire régner la terreur ! répondit bêtement Léo comme à son habitude, comme si pour lui il n'y avait que cela qui comptait.

Zéon ne répondit pas mais fit juste un nom de tête.

— La gloire ? C'est bien sûr Sandrine qui proposa cette réponse. Après tout c'était sa mission et elle avait bien conscience que Zéon souhaitait de la reconnaissance, de la popularité.

— Mais, non les mais soyez un peu plus imaginatif.

Voyant que plus personne ne proposait de réponse. Il enchaîna :

— C'est l'argent ! Nous allons avoir besoin de cash pour payer quelques back chiff et nous trouver des partenaires.

— Avec l'argent, on achète tout, de la drogue, des armes, des prostituées, mais aussi et surtout les hommes, les entrepreneurs, les politiciens.

— Il va donc falloir que l'on trouve en grosse quantité, d'un coup. Et quoi de mieux qu'une banque pour se servir et avoir rapidement de la liquidité.

— Ça vous dit ?

— Mais cette fois on peut se la jouer moins discret.

— N'affichons pas encore nos visages, mais il est important que l'on commence à connaître notre organisation.

— Nous serons comme un cancer qui se répand petit à petit.

— Au début, on y fait presque pas attention, une petite douleur par ci par lui, jusqu'à ce qu'il vous ronge et prenne totalement le contrôle.

— Cette attaque sera alors juste les premiers frémissements. Nous ne la revendiquons pas, mais nous laisserons des indices.

Chapitre 20
La banque

De l'argent, il leur en faudrait pour exécuter toutes les parties de leur plan.

Et c'est donc bien une banque qu'ils avaient choisi d'attaquer pour obtenir rapidement beaucoup de liquidité.

Ce n'était pas la banque du village, car il se passait beaucoup trop de choses par rapport au météorite et au camp militaire.

Il fallait donc qu'elle soit suffisamment importante pour détourner les médias et lancer le début de la communication grand public.

Après plusieurs propositions et débats, c'est la banque d'Issy-les-Moulineaux qui avait été choisie.

L'attaque avait donc été planifiée le jeudi à 10 h.

Le but principal étant bien sûr de récolter des fonds pour l'association, mais aussi de se faire connaître.

Quitte à faire du bruit, autant y aller au moment où il y a le plus de monde.

10 h, le mini van se gare juste devant la banque sur la place réservé au transporteur de fonds.

Les six passagers en descendent, tous vêtus d'un costume noir et d'une fine cravate noire également.

Chacun porte un masque d'un président de la république ou d'un dirigeant.

Le premier est le président de la France.

Viennent ensuite l'Italie et la Belgique.

Le Maroc, puis enfin en dernière ligne la Chine et les États-Unis côte à côte.

Y a-t-il un message dans l'ordre d'apparition, leur disposition ?

Ils entrent alors dans la banque, se positionnent en triangle et le président français commence à s'exprimer.

— Bien le bonjour à vous, mesdames et messieurs.

— Comme vous devez vous douter, ceci est un hold-up.

Nous sommes heureux de partager ce moment avec vous.

Ne vous inquiétez pas, il ne vous arrivera rien, nous ferons tout notre possible pour que ce moment soit le moins désagréable pour tout le monde.

— Mon confrère, ici présent, va passer prêt de vous afin de solliciter vos dons pour notre noble cause. Et je vous remercie d'avance de votre participation. Nous prenons bien sûr le liquide mais aussi les bijoux.

— Et vous messieurs du guichet, nous n'allons pas vous déranger et comptons sur votre entière coopération pour ne pas appeler la police.

— Ces braves gens sont bien occupés par d'autres problèmes. Nous n'allons pas les déranger pour quelques affaires à régler entre nous.

— Veuillez simplement nous indiquer le chemin pour le coffre-fort et nous nous occupons du reste.

Zéon assumait totalement à ce moment-là son masque. Il était devenu le président qui demandait et qui tout de suite était entendu.

Le premier guichetier qui était jeune et le dernier arrivé dans la banque ne sachant pas comment gérer cette situation, se leva et pour leur ouvrir la barrière pour qu'ils passent du côté des bureaux.

— Merci très chers, répliqua Zéon s'approcha et lui murmura dans l'oreille :

— Ne t'inquiète pas, tout va bien se passer.

Le directeur de la banque qui était dans son bureau comprit tout de suite la situation lorsqu'il aperçut les braqueurs sur la vidéo surveillance.

Depuis 10 ans qu'il était dans cette banque, il n'avait jamais été confronté à ce genre de situation, mais heureusement quelques semaines auparavant il avait eu l'occasion de faire une formation.

Ce genre de cas étant de plus en plus fréquent, le siège avait décidé de former son personnel afin d'être prêt.

Le manuel leur enseignait que la première des actions à réaliser était d'avertir la police grâce au dispositif qui leur avait été installé.

La deuxième était de se présenter calmement devant les criminels afin de calmer, ou temporiser la situation, d'être l'interlocuteur principal ainsi que veiller sur les clients et le personnel.

Il s'exécuta alors appuya sur le bouton d'urgence caché sous le bureau.

Ensuite il se dirigera vers l'accueil et réfléchira à la posture qu'il devrait adopter et la phrase à dire pour ne pas les affoler.

Il se leva alors, sortit de son bureau et se dirigea à l'accueil.

Il parcourut le couloir, puis tourna sur la droite.

Il tomba alors sur trois présidents armés de fusils mitrailleurs.

Ils lui tournaient le dos, car ils devaient se répartir les tâches.

Il eut juste le temps de se dire : « Allez, Gérard, il faut être un homme et assumer tes responsabilités. » Et s'exclamer :

— Hum, pardonnez-moi messieurs, Je suis le directeur de cette banque....

Mais le président Chinois se retourna d'un geste brusque et lui tira une balle dans la tête.

Le président français qui n'avait pas vu la situation se retourna surpris par le coup de feu.

Et il cria :

— Mais tu es fou, on avait décidé que l'on ferait le minimum de victime, c'est le directeur.

— Tu aurais pu attendre avant de le descendre.

— Il m'a fait peur, ce con, c'est l'emprisonnement et mon exécution qui m'ont traumatisé, je ne veux surtout pas revivre ça.

— Je comprends mais garde ton sang-froid, on va en avoir besoin, tu ne peux pas tirer sur tout ce qui bouge, ou sinon un de ces jours c'est un de nous que tu vas abattre.

— Et surtout on aurait pu en avoir besoin pour les clés ou le code du coffre-fort.

— T'inquiète, sur ce point pas de soucis, je vais ouvrir le coffre en deux minutes, répondit alors le président du Maroc.

À quelques kilomètres de la banque, la police avait bien reçu l'alerte et commençait à se préparer et à se rendre sur les lieux.

L'attaque du camp militaire avait secoué toute l'administration et les politiciens.

Beaucoup redoutaient que ce ne soit que le premier attentat d'une série meurtrière et dévastatrice.

Ils étaient donc préparés à intervenir rapidement.

Le poste de contrôle était prêt, les agents étaient à leur poste et lançaient le début de la mission. Les premiers véhicules étaient chargés et prirent la route.

Les trois braqueurs se dirigeaient alors vers le coffre, alors que les autres étaient restés en garde à l'accueil.

Une alarme sonna sur un des appareils du président Marocain.

Il sortit alors la puce de sa poche, appuya sur quelques boutons puis dit :

— Quelqu'un ici a déclenché une alarme, le poste de contrôle de la police est en place. Ça s'affole, ils arrivent.

— Cela doit sûrement être le directeur, cela m'aurait déçu s'il ne l'avait pas fait, notre coup serait passé incognito. Continuons, allons piller ce coffre en les attendant.

Ils repartirent alors sans s'affoler.

C'étaient vraiment des professionnels et avaient planifié toutes les situations.

D'autres amateurs auraient pu s'affoler, paniquer et quitter les lieux à toute vitesse en espérant ne pas être rattrapés, mais pas eux, ils continuaient leurs braquages selon le plan initial.

Grâce à leur nouvelle technologie, cela ne leur prit que 10 minutes pour ouvrir le coffre, charger leur sac et remonter à l'accueil.

Une fois tous réunis au lieu de se répartir les sacs et s'enfuir à toute vitesse, ils attendaient et prirent même le temps de se servir un café à la machine.

Agacé, un des employés se risqua :

— Vous avez tout ce qu'il vous faut non ? Vous pouvez nous libérer ?

— Je comprends votre inquiétude et votre impatience, mais cela ne va pas durer bien longtemps, dès que nos amis seront là nous vous laisserons terminer tranquillement cette belle journée.

Deux minutes plus tard, la police était arrivée sur les lieux et les différentes troupes se tenaient prêtes à intervenir.

Le commandant de l'opération avait fait intervenir un négociateur car il pressentait que la situation allait être compliquée.

Celui-ci prit ses positions et téléphona à l'agence.

Ce n'est pas le président français qui décrocha, mais la chancelière allemande.

Elle était donc la porte-parole de l'organisation.

Le négociateur commença.

— Bonjour, je me présente, je m'appelle Richard Colard, c'est moi qui vais traiter avec vous et faire en sorte que tout se passe bien pour tout le monde. À qui ai-je à faire ?

— Enchanté, Mr Collard, je suis la chancelière, je suis également chargé de mener les négociations avec vous.

— Enchanté Madame la Chancelière, pour commencer est-ce que tout le monde va bien ? Des blessés ?

— Non, non rassurez-vous, nous ne sommes pas des sauvages.

— Très bien car cela aurait pu aggraver les situations, alors allons donc droit au but, que souhaitez-vous ?

— Rien de bien spécial. Nous sommes des citoyens, comme vous. Mais nous avons juste marre d'être gouverné par des politiciens tous plus corrompus.

— Alors nous demandons, qu'une seule chose.

— La démission du gouvernement, et l'organisation de nouvelles élections, mais cette fois avec des candidats que nous vous proposerons.

Le négociateur resta bouche bée et ne s'attendait pas à ce genre de demandes.

Mais, mais attendez c'est carrément impossible, le gouvernement n'acceptera jamais.

C'est bien une preuve qu'il ne travaille pas pour le peuple, mais pour eux même.

— Tels sont nos demandes, nous avons 32 otages avec nous. Toutes les 63 minutes, nous en exécuterons un tant que les négociations n'aboutiront pas.

— Alors je vous conseille vivement d'appeler notre cher président tout de suite.

— Mais, mais c'est impossible.

Il n'eut pas le temps de finir sa phrase que la chancelière avait raccroché.

52 minutes étaient passées, le négociateur et le membre de l'équipe de crise s'étaient démenés pour appeler le préfet, le Premier ministre et les bonnes personnes sans résultats pour le moment.

— Il ne nous reste plus que 11 minutes, qu'allons-nous faire ? s'alarma alors le lieutenant de la gendarmerie chargé des opérations.

— Je pense qu'ils bluffent, le casse n'a pas dû se passer comme prévu, ils ne savent plus comment gérer la situation, alors ils nous ont raconté des conneries.

— Ne faisons rien pour l'instant, on va attendre qu'il rappelle.

— Mais il y a quand même la vie d'un otage en jeu.

— Écoutez, je connais mon métier, ils n'abattent pas toutes leurs cartes dès le début.

11 minutes plus tard. La porte s'ouvre. Quatre hommes vêtus de robe de juge sortent tenant un quatrième homme.

Ils font 10 mètres, déposent un corps, se retournent puis rentrent à nouveau dans la banque et ferment la porte.

Le négociateur s'approche du corps et constate qu'il y a un mot qui lui est adressé.

— Mr, le négociateur, pour le bien des personnes présentes ici, nous vous conseillons vivement de répondre à nos attentes. Nous ne sommes pas convaincus de vos compétences, et attendons de vous plus de compréhension et de rapidité.

— Inutile de nous joindre, nous suivrons vos avancés par les médias.

Il resta surpris et ne s'attendait pas à ce qu'il abatte leur premier otage si rapidement.

En réalité, c'était le directeur de la banque que Léo avait abattue et en avait donc profité pour se débarrasser de son corps et montrer qu'ils ne plaisantaient pas.

Plus personne n'osa prendre la parole dans le poste de contrôle.

N'avaient-ils pas fait le maximum pour répondre aux attentes ?

Qu'aurait pu-il faire de plus ?

Il est évident que le gouvernement n'allait pas démissionner.

3 minutes plus tard, le négociateur tenta de joindre le préfet et le ministre de l'Intérieur mais il tomba sur leur secrétaire, et personne ne comprenait l'urgence de la situation.

— Tant pis dit-il soudain ! nous allons répondre à une de leur demande. C'est la célébrité qu'ils veulent. OK on va leur donner.

— Nous allons préparer une conférence de presse et avertir les médias en espérant que cela nous fasse gagner du temps et au moins réveille le Premier ministre.

10 minutes, c'était le temps que cela avait pris pour préparer, filmer et diffuser la conférence sur la principale chaîne de télévision et la radio.

C'est le négociateur en personne qui prit la parole.

Il expliqua clairement la situation, ne parla pas d'un groupe terroriste aux convictions religieuses mais plutôt de gangsters.

Il les avait même surnommés « les présidents ».

C'est donc bien ce surnom qu'il utilisa tout au long du discours.

Et comme le souhaitait Zéon, il décrit clairement leurs revendications.

Il prit également de répondre à quelques questions des journalistes en précisant que tout était sous contrôle et que la situation allait rapidement trouver une issue.

Il s'attendait bien sûr pas à ce que le gouvernement réagisse, le seul but étant bien sûr de sauver la vie aux otages.

Chapitre 21
La banque, la suite

L'équipe à l'intérieur de la banque suivait attentivement les informations et se satisfaisait de l'importance que commençait à prendre leur action.

Tout se déroulait à peu près selon leur plan.

À la fin de la conférence, c'est le négociateur lui-même qui prit la parole, fixa la caméra et lança un message direct aux assaillants.

— Vous qui êtes à l'intérieur de la banque, sachez que nous faisons notre maximum pour répondre à vos attentes, toute notre équipe travaille et contacte les différents cabinets afin de répondre à vos exigences, nous ferons le maximum pour que tout cela se termine bien pour tout le monde.

Il espérait qu'avec cette phrase, il pourrait reprendre le contact direct avec les preneurs d'otages, sans passer par les médias.

Il savait pertinemment qu'il ne pourrait jamais leur offrir ce qu'il voulait, mais au moins gagner du temps, afin que l'unité d'élite puisse préparer leur intervention.

Deux minutes trente après la fin de la conférence, il chargea une personne de l'équipe de rappeler la banque, il pensait avoir répondu au moins à une de leur attente en convoquant la presse et rendant le braquage public.

Mais personne ne décrocha.

Que pouvait-il préparer ? N'était-ce pas suffisant ? Il espérait vraiment une réponse car ils arrivaient à la fin du deuxième compte à rebours.

La porte de la banque s'ouvrit, c'était Zéon et le jeune assistant qui se préparaient à sortir.

Zéon lui murmura alors à l'oreille.

— Tu vois je te l'avais dit : tout allait bien se passer. Tu peux y aller maintenant et vas retrouver les tiens.

L'otage avança de quelques pas et la porte se referma.

Enfin, les preneurs d'otage faisaient un premier geste. Ils allaient pouvoir reprendre les négociations.

Mais pourquoi n'avait-il pas répondu au téléphone ?

Peut-être que l'otage avait un message à leur transmettre ?

Ce qui était sûr c'est que c'étaient des professionnels car des amateurs eux auraient paniqué et n'auraient pas su comment gérer la situation.

L'otage accéléra le pas car il ne se trouvait plus qu'à une cinquantaine de mètres du barrage. Il commença à se sentir un peu apaisé et pensa à ceux qui étaient encore à l'intérieur. Il était heureux de sortir et de mettre fin à ce cauchemar.

Deux ambulanciers s'approchèrent du jeune homme et s'apprêtaient à le prendre en charge quand une détonation retentit.

— Tous à couvert, ça canarde.

Mais il n'y eut pas d'autre détonation, il venait juste d'abattre l'otage qu'il venait de libérer.

Tout cela n'a aucun sens, ils viennent de couper court à toute négociation, il n'y aura plus de compromis.

De nouveau, la cellule se réunit dans le chapiteau.

Comment interpréter ce qu'il venait de se passer ?

— Ils nous bercent d'illusions, commença le Capitaine.

— Ils ne veulent pas négocier, ils doivent préparer autre chose car ils cherchent à gagner du temps.

— Ce n'est pas logique, répondit le négociateur.

— S'ils voulaient gagner du temps, il n'aurait pas tué des otages, ils auraient fait patienter. Ils veulent juste se faire connaître.

À ce moment-là un bip retentit d'une des radios.

— Et oui, monsieur le négociateur, c'est bien cela.

C'était la voie de la chancelière. Ils avaient piraté leur radio et pouvaient entendre toutes leurs conversations.

— Ce…. c'est vous ? lança le négociateur.

— Depuis tout à l'heure vous nous écoutez. Mais alors dans le fond, que voulez-vous ?

— Votre monde est corrompu de partout, dans les institutions, dans l'administration et même jusque dans la politique. Et votre peuple est encore trop jeune et naïf pour s'en apercevoir.

— Vous les bernez, vous les manipulez, et eux, vous idolâtres sur les quelques petites réformes que vous leur donnez contre toutes celles dont vous ne débattez même pas.

— Il est temps de changer tout cela, et que votre monde se réveille.

— Notre demande n'a pas changé, mais vous venez de perdre deux otages, en établissant des stratégies d'attaque.

— Alors afin que vous vous m'étiez réellement au travail, la donne change, maintenant ce n'est pas un mais trois otages que nous abattrons à chaque délai dépassé.

— Nous vous recontacterons 10 minutes avant la fin du prochain compte à rebours. Et à ce moment-là nous avons intérêt à parler au président de la République en personne.

Puis la chancelière raccrocha.

Il ne fallut que quelques minutes et quasiment pas de discussions pour que la décision de passer à l'acte soit prise.

Chapitre 22
Troisième flash

Le troisième flash est arrivé alors que j'étais au travail, c'était un jeudi matin.

Mon chef et moi avions un rendez-vous sur un chantier pour une remise des clefs.

Je n'allais jamais à ce genre réunion auparavant, mais étant donné que j'avais bien géré le planning et les différentes interventions il m'avait proposé de participer.

C'était une manière pour lui de me féliciter et de constater tout le fruit de mon travail.

Les clients aussi avaient sollicité ma présence, ils voulaient sabrer le champagne car ils réceptionnaient leur maison dans les temps.

Après un état des lieux rapide, nous nous sommes installés sur la terrasse et je m'apprêtais à déguster mon premier verre quand je sentis les mêmes sensations que lors des autres flashs.

J'ai juste eu le temps de m'asseoir car je pensais bien que j'allais encore partir comme les fois précédentes.

Le flash, la sortie de mon corps, tout était identique, sauf que cette fois je ne suis pas dirigé vers le cratère.

J'ai parcouru notre ville, quelques kilomètres, je ne serais pas dire si c'était 10, 50 ou 1000 kilomètres, mais je suis resté dans notre monde.

J'ai survolé un bâtiment puis suis entré dans une banque.

Je n'ai pas compris tout de suite ce qui était en train de se passer car les clients et le personnel étaient couchés par terre.

J'ai réalisé alors que j'étais au beau milieu d'un braquage quand j'ai vu deux hommes en noir, avec des masques.

Des masques de présidents, quelle drôle d'idée pour une prise d'otage !

J'ai sursauté et fut prise de panique quand un des malfrats s'est retourné et à pointé son arme sur moi.

Mince si dans l'autre monde il ne pouvait pas me voir, peut être que dans celui-ci oui.

J'ai crié quand il a tiré, mais la balle m'a traversé et a tué la personne qui était derrière moi.

La balle ne m'était pas destinée mais je pense qu'il avait senti ma présence, que ça l'avait paniqué et malheureusement abattre la mauvaise cible.

Ce qui est encore plus étrange c'est que comme je ne pouvais pas estimer la distance que j'avais parcourue, le temps également ne semblait pas s'écouler à la même vitesse.

Au contraire, on aurait dit qu'il était flexible.

Imaginez que vous regardez une vidéo de caméra de surveillance, que vous faites avance rapide sur les passages non importants et des ralentis au moment des actions.

C'était la même chose qui se déroulait sous mes yeux, sauf que je ne pouvais pas le contrôler.

En y repensant pas la suite, j'avais estimé le temps du braquage à de longues heures.

Il avait dû commencer vers les 10 heures car j'avais vu l'horloge à l'entrée et il s'était terminé vers 15 h.

Entretemps, j'ai assisté à des exécutions. Ils tuaient les otages à des intervalles réguliers.

Tout dans ce flash était étrange. Surtout la manière dont cela s'est terminé.

J'ai compris que les négociations n'aboutiraient lorsqu'une explosion s'est déclenchée à l'arrière. C'était une équipe d'intervention qui allait s'introduire, mais les braqueurs avaient piégé la porte.

Hop encore une avance rapide, et cette fois j'étais dehors, devant la banque.

Il y avait des fourgons et des voitures de police et juste à l'entrée les braqueurs.

Ça tirait dans tous les sens.

Je pensais leur issue fatale, puis…

Un gros flash et je suis revenu à moi.

Je ne comprenais pas ce qu'il venait de se passer.

Pourquoi cette fois on était dans notre monde ?

Les esprits voulaient-ils me montrer autre chose ?

Était-ce le passé, le futur, un monde identique…

En tous cas, j'avais fait une sacrée peur à mon chef et aux clients.

Quand j'ai entrouvert les yeux, ils se tenaient devant, ne savaient pas quoi faire et s'apprêtaient à appeler les urgences.

Heureusement, je les ai arrêtés à temps et leur ai expliqué que cela devait être dû à la chaleur et qu'il n'y avait rien de grave.

Nous avons pu alors arroser la maison sans problème.

Mais c'est sur le chemin du retour, que j'ai compris ce qu'il venait de se passer.

La radio annonça alors « Braquage en cours dans une banque de Paris. »

Cela ne pouvait pas être une coïncidence ?

Ils savaient ce qui allait se passer, ils l'ont vu et me l'ont montré.

Mais qu'étais-je censé faire ? Et ce que je pourrais intervenir et si oui comment ?

Mais j'ai bien ressenti qu'ils ne voulaient pas, que je n'intervienne, je n'étais pas prête.

Ils voulaient juste me prévenir, me préparer à ce que j'allais devoir affronter.

J'ai alors passé l'après-midi à suivre cela à la télévision.

Je suivais attentivement pour retrouver les images de mes flashs, mais je n'ai pas pu réellement comparer car les points de vue étaient différents.

J'y voyais alors de moins en moins clair.

Je commençais alors à désespérer car je venais juste de comprendre un peu ce qu'il m'arrivait, que de nouvelles questions se posaient de nouveau.

Ce qui était certain c'est que j'étais l'élu. Mais comment une petite personne frêle comme moi allait pouvoir les affronter ?

— Ah, je crois que c'est l'heure du goûter pour les enfants, je continuerais mon histoire après.

Chapitre 23
L'intervention

Le négociateur et toute la cellule de crise s'étaient démenés pour joindre les préfets, les ministres, les généraux, mais le temps passait et les preneurs d'otages mettaient leurs menaces à exécution.

Ils exécutaient les otages à intervalles réguliers.

Le président de la République avait été prévenu et suivait l'actualité de très près, mais il était persuadé qu'il ne pouvait pas intervenir.

Une chose qui était certaine c'est que jamais il ne répondrait à leurs attentes, jamais il ne démissionnerait.

Il s'était trop battu et tant sacrifié pour en arriver là qu'il ne pouvait pas y renoncer, tout du moins pas maintenant.

« Ce pays a besoin de moi, beaucoup trop de monde compte sur moi », se dit-il.

« Je n'ai jamais vu une prise d'otage d'une telle ampleur, mais quand bien même s'il y a des morts, ce sont des dommages collatéraux. »

Il ne souhaitait même pas leur parler, entamer la conversation avec eux, c'est les laisser penser qu'ils ont une chance et une faiblesse devant le peuple, devant la patrie.

La France ne négocie pas avec des terroristes.

Trois, six, huit, neuf otages abattus sans que les personnes responsables n'interviennent.

Ce n'était pas possible ni tolérable, se disait le responsable de la cellule de crises.

Ces élus haut placés ne vont pas bouger leurs culs, ils n'ont rien à faire de nous, du petit peuple, des braves gens qui les élisent.

Ils se font élire pour eux et pas pour nous ces vendus.

Il ne supportait pas l'idée de voir encore d'autres victimes, des jeunes, des vieux, des gens comme tout le monde qui étaient passés à leur banque pour retirer de l'argent, ouvrir un prêt et dont leurs vies allaient probablement se terminer aujourd'hui même.

— Ça en est trop, puisque le gouvernement ne fait rien, on va agir, dit-il.

— C'est parti, on lance l'intervention. Tout le monde est en position ?

— On y va, fumez-moi ces connards, butez-les tous s'il le faut, mais il faut à tout prix arrêter ce massacre.

Les tireurs d'élite étaient en position sur le toit.

L'équipe d'intervention, préparée et armée, allait entrer dans la banque.

Il était prévu qu'elle passe par une porte à l'extérieur afin de ne pas être trop visible et être à portée de tir.

La tension était palpable dans le poste de contrôle quand le lancement de l'attaque fut déclenché.

Ils sont huit dans l'équipe d'intervention, ils contournent le bâtiment principal, passent par une ruelle et arrivent enfin devant la petite porte.

Ils sont armés, préparés à ce genre de situation.

Cette manœuvre, ils l'ont répétée plusieurs fois, lors d'exercice d'entraînement.

Ils se suivent en file indienne, les deux béliers devant.

Ils s'arrêtent et s'apprêtent à rentrer dès que la porte sera ouverte.

Un coup, la porte s'ébranle.

Deux coups, les gonds commencent à céder.

— Plus qu'un ou deux coups et c'est bon. On va tous les abattre.

Encore un coup, ça y est, la porte va céder !

Un, deux, trois et…

Explosion, la porte s'est effectivement ouverte à ce moment-là, mais ce qu'ils n'avaient pas prévu c'est que les terroristes avaient anticipé leurs interventions et avaient piégé la porte.

— Ha ha ha ! s'écria le président Chinois.

— Tu ne l'as pas vu venir celle-là !

— Ils sont tellement prévisibles, ces abrutis.

Le gang s'était réuni dans le hall de la banque, et se félicitait d'avoir tout anticipé.

Il savait que le président ne répondrait pas à leur demande et qu'ils allaient intervenir.

Ils étaient même surpris qu'il ne l'ait pas fait plus tôt.

— Mes frères s'écria alors le président français, c'est le moment, c'est notre heure de gloire.

— Faisons un final en beauté.

Ils armèrent alors leurs fusils et pistolets et sortirent par la porte principale.

Une telle situation était inimaginable. Que voulaient-ils ?

Que cherchaient-ils ? Être tués devant les caméras ? Mourir en martyr ?

Il était impossible qu'ils s'échappent et qu'ils s'en sortent vivants.

Mais alors quels seraient leurs messages ?

Ils se tenaient alors devant l'entrée principale face aux policiers.

— Ils se rendent, dit alors le négociateur.

— Attendez, ne tirez pas.

— Lâchez vos armes, et mettez les mains sur la tête, cria un officier.

Le président français tapa alors deux fois sur le sol et lança un, deux, un ou deux trois-quatre, comme s'il donnait le rythme pour le prochain morceau du concert.

— Fear of the dark.

Il avait prononcé cette phrase en référence à une musique de Heavy métal qu'il avait entendu et se passait en boucle.

Aucune correspondance, mais s'il était dans un film, c'est exactement ma bande son qu'il faudrait.

Puis comme s'il jouait le premier accord de sa guitare, il commença à tirer avec son pistolet de droite.

Les autres prirent tout de suite le rythme et tirèrent à leur tour.

Et comme un vrai groupe de heavy métal, chacun jouait sa partition à merveille.

La basse et la batterie étaient calées et envoyaient du lourd et surtout des gros calibres sur les voitures.

Les guitaristes, un à droite, un à gauche, alignaient les balles avec précision et rapidité sur les flics et les petites cibles.

Et le président Français, tel un chanteur, se tenait le devant de la scène avec ses deux pistolets et tirait doucement mais sûrement sur les cibles les plus intéressantes.

La riposte en face était là aussi, chaque militaire ou policier vidait son chargeur et rechargeait mais aucune balle ne semblait les atteindre.

— Tirez tout ce que vous avez ! cria l'officier chargé des opérations.

— Ce n'est pas possible, ils ne peuvent pas s'en sortir.

— Cette fois c'est quitte ou double, soit on les tue, soit on crève tous.

Ils se préparaient alors à l'assaut final et d'une façon coordonnée, ils tirèrent tous ensemble sur toutes les cibles.

Ils devaient tomber et mourir, mais fidèles à ce qu'ils avaient été durant toute l'opération, ils étaient là où on ne les attendait pas.

Ils n'avaient pas riposté, ils n'étaient pas tombés en martyr, en héros de guerre.

Ils n'étaient simplement plus là.

Chapitre 24
L'Enquêteur

C'est le lendemain matin vers les 9 h qu'arriva l'enquêteur.

Il n'avait pas suivi l'intervention et le dénouement du braquage car il était pris sur une autre affaire, mais il avait été appelé d'urgence, car c'était le meilleur dans sa spécialité.

Il avait déjà résolu et déjoué des attaques terroristes.

La cellule de crise était toujours là, elle avait été rejointe par des hauts gradés dans la gendarmerie, la police, le préfet et le maire

Une réunion spéciale a été prévue dès son arrivée afin qu'il puisse tout de suite lancer l'enquête et trouver les responsables au plus vite.

Cette affaire allait faire grand bruit, il y avait beaucoup de victimes et des têtes allaient tomber s'il n'y avait aucun résultat rapidement.

Tout le monde était donc réuni dans la grande salle de réunion et c'est le général qui lança le sujet.

— Tout d'abord, je vous remercie tous d'être ici et d'avoir pu nous rejoindre.

— Toute cette affaire est très grave, nous n'avons jamais vécu une attaque terroriste de cette ampleur avec autant de victimes.

— Nous n'avons pour l'instant aucune information sur ce groupe.

— Peut-être s'agit-il d'une cellule dormante qui n'attendait qu'à passer à l'action ?

— Peut-être n'était-ce que des braqueurs qui ont été dépassés par les événements.

— Et surtout comment ils ont pu s'échapper sous nos yeux.

— Je vous demande alors à tous de tracer le moindre indice, vérifier toutes les pistes, interroger tous vos indics, mais il me faut de premiers résultats d'ici 24 h.

— L'enquêteur principal est monsieur Chapuis ici présent. C'est à lui que vous devrez faire vos rapports.

Alors, au boulot.

Personne ne posa de question et tout le monde se mit au travail au plus vite.

Chaque équipe connaissait ces tâches à réaliser et les pistes à suivre.

L'enquêteur lui commença par lire les différents rapports et beaucoup de questions lui trottaient en tête.

Cette opération ne ressemblait en rien à une attaque terroriste ni à un braquage mal préparé.

Il observa les caméras de surveillance et trouva les attaquants calmes et sereins malgré l'arrivée de la police.

Pourquoi n'avaient-ils pas cherché à fuir lorsqu'ils avaient vidé le coffre ?

Pourquoi faire une demande aussi aberrante en sachant pertinemment qu'aucun gouvernement ne pourrait accepter une telle proposition ?

Le comment ils s'étaient échappé était bien secondaire alors.

Il fallait comprendre le pourquoi avant le comment ?

Il était prêt à faire la lumière sur toute cette affaire et continuait à parcourir les rapports en attendant les résultats des premières analyses.

Chapitre 25
L'enquête

Le délai pour fournir des preuves tangibles au général arrivait à son terme.

Toutes les équipes avaient fouiné, recherché, interrogé, cuisiné les indics, relevé les empreintes.

Mais l'enquêteur principal avait beau croiser toutes ces informations, il n'avait encore pas toutes les pièces du puzzle pour résoudre cette enquête.

La balistique avait trouvé l'origine des munitions. C'était un camp militaire qui s'était fait attaquer il y a quelques semaines. Mais la carte d'identité et le dossier du suspect ne coïncidaient pas avec l'attaque.

Son profil correspondait plus à un terroriste musulman qui se battait pour sa religion.

Alors que le braquage n'avait rien à voir avec des convictions religieuses.

Toutes les empreintes relevées n'avaient rien donné. Aucune n'appartient à des personnes surveillées.

Et concernant les groupes militants, les punks, les antisociaux, personne n'avait entendu parler d'un quelconque plan.

Quel rapport allait-il pouvoir fournir ?

Il l'avait mandaté parce qu'il était le meilleur. Et en toute humilité il le savait car il arrivait toujours à comprendre l'origine des criminels.

Pourquoi ils en étaient arrivés là et pourquoi ils avaient fait ce plan ?

Mais cette fois il était perplexe, il sentait qu'il était prêt du but, mais il lui manquait l'indice principal pour tout comprendre.

Et bien temps pi pour le général, il n'avait pour l'instant rien à lui donner.

Peu importe qu'il lui retire l'enquête, ce mystère était plus grand que toutes les enquêtes qu'il avait résolues.

Il trouverait.

Chapitre 27
La suite du braquage

Le groupe était de nouveau réuni dans leur quartier général.

Ils ne craignaient vraiment pas que les parents de Yohan ne rentrent car ils avaient déballé tous les billets sur la table, ainsi que les masques des présidents.

Mais avant de ranger leur butin, ils savouraient leurs victoires en buvant quelques bières.

Zéon ne buvait jamais d'alcool d'habitude, mais cette fois-ci c'était vraiment l'occasion.

Il prenait cela comme une sorte de renaissance, le début d'une nouvelle aventure, d'un nouveau règne.

Ils se tenaient alors tous autour de la table et après avoir trinqué c'est Léo qui entama la conversation.

— Un camp militaire, une banque, quel serait le prochain coup ?

— On attaque la banque de France, on tue le président ?

— Léo, tu es et seras toujours toi qui vois petit.

— Maintenant que l'on a des fonds, on va tout cramer ou on va encore plus loin ?

— Tu n'as donc toujours pas compris comment fonctionne ce monde ?

— Ce qui gouverne cette terre c'est l'argent, avec l'argent tu achètes tout.

— Tu achètes de la nourriture pour ta famille, tu achètes un toit, tu achètes les biens qui te font plaisir, puis tu achètes les hommes.

— Oui, les hommes, ils sont prêts à tout pour de l'argent. Pour en avoir de plus en plus, toujours plus.

— Et c'est là-dessus que nous allons placer nos billes.

— De l'argent nous allons leur en donner.

— Ils ne soucieront pas de savoir d'où il vient, du moment où ils ont un gros chiffre sur leur compte en banque, ils seront contents.

— Léo, je compte sur toi pour trouver des solutions pour augmenter notre cash rapidement.

— Compte sur l'appui de Stéphanie et Charles si des personnes s'opposent à notre business.

— Et quant à toi Sandrine il va falloir que tu uses de tes talents de communicateur pour faire de moi un homme public respectable et enviable.

— Vous l'aurez compris, mes amis, nous allons jouer sur plusieurs tableaux.

— Nous allons gagner de l'argent ou il est facile d'en faire et nous nous en servirons pour acheter ce monde.

— Et c'est de cette manière, grâce à la cupidité de ces pauvres humains que nous allons conquérir cette terre.

Chapitre 28
Les premières pistes

Finalement l'enquêteur n'avait pas fait son rapport au général, il n'avait pas suffisamment de preuves, d'hypothèses plausibles et surtout de suspects pour lui présenter quoi que ce soit.

Celui-ci ne lui en tient pas rigueur, il avait demandé des résultats sous 48 h afin de lancer la machine et que toutes les équipes fassent de ce braquage leurs priorités, il se doutait bien qu'il était impossible de résoudre cette enquête en si peu de temps.

Pour le général c'était même un test, il voulait s'assurer que l'inspecteur ne prenne pas l'affaire à la légère. Il préférerait qu'il ne lui rende pas du tout de rapport, quitte à en subir les conséquences plutôt qu'un rapport incomplet.

C'était de cette façon qu'il pouvait s'assurer qu'il était totalement investi dans cette enquête de grande ampleur.

Malgré cela l'inspecteur avait cependant progressé et définitivement écarté la piste du terrorisme.

Cela ne pouvait pas être un acte terroriste, car si cela avait été le cas, cette histoire ne se serait pas terminée comme cela.

Ils se seraient équipés de gilet truffé d'explosifs et auraient tout fait exploser devant la banque en tentant de tuer le maximum de personnes.

Ils auraient alors été considérés comme des martyres, des héros.

Il savait alors pertinemment que les voleurs avaient d'autres buts.

Il était persuadé qu'en plus de l'argent, c'est la notoriété qu'ils cherchaient.

En visionnant les vidéos des caméras de surveillance, il constata que c'était une vraie équipe avec des profils variés mais très complémentaires.

Cela aurait presque pu être une équipe de commando que l'on envoie sur une mission très risquée.

Cette pensée et la vision d'un camp militaire lui firent penser à une autre attaque dont il avait entendu parler.

Bien sûr l'attaque du camp militaire qui s'était déroulée il y a quelques jours.

C'est le meilleur endroit pour se procurer des armes.

S'il avait lui-même organisé cette attaque, c'est là qu'il se serait équipé.

C'était juste une première hypothèse sans fondement, mais il faudrait qu'il vérifie quand même.

Il avait demandé à ses équipes d'élargir leurs recherches au niveau des indics et d'aller à la pêche aux informations dans les autres régions et départements, mais il ne fondait pas trop d'espoir de ce côté-là.

Il avait également repris contact avec un ancien ami qui était passé inspecteur dans l'armée.

Cette piste lui semblait plus fondée.

Peut-être des ex-commandos qui avait été remercié de l'armée pour indiscipline.

Cela représentait une charge de travail énorme pour son ami car les pistes étaient importantes.

Ce genre de profil était courant, mais il fallait cibler les plus fous, les psychopathes, les traumatisés ou ceux qui avaient la gâchette facile.

Il n'en était qu'aux prémices de l'enquête et on ne lui mettait pas trop la pression pour l'instant, mais cela ne durerait pas, alors il commencerait par le camp militaire.

La plus grande question à élucider, c'est comment on peut disparaître d'un coup comme cela ?

Tel un spectacle de magie, où le prestidigitateur disparaît subitement derrière un rideau, puis réapparaît à l'autre bout de la salle.

Il n'avait par contre aucune explication là-dessus. Ce n'était pas la priorité pour l'instant, mais il finirait par trouver le subterfuge.

Chapitre 29
La rencontre

Un mois s'était écoulé depuis l'attaque de la banque.

Je repensais sans cesse à celle-ci, à mes flashs, mais la vie avait repris son cours.

Les médias en parlaient presque plus non plus. De ce que j'avais pu entendre par-ci par-là, les enquêteurs piétinent, faute d'indices.

Ce qui faisait plutôt polémique, c'était l'inaction du président.

Je ne suis pas certaine qu'il avait voulu rendre cela public, mais la conférence de presse du négociateur ayant révélé la véritable demande des ravisseurs avait fortement diminué sa cote de popularité.

Il était maintenant considéré comme le président qui laisse mourir son peuple pour sauver ses propres intérêts.

Son équipe de communication et lui avaient bien tenté de nier et de redorer son image sans résultat. Ce n'était que du pain béni pour les médias et l'opposition.

Au cours de ce mois-ci, je ne reçus pas d'autres flashs non plus.

Il n'y avait aucune logique dans tout cela.

Pourquoi ?

Pourquoi tant de changement, beaucoup de questions en suspens sans aucun autre flash ou réponse ?

Mais ça, je l'ai compris ce jour-là.

Ce samedi-là, où je sortais Billy et Charlie pour que l'on s'aère tous les trois.

Je voulais changer de coin, on m'avait parlé d'une superbe ballade qui partait d'une grande ville. Il fallait faire juste quelques kilomètres pour découvrir toute la splendeur de cette ancienne cité médiévale.

Il ne nous a fallu qu'une trentaine de minutes pour nous préparer, trouver une place de parking et commencer l'ascension des petites ruelles.

Les chiens étaient heureux, marchaient calmement, me laissant ainsi le temps d'admirer l'architecture ainsi que les façades colorées.

Au bout de deux heures où nous avons fait tout le tour des remparts du centre-ville, je commençais un peu à fatiguer et décidai de faire une pause en terrasse pour prendre un petit café.

En ces temps-là, tous les cafés étant bondés, nous avons donc dû sortir de l'ancienne cité où il n'y avait pas de place pour trouver une table dans la nouvelle ville.

Cela devait être le quartier des affaires, car il n'y avait que des buildings et des bâtiments quasiment neufs.

C'était même surprenant comment on pouvait changer d'époque en traversant juste une rue.

On passe d'une cité où, hormis les touristes, on se croirait au seizième siècle à une ville futuriste, où il ne manquait que les écrans géants et les voitures volantes.

Les chiens aussi avaient soif, j'étais venu avec une gamelle et une bouteille d'eau.

C'est au moment où j'étais un train de la remplir, que je l'ai vue et qu'enfin j'ai pu mettre un visage sur mon ennemi, sur celui que je devrais combattre car tel était ma destinée.

Je ne l'ai pas reconnue tout de suite quand il est sorti de ce gros bâtiment, qui devait être une banque ou une assurance, ou un de ces lieux où se rendent les grands patrons.

Je dis grand patron car il était vêtu comme tel.

Un costard cintré, une belle cravate et une voiture de ministre qui l'attendait.

C'est à sa démarche que je l'ai reconnue.

Il aurait pu s'habiller n'importe comment, je le reconnaîtrai toujours.

Des flashs me sont revenus à ce moment-là, mais ce n'étaient pas les flashs comme les précédents où je vivais un voyage hors de mon corps.

Là c'était plus comme des souvenirs qui vous reviennent précipitamment, comme quand on sent une odeur de café au lait qui nous rappelle instantanément notre grand-mère.

C'est exactement ce qu'il s'est passé, en l'espace d'une microseconde, j'étais revenue dans la banque lors de l'attaque, et plus précisément au moment où ils en sont sortis et on a tiré sur tout ce qu'il bougeait.

Ce fut un choc si terrible que j'en fis tomber la bouteille d'eau.

Dans mon souvenir et ce que l'on avait pu voir à la télévision, ils avaient tous des masques et ne les avaient jamais enlevés.

Mais c'est à sa démarche que je l'ai reconnue, je ne saurais pas exactement comment la décrire, mais elle était bien particulière.

Peut-être le déhanchement, l'appui plus fort et prolongé sur la jambe de gauche, ou les bras qui suivaient les jambes de manière désordonnée et pas du tout synchronisée.

En tous cas, j'étais persuadé que c'était lui.

Et encore plus lorsque j'ai repris un peu mes esprits et ramassé la bouteille.

Alors que Billy suivait mes mouvements et attendait patiemment que je remplisse la gamelle, Charlie était debout en position de défense, prêt à montrer les crocs.

Il le fixait, suivait tous ces mouvements, et je suis sûr qu'il lui aurait sauté dessus s'il s'était approché de moi.

C'était bien lui et cela ne faisait alors plus aucun doute.

Et à ma plus grande surprise, Sandrine était avec lui.

Elle l'accompagnait un peu comme si c'était sa secrétaire. Elle le suivait avec une mallette dans la main droite, lui ouvrit la porte de la voiture.

Ils montèrent alors à l'arrière puis la voiture s'incrusta dans la circulation.

Cette rencontre m'avait tellement retourné que j'ai pris mon café très rapidement puis nous sommes rentrés.

J'étais partie pour me changer les idées, penser un peu à autre chose, mais malheureusement je suis revenue avec encore plus de questions, de doutes et d'incompréhensions.

Enfin j'avais le visage de mon ennemie, mais que pouvait faire Sandrine avec lui ?

Est-ce qu'il lui avait proposé un nouveau travail ?

Si c'était le cas, elle m'en aurait sûrement parlé avant de passer son entretien.

Était-elle tombée amoureuse de lui ?

Ça non plus je ne pouvais pas le croire, car ce n'était pas du tout son genre d'homme.

Il l'avait peut-être ensorcelé d'une manière ou d'une autre, peut être à la manière d'un gourou d'une secte, il lui a montré toutes ses faiblesses, et fait un lavage de cerveau pour qu'elle soit à sa merci.

Mon inquiétude ne faisait que grandir, ma meilleure amie avec mon pire ennemi, c'était bien le plus terrible des scénarios que j'étais prête à vivre.

Quoi qu'il en soit je devais tirer cela au clair.

Chapitre 30
Sandrine

Je ne comprenais toujours pas ce que Sandrine pouvait faire avec lui. Cette rencontre m'avait traumatisée.

Ma meilleure amie, comment pouvait-elle traîner avec mon pire ennemi ?

Il fallait que je lui parle, que je la protège, mais comment lui en parler sans passer pour une folle ?

Je ne pouvais pas arriver chez elle et lui dire.

— Salut, j'ai eu plein de visions.

Ton nouveau copain vient d'un autre monde qu'il a détruit. Éloigne-toi de lui, fui le c'est un fou, un criminel.

Mais je ne pouvais pas non plus rien faire.

J'ai préparé alors une stratégie d'attaque et décidais de l'inviter à déjeuner un samedi à midi.

Il fallait que cela paraisse anodin, un déjeuner entre copines et que j'amène les choses petit à petit pour recueillir un maximum d'informations et lui faire passer un message au passage.

Elle est donc venue pour déjeuner avec moi ce samedi-là.

Inutile de lui rappeler l'épisode du beurre de cacahuète qui pourrait éveiller les soupçons.

Elle était ponctuelle comme à son habitude et nous avons commencé la conversation par les banalités comme c'est généralement le cas dans ce genre de situation.

Nous avons parlé du travail, de la vie quotidienne, un peu de politique, des informations en général.

Et alors que c'était le moment idéal, celui que j'avais imaginé pour rentrer dans le vif du sujet et lui poser les véritables questions que la sonnette a retenti.

Mais pourquoi à ce moment-là précisément ?

Je ne faillis pas ouvrir mais Sandrine m'interpelle et me lance :

— Tiens tu attends encore du monde ?

Que dire à ce moment-là ? Comment ne pas faire semblant de ne pas être présente et naturelle ?

Pensant que ça devait être une erreur d'adresse ou un enfant qui jouait avec la sonnette j'ouvre la porte machinalement, sûrement.

Mais au lieu de cela je tombe sur un homme séduisant et plutôt bien vêtu.

Était-ce un commercial ? A priori non car il n'avait pas d'encyclopédie, de livre ou de bibelot avec lui.

Cela ne pouvait être non plus un témoin de Jéhovah car il n'avait pas de bible.

Il finit donc par se présenter.

— Bonjour madame.

— Désolé de vous déranger un samedi à cette heure-là, mais je suis un enquêteur pour la police.

— Vous avez peut-être suivi l'actualité et notamment l'attaque de la banque qu'il y a eu dernièrement.

— J'ai remonté quelques pistes et certaines me ramènent à un client dont votre entreprise a fourni quelques services.

— Un certain monsieur Lombardo.

— J'en ai déjà parlé à votre patron, mais il m'a dit que c'est vous qui gérez le dossier. J'aurais alors deux ou trois questions à vous poser.

— Pourriez-vous m'accorder quelques instants ?

J'acquiesce sans poser plus de questions car effectivement Mr Lombardo faisait partie de mes dossiers que j'avais résolus dernièrement, assez rapidement dû à mes nouvelles capacités.

Mais en quoi pouvait-il être lié à toute cette histoire ? L'envie d'en savoir me décida à le laisser entrer.

Il salua alors Sandrine avant de s'asseoir. Je lui proposai alors un café et il commence alors son explication.

— Comme je vous l'ai dit devant votre porte, je viens vous voir car concernant l'attaque de la banque nous avons découvert des liens directs avec Mr Lombardon.

— Nous pensons que l'équipe qui a fait le coup est constituée d'anciens militaires ou commando.

— Ce sont des personnes surentraînées, organisées qui savent manier tous types d'armes.

— Mr Lombardon était Lieutenant justement dans le camp militaire qui s'est fait attaquer et nous savons que les armes qu'ils ont utilisées venaient justement de là.

— Il a été remercié car il a en quelque sorte dérapé, je vous passe les détails et ne vais pas vous expliquer tout son dossier, mais il est certain qu'il fait partie de ce gang et qu'il en est même peut être le cerveau.

— Nous savons aussi qu'il a sollicité votre entreprise pour construire un nouvel entrepôt, est-ce exact ?

Effectivement, cela correspondait bien au chantier que j'avais géré.

Mais c'était un entrepôt pour ranger son matériel et ses camions. Tout avait été conçu et optimisé dans ce sens.

Il y avait 5 portes pour que les camions puissent venir se garer, un espace pour placer de grandes étagères avec suffisamment d'écart pour que des chariots élévateurs aient de la place pour manœuvrer.

Il avait alors bien caché son jeu car j'étais bien là quand les ouvriers ont livré et monté ces fameuses étagères.

— Nous pensons que ce fameux entrepôt est destiné à être leur quartier général.

— Lors de vos réunions de chantier, avez-vous remarqué des choses, des agissements ou des personnes suspectes ?

Il me fixa droit du regard quand il me posa cette question, et j'étais autant déstabilisé par celle-ci que par son regard profond de ces grands yeux verts.

J'hésite et prends le temps de lui répondre car il m'avait perturbé, je devais oublier ces yeux magnifiques pour me concentrer, repenser, revivre ces fameuses réunions afin d'être sûr de moi.

Mais malheureusement, je ne pouvais pas lui donner les réponses qu'il attendait.

— Pour tout vous dire, je n'ai vraiment rien remarqué. Nous avons des réunions des plus professionnelles et techniques. C'est effectivement un personnage et il m'en a fait voir de toutes les couleurs car il voulait tout optimiser.

— Il se posait beaucoup de questions sur l'aménagement et les accès.

— Comment profiter au maximum de chaque zone ?

— Comment les délimiter correctement pour que tout le monde travaille de manière autonome et surtout ne pas perdre de temps ?

— Mais, à aucun moment, je n'ai croisé de drôles de personnes ou remarqué des choses étranges qui m'auraient marqué.

— Hum embêtant ça, j'espérais obtenir quelques pistes en venant vous consulter mais effectivement soit il est très intelligent pour cacher son jeu, soit je fais fausse route.

J'aurais adoré continuer cette conversation avec lui car je ne pouvais le nier, il me plaisait.

Et alors que je cherchais une phrase ou quelque chose à dire, je me retournai vers Sandrine et constata qu'elle était captive et suivait la conversation attentivement.

Cela m'a réellement surprise car je la connaissais depuis tellement de temps, c'était comme ma sœur et les personnes que l'on aime on les connaît par cœur.

On avait vécu tellement de fois ce genre de situation et dans tous les cas, elle était toujours détachée, pensait à autre chose, se souciait que d'une seule chose : d'elle-même.

Mais pas cette fois. Mais pourquoi ? Pourquoi était-elle si différente ?

Ce n'était pas ma Sandrine.

L'inspecteur lui aussi l'avait constaté et lui demanda alors.

— Pardon mais je ne vous ai pas demandé votre nom, et si vous aussi vous avez remarqué des personnes ou des choses suspectes ces derniers temps.

— Votre histoire est fascinante, mais vous savez c'est un petit village ici, il ne se passe pas grand-chose. Alors les commérages vont vite dès qu'il y a un peu d'animation, mais malheureusement je suis comme elle et n'ai pas vraiment de réponse, ni entendu quoi que ce soit.

— Sur ce, merci pour votre temps, mesdames, je ne vais pas vous déranger plus longtemps.

— Désolé de ne pas pouvoir vous donner plus de réponses, mais je vais vous raccompagner car je dois sortir mes chiens.

Je l'accompagne alors sur le palier et j'allais chercher Charlie et Billy car c'était l'heure de la promenade.

Et encore une fois, je ne reconnais plus Sandrine. Je m'attendais à ce qu'elle m'accompagne ou tout du moins qu'elle vienne voir mes chiens, elle est restée assise.

— Sandrine, tu nous accompagnes ?

Elle se lève, s'approche, caresse Billy, puis s'approche de Charlie mais alors que lui qui était plutôt bonne patte il lui montre les dents.

— Et qu'est-ce que tu fais Charlie, tu ne reconnais pas Sandrine ?

— T'inquiète pas, laisse-le tranquille, de toute façon je vais y aller.

Et ils partirent tous les deux comme ils étaient arrivés.

J'espérais trouver des réponses chez Sandrine, mais au lieu de cela, encore et encore et encore plus de questions.

Et cet inspecteur qui posait des questions pertinentes mais tellement loin de la vérité.

Peut-être que je devrais tout lui avouer ?

Comme cela il pourra m'aider ou m'enfermer. Je ne sais pas, je ne sais plus…

Chapitre 31
Le combat des chefs

— Alors c'est toi Léo ?

Xavier a fait des pieds et des mains pour que l'on se rencontre ?

— Effectivement, il est difficile d'avoir un rendez-vous avec toi, répondit Léo.

— Eh oui, comme tu vois, quand on est un homme d'affaires comme moi on est surchargé et pas tellement disponible, mais bon Xavier étant un bon client, on doit aussi rencontrer et discuter avec ceux qui achète nos produits de temps en temps.

— Tu aurais une opportunité d'affaire à me proposer ?

— Eh oui, c'est bien pour cela que je suis venu.

— Avec Xavier et quelques collègues, nous avons lancé notre propre réseau. Mais ne t'inquiète pas, ce n'est pas sur ton territoire.

— Ce qui est embêtant, c'est que l'on traite qu'avec des petits fournisseurs et malheureusement on a ni la qualité, ni la quantité.

— Cela va nous prendre trop de temps et d'efforts inutiles pour nous agrandir.

— Xavier m'a convaincu que tes produits étaient plutôt de bonne quantité et que tu avais un réseau important pour m'approvisionner.

— Nous sommes donc venus te proposer un accord.

— Tu nous fournis en qualité et quantité suffisantes et on partage le gâteau.

— Qu'en penses-tu ?

L'homme, en face de lui, prit le temps de répondre. Il affichait un petit rictus, pensant que c'était une blague.

Ce jeune homme ne devait pas du tout être du milieu, n'avait aucune connaissance de ce type d'affaires et surtout il ne savait pas qu'il était.

Il en avait vu passer des petits rigolos qui voulaient faire des affaires avec lui, et qui, au final, ne lui amenaient pas suffisamment de bénéfice ou voulait carrément le doubler.

Il présentait donc bien qu'il n'était pas sérieux et qu'il « voulait lui faire à l'envers. »

Pour d'autres personnes, il l'aurait fait sortir directement du bureau avec une bonne correction en supplément, mais il voulait d'abord voir jusqu'où il serait prêt à aller.

— J'en pense que j'ai déjà mon réseau, et que j'ai pas besoin d'autres concurrents.

— J'ai déjà des vues et des clients sur ton secteur. Il faut que tu sois complètement fou ou débile pour venir me proposer ce genre de deal.

— Franchement, j'aurai quoi à gagner à m'associer avec une bande de minables comme vous ?

— Alors tu es plutôt fou ou débile ?

— Non mais attend on s'est pas compris Man. Répondit calmement Léo qui venait de se faire insulter et qui serait prêt à bondir pour moins que ça.

— Ce que l'on veut nous, c'est ta came.

— Après, soit t'es avec nous et on bosse ensemble soit t'es contre nous et on sera obligé de te couler.

Il se mit alors à rire et ses gardes du corps aussi.

Cette situation était aberrante et finalement il ne savait pas à qui il parlait.

Il leur était arrivé plusieurs fois par le passé que des « partenaires » leur proposent ce genre de marché et ils ne sont plus de ce monde pour leur expliquer comment l'affaire s'était conclue.

— Écoutez les gamins, c'est votre dernière chance de partir dignement avant que mes amis s'occupent de vous.

Ils accompagnent alors son message en sortant leurs pistolets qu'ils avaient dans le dos.

Sur ce, Léo regarda Stéphanie, et alors qu'elle allait intervenir pour apaiser la situation, il l'interrompit, lui fit un clin d'œil et dit :

— Qu'il en soit ainsi !

Il se retourna alors, comme s'il allait partir, les bras croisés dans le dos, fit un signe de doigts de la main droite.

En même pas une minute, trois gardes du corps furent abattus.

Léo se retourna alors et tira dans la tête du chef.

Le seul garde restant n'ayant pas eu le temps de réagir jusqu'à maintenant sortit son revolver et voulut le pointer sur Léo. Mais il sentit une pression à l'arrière de sa tête.

C'était Sandrine. Elle lui chuchota :

— N'y pense même pas !

Il jeta alors son arme et dit timidement.

— Vous… vous avez tué tout le monde. Qui êtes-vous ?

— Que voulez-vous ? Vous allez me tuer aussi ?

— Et bien disons que c'est ton jour de chance.

— Comme tu l'as compris, notre organisation s'agrandit et nous venons juste d'ouvrir une nouvelle succursale ici même.

— Ça te dirait de la diriger ?

— Les négociations ne se sont pas totalement passées comme prévu, mais au moins on fait passer un message.

— Quel message ?

— Tout simplement, qu'à partir de maintenant nous sommes ici chez nous et que ce sont nos territoires.

— Que tous se mettent à notre service, il y a pas mal de choses qui vont changer.

— Et tu leur diras aussi que tous ceux qui tenteront de se mettre en travers de nos chemins en paieront les conséquences.

— Eux et leurs familles.

Chapitre 32
L'entraînement

Le quatrième flash lui est arrivé de manière différente et ne devait pas avoir le même but.

Je l'attendais et m'y étais préparé car j'attendais encore d'autres réponses.

Peut-être allait-il enfin m'expliquer quelle était ma véritable destinée ?

Comment tout cela allait finir ?

Je faisais attention aux signes précurseurs que j'avais eus les autres fois.

La tête qui tourne, les jambes qui flagellent, la sensation de partir.

Si cela se reproduisait, je savais que je n'avais pas forcément beaucoup de temps pour m'asseoir ou tomber sans me faire trop de mal.

Mais pas cette fois.

Cette fois-là, j'étais dans mon lit, après avoir lu un ouvrage de science-fiction sur les mondes parallèles, qui pour le coup me semblait bien loin de la réalité et je mourrais d'envie de dire toute la vérité à l'auteur.

Les mondes parallèles existent, mais ils ne sont pas nés de cette manière.

Je commençais alors à m'assoupir, éteignit la lumière et me sentais partir dans un rêve.

Mais une sensation étrange m'envahit lorsque je me retrouvais dans l'autre monde.

J'étais de nouveau dans le palais, mais pas dans l'entrée principale, dans une autre pièce. C'était une sorte de dojo d'entraînement.

Il y a un tatami au centre et différentes armes rangées sur des râteliers.

Au centre se trouvait un des ministres que j'avais vu la première fois.

Il me dit alors.

— Approche, nous devons t'entraîner.

— Comme tu as pu le voir dans tes dernières visions et j'imagine que dans le journal, Zéon se prépare, il monte sa horde et son réseau.

— Il est beaucoup plus méticuleux cette fois et je pense ne veux pas reproduire les mêmes erreurs.

— Nous devons donc t'enseigner notre art et nos techniques de combat afin que tu puisses l'affronter.

— Notre monde et notre race n'étaient pas différents des tiens, nous avons juste, grâce à nos technologies plus évoluées, maîtrisé d'autres aspects de notre conscience et de notre corps.

— Tu es loin d'imaginer ce que peut faire le corps humain grâce à un cerveau sur développé.

— Zéon connaît bien ces techniques et malgré que la technologie n'est pas présente chez vous, il a pu grâce à ces sbires la recréer.

— Ils se sont donc entraînés et maîtrisent tous nos arts martiaux.

— Nous devons donc te les apprendre car sinon tu n'auras aucune chance.

— Pour commencer, je te propose donc de te placer au centre de ce dojo.

— Nous allons faire quelques positions de ce que vous appelez du yoga.

— Cela t'aidera à te détendre et te relaxer afin d'acquérir notre art.

— Sais-tu faire la position de l'arbre ?

— Tiens-toi debout en parfait équilibre.

— Commence par respirer de cette manière :

— Inspire profondément le plus longtemps que tu puisses.

— Voilà, maintenant, bloque tout cet air dans tes poumons et dans ta gorge.

— 1, 2, 3, 4 et 5 relâchent tout maintenant. Relâche ton air, sens-là passer dans tes poumons, laisse là remonter dans ta gorge, puis dans ta bouche et expulse là.

— Expulse tout ton air, toutes tes pensées.

— Concentre tout juste sur ce roulis qui fait comme des vagues dans ton corps. Ne pense qu'à ça.

— Voilà très bien. Encore une fois, aspire profondément et maintenant bloque tout.

— Bloque tout encore, encore, encore.

J'ai cru à ce moment-là que j'allais m'évanouir mais je sentais aussi une pression sur ma tempe.

Comme s'il m'avait posé une puce.

Je ne sentais plus mon corps, je ne pense pas être tombé.

J'étais figé, debout sur une jambe, dans un parfait équilibre comme il me l'avait ordonné.

Puis un trou noir, je ne saurais dire combien de temps j'étais resté dans cette position et ce qu'il venait de se passer.

Je n'entendais plus rien, j'étais totalement coupé du monde. Puis d'un coup il me réveilla aussi brutalement qu'il m'avait endormie.

J'ouvre alors les yeux, et je me sens relaxé, détendu mais fatigué.

Je l'aperçois en face de moi et n'ai pas le temps de comprendre ce qu'il préparait qu'il m'attaque avec une épée.

Un premier coup me frôle le bras droit, puis il réarme et relance un deuxième coup qui aurait dû me trancher la tête, mais au lieu de cela, d'un geste rapide et sûr j'arrête sa lame avec ma main droite.

J'étais toujours dans la position de l'arbre, la violence de son attaque aurait dû me faire tomber, mais c'était comme si lorsque j'ai attrapé son épée dans ma main droite toute son énergie et sa force m'avaient traversé et transféré dans le sol.

— Très bien, je vois que tu es prête.

— Tu as fini ton apprentissage, mais je te conseille maintenant de prendre du temps pour t'entraîner et maîtriser ces techniques à la perfection.

— Commence par faire cette position, repasse mes paroles, imagine les coups que tu vas porter à ton adversaire. Anticipe ses actions, pare-les et contre-attaque, ton corps suivra.

Il me fit alors un signe de la main et je me réveillai alors instantanément dans mon lit.

L'exercice avait été intense et je fus surprise de ne pas être en sueur.

J'hésitais encore en pensant que cela devait n'être qu'un rêve, mais je sentais bien qu'au fond de moi il m'avait bien transmis quelque chose.

Chapitre 33
De l'exercice à la pratique

Dans la semaine qui a suivi, j'ai plusieurs fois tenté de m'entraîner. J'ai commencé par me mettre dans la position de l'arbre, respirer, faire le vide mais je restais toujours bloqué aux attaques que je pouvais tenter.

Je savais que toutes ces techniques étaient en moi. Je les sentais, je les maîtrisais mais il fallait que je les mette en pratique pour être sûr.

D'un coup de tête et sans trop réfléchir, je savais où me rendre pour « Provoquer une bagarre. »

Je voulais faire cela discrètement, j'ai donc mis mes lunettes de soleil et une casquette.

Dans une ville proche, il y avait une banlieue, un coin mal famé qui était un repère pour les dealers et trafics en tous genres.

Je m'attaquerais peut-être à du lourd dès le départ, mais bon il me l'avait dit. Il fallait m'entraîner et me préparer à pire que cela.

Je me suis garé à quelques rues de là, marcha quelques centaines de mètres et croisa une bande de jeunes qui revendait leur marchandise.

Je commençais alors à les fixer du regard jusqu'à ce que l'un d'entre eux m'aperçoive.

Je forçai alors mon regard et m'avançai près d'eux. Il fallait que je fasse ou dise quelque chose pour les énerver.

Je leur dis alors :

— Alors, bandes de dégénérés, vous en avez pas marre de pourrir ce quartier ?

Bof, pour la répartie, il faudrait encore que je m'améliore.

Il devait être cinq ou six et sans attendre l'un deux me répondit.

— Eh, dis donc ma jolie, c'est chez nous ici, c'est notre quartier, on fait ce que l'on veut.

Ouf, il était à peu près de mon niveau concernant la provocation.

Je continuais alors d'avancer et n'ayant trouvé d'autres insultes à leur balancer, me plaça devant lui et lui envoya une petite gifle.

Il ne s'attendait pas à cela et me dit.

— Mais putain t'es barré, qu'est ce qui te prend ?

Hop ni une, ni deux, je lui en mis une deuxième sur l'autre joue.

Il tenta de l'esquiver mais n'était pas assez rapide, et celle-ci claqua fort et lui fit une belle marque rouge sur la joue.

Je regardai alors les autres membres et leur lança :

— Alors, bande de fillettes, qui en veut une aussi ?

C'était exactement ce qu'il fallait dire pour qu'enfin il se décide à attaquer.

Un molosse m'attrapa alors par-derrière et tenta de me faire tomber, mais je ne bougeais pas.

Comme un arbre qui était ancré dans le sol.

Je l'agrippai et me penchais en avant juste au moment où un autre m'envoyait une droite.

Ça la mit ko directement.

Et alors qu'il était toujours sur moi dos, je me suis retourné l'ait fait tomber par terre et continué ma rotation pour lancer un coup de pied dans la tête de mon assaillant.

Et hop deux KO en un seul coup.

Le quatrième commença à prendre peur et sortit son couteau papillon.

Il courut alors vers moi et était bien décidé à me planter. Mais je réitérerai le coup que m'avait enseigné mon maître.

Je restai figé jusqu'à ce qu'il arrive à ma hauteur et m'empara de son couteau au dernier moment.

Et presque comme à l'entraînement, j'ai réussi à contenir sa force, et l'ai renvoyé dans son bras, ce qui lui fit faire un bond en arrière et tomber violemment sur le sol.

Je n'avais par contre pas anticipé qu'il restait encore un ennemi et que celui-ci m'enverrait une poubelle.

J'étais toujours figé et sur le coup de ce qu'il venait de se passer.

Je n'avais aucun moyen de prévenir et de réagir rapidement pour esquiver cette poubelle, mais je sentis alors comme une force sortir de moi, une sorte de bulle se former et arrêter net la poubelle.

Sans réfléchir, je me suis retourné, j'ai concentré toute cette force dans la poubelle et je la lui ai renvoyée directement.

Ha ha en pleine poire.

Par la suite, ils se sont relevés et partirent tous en courant dans toutes les directions.

Je crois que je leur avais mis une bonne raclée et qu'ils ne parlaient sûrement pas de cette histoire tellement cela avait été humiliant pour eux.

Ils étaient tellement partis vite qu'il avait oublié leurs sacs à dos contenant tout leur stock.

Je ne connaissais pas le coût du marché, mais il y avait une bonne quantité et j'aurais pu me faire pas mal d'argent en revendant tout cela.

Mais ces nouveaux dons ne devaient pas me servir à faire le mal, alors je suis parti avec leurs sacs et finalement, j'ai tout jeté dans mes toilettes.

J'avais maintenant la certitude que la pastille qu'il m'avait collée sur le front était un apprentissage exprès de leurs techniques de combat.

J'avais pu par ce petit exercice les tester en conditions réelles et en était alors plus satisfaite.

Dorénavant, je n'aurais plus peur de personnes.

Par contre, comment expliquer cette boule d'énergie qui était sortie de moi ?

Que j'apprenne le kung-fu, le karaté et autres sports de combat en un éclair était difficilement compréhensible, mais alors ça ?

Mon maître ne m'avait pas parlé de ce type de pouvoir.

Était-ce de la télékinésie ?

Il m'a bien dit qu'ils étaient comme nous avant, mais qu'ils avaient pu augmenter leur savoir et leur force grâce à leurs technologies.

Que pouvait-il dire par cela ?

M'avait-il transformé ?

Étais-je donc toujours humaine ?

Avait-il injecté des nano-organismes dans mon corps et que c'est eux qui me contrôlaient dans les séances de combat ?

Quoi qu'il en soit, je connaissais maintenant mes pouvoirs, il ne me restait alors plus qu'à les maîtriser complètement.

C'est donc en rentrant chez moi, que j'ai voulu vérifier ce nouveau don.

J'ai commencé petit en tentant de soulever un stylo et quasiment instantanément et sans effort j'y suis arrivé.

Il suffisait de me concentrer sur le stylo, de visualiser ce que je souhaitais en faire et ensuite je pouvais le transporter ou le faire voler où bon me semblait.

Je suis alors passé à plus gros afin de tester mes limites, mon armoire.

L'exercice était exactement le même et la pratique identique, mais comme je m'y attendais, cela me demandait également plus de concentration et d'énergie.

Ce n'est pas tant la force physique que je devais utiliser, mais plus la force mentale ou psychique, je ne saurais pas comment le décrire.

Un peu comme quand on prépare, puis passe un examen dans la même journée.

Je ne savais pas encore si j'avais d'autre pouvoir encore à découvrir, mais j'étais fatiguée de ma journée et devais récupérer de cette journée intense.

Malgré la fatigue, je n'ai pas trouvé tout de suite le sommeil, car je me demandais quand et comment j'allais pouvoir utiliser ces nouveaux pouvoirs.

Comment s'en servir pour être juste ?

Peut-être mes nouveaux amis allaient-ils encore m'envoyer un flash pour m'expliquer en détail mes nouvelles missions et ma destinée ?

Chapitre 34
La récolte

Ce n'est que douze minutes plus tard, et en constatant qu'elle n'était plus là que le gang put revenir sur les lieux.

Aucun d'entre eux n'était fier ou assumait le fait de se faire tabasser par une fille.

Mais ce n'était rien par rapport au fait d'avoir perdu la drogue et de ne pas avoir beaucoup de billets à donner à Léo.

Eux, ils avaient bien compris qu'il y avait un changement d'organisation, un nouveau leader.

Et de leurs points de vue, effectivement le mec filait de la meilleure came, mais il était beaucoup plus exigeant alors qu'eux ne faisaient que revendre des trucs pour se défoncer.

Malheureusement pour eux, elle est venue le jour où il ne fallait pas.

C'est-à-dire le jour où Léo passe pour s'assurer que tout se passe bien et vérifier soit la marchandise soit la « Comptabilité » en d'autres termes le liquide.

Mais ils n'avaient ni l'un ni l'autre.

Sous la pression de leur chef, ils s'activaient alors pour retrouver le sac de drogue.

— Alors quelqu'un l'a trouvé ?

— Putain, mais c'est pas vrai, il est passé où ce sac ?

— Il y avait toute la came dedans. Léo va nous tuer s'il apprend ça.

— Qu'est-ce qu'on va lui dire ?

On ne pourrait pas dire qu'ils étaient en mauvaise posture, pour eux c'était pire que ça.

Ils savaient pour qui ils travaillaient avant et s'ils merdaient au pire ils se faisaient tabasser.

Mais pour Léo et le nouveau chef, ils ne savaient pas quelle était la sentence, mais à ce que l'on pourrait imaginer, même le mot « terrible » était encore trop gentil.

C'est alors que l'un des jeunes de la bande eut une idée de génie :

— J'ai une idée, laissez-moi faire, on va s'en tirer.

C'est à ce moment-là qu'entra une berline dans la rue principale.

C'était justement Léo et ses acolytes qui venaient vérifier que la nouvelle organisation convenait à tout le monde.

— Salut, tout va bien ?
— Nos affaires fleurissent ?

Dans cette bande-là, ce n'étaient que des adolescents ou il n'y avait pas réellement de chef ou de leader.

Léo donnait à la marchandise au premier jeune qu'il rencontrait en espérant que cela porte ces fruits.

Il venait donc aujourd'hui pour récolter.

Et c'est tout naturellement que le seul qui avait eu la bonne idée répondit :

— Salut Léo, ça va et toi ?
— En fait pour tout te dire, on a eu un petit souci ?
— Tu connais la bande de Marsigny ?
— Tu sais bien que ce sont nos ennemis depuis longtemps.
— Jusqu'à maintenant ils se sont tenus tranquilles et tout le monde faisait ses affaires.
— Mais je sais pas ce qu'il sait passé, mais ils ont dû être au courant que l'on a de la meilleure came. Ils ont dû prendre peur ou vouloir vérifier.
— Ils sont venus hier soir. Ils étaient au moins une vingtaine.

— On a tenu longtemps mais ils nous ont littéralement massacrés et nous ont tous volés.

— Ah mince, tout le monde va bien ?

— Oui, oui, ça va, on va s'en remettre, mais il va falloir faire quelque chose.

— Léo tu ne peux pas laisser passer ça ?

— Attends, laisse-moi réfléchir ?

Il s'approcha alors de lui, prit sa tête entre ses mains, et posa sa tête sur son front.

Alors qu'il allait commençait à parler, Léo murmura :

— Shh.

Il resta comme cela quelques instants les yeux fermés puis releva la tête brusquement.

— Tu as raison, il faut que l'on fasse quelque chose, on ne peut effectivement pas laisser ça.

— Tu vois ? on est une armée et des frères.

— On doit être là les uns pour les autres, se soutenir, partager les infos.

— J'en ai justement une, qui va t'intéresser.

— Je n'ai pas eu le temps de te répondre concernant la bande de Marsigny.

Mais oui je la connais. Même très bien si tu veux tout savoir.

— Nous sommes justement allés les voir hier matin et ils nous ont rejoints.

— Et pour que les affaires démarrent bien nous leur avons offert leur premier lot.

— Et nous venions justement vous voir pour vous en parler et vous dire qu'ils ont rejoint notre famille.

— Alors maintenant je vais te laisser une dernière chance et tu vas me dire la vérité.

— Qui était cette femme qui va voler la marchandise ?

— Une femme ? Il n'y avait pas de femme, c'est la bande de Marsigny.

Ils ont dû vous trahir et sont venus nous piquer la came.

Il eut juste le temps de finir sa phrase que Léo se précipita sur lui et lui envoya un coup juste au niveau du cœur.

Sa précision et toute la force qu'il avait envoyées lui brisèrent trois côtés et celles-ci se plantèrent directement dans son cœur.

Il tomba alors à terre.

Léo se mit alors à crier en regardant les autres membres.

— Putain, c'est pas vrai, on est une famille.

— Dans la famille, on doit tout se dire.

— La famille c'est important, il ne faut jamais la trahir.

— Je ne supporte pas ça et après je suis obligée de réexpliquer les choses.

— Alors qui va me dire la vérité ?

Encore sous le choc, plus personne n'osait rien dire.

Léo fixa alors le molosse qui ne voulant pas subir le même sort dit :

— On s'est pas qui c'était. Elle est venue comme ça de nulle part, nous a presque rien dit et sans raison nous a attaqués.

— On a tous pris peur et on s'est enfuis et quand on est revenu il n'y avait plus de came.

— Très bien je vois ça.

— Bon je vous envoie notre équipe de nettoyage, ils vont s'occuper de lui.

— Reprenons les affaires, on vous envoie également un nouveau lot.

— Mais soyez sur vos gardes et, bordel de merde, cachez-moi cette came.

— Organisez-vous pour que cela ne se reproduise plus. Cela aurait pu être aussi une descente de police.

Ils remontèrent ensuite dans leur voiture et retournèrent au QG.

Zéon était là. Léo s'avance et lui dit.

— Je crois que l'on a un problème.

Il ouvrit la paume de sa main et celle-ci contenait une puce.

La puce que Léo avait posée sur le front du seul jeune qui voulait lui exposer un semblant de vérité.

Zéon visionna alors le film de tout ce qu'il avait vu.

Zéon regarda attentivement et dit juste.

— Effectivement !

Chapitre 35
Sandrine démasquée

Sandrine, la meilleure amie de Viviane, se posait beaucoup de questions ?

Qui était-elle aujourd'hui ?

Zéon lui avait demandé d'intégrer ce nouveau corps et de s'intégrer à cette nouvelle vie et d'être discrète.

Ce qu'elle a fait, et cela lui plaisait.

Une vie simple, sans guerre, sans conflit.

Malgré tout, elle qui était une guerrière n'appréciait pas ce nouveau corps.

Un être qui doit tous les jours se maquiller, se pouponner.

Mais ce rôle, elle l'a joué et a fini par l'accepter et sans se l'avouer trouver une certaine satisfaction.

Elle le jouait donc parfaitement jusqu'à ce fameux soir-là.

Ce soir-là où elle voulait être entièrement son hôte.

Ce soir, le fameux soir où Viviane est venue dîner.

Elle voulait être Sandrine et passer une soirée entre copines, mais ce n'était pas sa véritable mission et le nouveau but de son existence.

Elle était est, et serait toujours dévouée à Zéon. Elle ne pourrait donc jamais vivre la vie de Sandrine.

Elle était redevenue l'espionne pour Zéon et elle devenait obtenir le maximum d'informations de la part de l'inspecteur et de Viviane.

Mais elle ne savait pas si Viviane savait quelque chose ou peut-être même toute la vérité.

Ce qu'elle ne doutait pas, bien sûr, c'est qu'elle l'avait reconnu.

L'étrangère qui était venue régler des comptes et voler leur marchandise, c'était bien Viviane.

Elle savait, elle l'avait vue. Elle l'a reconnue.

Elles étaient copines depuis la maternelle, elles se connaissaient par cœur.

Quand Léo avait posé ses mains sur le malfrat et qu'il lisait dans sa tête, elle aussi a vu ce qu'il s'était passé.

Elle avait cru la reconnaître malgré ses lunettes et sa casquette mais espérait se tromper.

Malheureusement quand elle a pu le visionner une deuxième fois lorsque Léo a montré le film à Zéon, elle a eu la confirmation.

Elle a su à ce moment-là qu'elle devait faire un choix.

Un choix qu'il lui était imposé car aujourd'hui elle n'était plus toute seule.

Elle n'était plus une seule personne, une seule conscience.

Elles étaient deux.

Une personne de son monde de naissance et une personne de l'autre monde.

Une autre conscience qui était venue et qui voulait vivre aussi.

Chaque conscience avait sa légitimé et son envie de vivre, mais quel choix faire ?

Qui devrait dominer ?

C'est à cause de toutes ces questions qu'elle n'avait pas voulu révéler à Zéon ce lourd secret qu'elle portait.

Elle savait qui était leur ennemi, elle savait qu'elle aurait dû lui dire et Zéon aurait réglé la question.

Il serait allé la voir et l'aurait tuée.

Mais elles savaient que cela n'aurait été pas juste. Elles savaient qu'elles devaient agir.

Elles savaient qu'il fallait faire quelque chose.

À ce moment, en tant que femmes et copines entre elles qui avaient coexisté que peu de temps dans le corps de Sandrine, il fallait agir.

Alors la solution serait d'aller la voir et de régler ce problème.

— On y va en tant que Sandrine, on mesure la menace et on essaie de trouver une solution, dit la première conscience à la deuxième.

Elles arrivèrent chez elle un jeudi soir à 23 h 44.

Elles frappèrent à sa porte.

— Salut, désolée de te déranger à une heure aussi tardive mais il faut que je te parle.

Viviane ouvrit la porte.

— Sandrine mais qu'est-ce que tu fais là ?

— Ça ne peut pas attendre demain ?

Elles les invitèrent alors à entrer alors que Charlie lui aussi était là et semblait méfiant.

— Écoute c'est super important, tu as vu tout ce qu'il se passe dans le village en ce moment.

Il y a plein de trucs bizarres.

— La météorite, l'armée, les scientifiques, ton hospitalisation, Charlie qui disparaît et qui revient. Tu ne trouves pas cela inquiétant ?

— Moi je flippe à mort et j'avais besoin d'en discuter avec toi. J'ai l'impression qu'il se passe des choses inquiétantes et qui vont s'aggraver.

J'ai peur pour nous et surtout pour toi.

— Je comprends Sandrine, je comprends tes inquiétudes, mais il n'y a vraiment rien d'alarmant. Ce sont surtout les médias qui font une montagne de pas grand-chose. Tu peux être tranquille, il ne se passe rien.

C'est à cette phrase qu'elles ont compris.

Sandrine, qui la connaissait bien, ne reconnaissait pas cette réaction.

Viviane était plutôt une personne inquiète, pas du tout téméraire.

Elle suivait les informations et les actualités, et serait plutôt du genre à se cloîtrer chez elle si un nouveau virus arrivait.

Elle avait bien changé.

Toute cette agitation aurait dû l'alarmer, même l'affoler.

Pourquoi était-elle si calme, et prenait tout cela d'une manière si détachée ?

Ce n'était donc plus la Viviane de leur enfance ni sa meilleure amie.

Elle était vraiment devenue une menace qui allait corrompre tous leurs plans.

Ceux de Zéon mais aussi ceux des deux Sandrine.

— Plus de pitié, on l'élimine ! Et cette fois c'était la conscience de Sandrine qui pensa ça.

Maintenant qu'elles étaient deux et qu'elles devaient vivre ensemble, elles devaient coexister et surtout se protéger.

Viviane se leva pour aller chercher des bières.

— C'est le moment. On agit ! se dirent les deux Sandrine.

— Attends Viviane, je vais t'aider.

Sandrine se leva alors et s'approcha alors de Viviane puis lui chuchota :

— T'inquiète, tout va bien se passer.

Cette phrase l'avait envoûtée, Viviane ne bougeait plus.

Elles s'apprêtaient à lui apporter le coup final en plein dans la nuque pour infliger le moindre de souffrance,

Un coup net et précis.

Mais alors qu'elles lancèrent l'attaque, Viviane, qui ne bougeait quasiment pas, attrapa le couteau et leur retourna exactement au même endroit que ce qu'elle avait prévu.

La lame s'enfonça dans le cou de Sandrine presque sans à-coups.

Juste un petit filet de sang coula, avant qu'elle ne perde l'équilibre, et comme à tomber.

Viviane l'attrapa alors à temps, et l'allongea sur le dos en même temps qu'elle se réveilla.

C'est quand elle la vit inerte par terre, ce corps sans vie, qu'elle réalisa l'ampleur de la situation.

Elle venait de tuer sa meilleure amie !

Elle ne l'avait pas prémédité ni anticipé, c'est venu comme cela. Juste un geste d'autodéfense. Si elle ne l'avait pas fait, c'était elle qui serait allongée là.

Puis elle pensa qu'elle devait vite réagir et cacher le corps.

Que pouvait-elle faire ? Appeler la police qui ne comprendrait pas la situation et la mettrait en prison.

Non, il fallait agir vite et discrètement, et c'est donc sans précipitation et avec le plus grand calme qu'elle l'amena dans la forêt. Là où elle avait l'habitude de jouer étant petite et l'enterra.

Elle fit une petite cérémonie et prononça un discours. Puis lui promit de révéler toute l'histoire et lui offrir de véritables funérailles lorsque toute cette histoire serait finie.

Il fallait maintenant faire en sorte que l'on monde l'oublie pendant quelque temps et pense qu'elle est partie faire un long voyage.

Chapitre 36
La vengeance de Léo

Comme vous l'auriez compris les enfants, dans cette histoire, nous étions tous connectés.

Pas par internet ou quelques réseaux informatiques qui existaient à ce moment-là.

Mais par nos esprits, pas ceux de ce monde, ni par ceux de leurs mondes mais par cette fusion entre les deux.

Je les voyais, ils me voyaient.

Léo avait vu ce qu'il s'était passé avec Sandrine et il m'en voulait plus que tout.

Comment avait-on pu en arriver là ?

Pourquoi me considéraient-ils comme une si grande menace qu'il fallait m'éliminer ?

Jamais je n'aurais imaginé devoir tuer quelqu'un encore plus ma meilleure amie.

J'en souffre et j'en souffrirai toute ma vie.

Sandrine, je l'ai aimée et j'aurais tellement voulu régler ça autrement, mais nos super pouvoirs nous ont dépassés.

Cela m'a plongé dans une grande dépression et je sentais que ça allait me prendre du temps de faire mon deuil.

Léo l'a sentie et a voulu s'en servir.

Il est alors venu en personne pour régler le problème.

Je sortais d'une réunion de chantier et me félicitais de régler tous les problèmes comme ce qui devenait une habitude.

Je ne l'ai pas remarqué tout de suite mais il était là.

Je pense qu'il me fixait du regard depuis un moment et qu'il aurait voulu que l'on s'affronte.

Et il m'aurait sûrement tué à ce moment-là. Pas par ma force physique mais par mon mental.

Ce qui l'a freiné c'est cet inspecteur.

Il voulait encore me poser des questions sur les chantiers que je gérais et un autre entrepôt qui pour cette foi était réellement une couverture pour un trafic de drogue.

Léo s'apprêtait à venir m'affronter juste au moment où l'inspecteur m'interpelle.

— Bonjour, Viviane, je dois vous parler, vous aurez quelques minutes à m'accorder.

On peut dire qu'il tombait au bon moment de façon totalement involontaire car il n'avait pas remarqué Léo.

Lui par contre l'avait vu, il devait aussi le connaître et ne voulait pas éveiller des soupçons.

Il me regarda fixement et m'envoya un message par télépathie.

— Viviane, on sait qui tu es, on sait ce que tu as fait.

On te retrouvera !

Puis il partit.

L'inspecteur aussi avait remarqué son jeu. Il ne lui dit rien et attendit qu'il soit parti.

Puis il me dit :

— Vous le connaissez ?

— C'est quelqu'un du village ?

— Heu bonjour, oui c'est Léo. Il est effectivement du coin mais je ne le connais pas plus que ça.

— Vous aviez des questions. C'est toujours Mr Humbert ?

— Non, non, nous avons écarté cette piste-là.

C'est effectivement un sacré personnage mais il n'y a rien à voir avec toute cette histoire.

— Je viens vous voir encore pour un autre projet que vous avez géré il y a peu. Il s'agit encore d'un entrepôt pour l'entreprise SMBL.

— Nous le surveillons depuis un moment car c'est le QG d'un réseau de trafiquant de drogue.

— Mais il y a eu pas mal de mouvement ces derniers temps, mais son propriétaire reste introuvable. Nous voulions l'interroger mais il a disparu soudainement.

— Nous savons qu'il n'a pas pris l'avion ou le train et il n'a pas l'air d'avoir déménagé car sa maison est toujours pleine.

— Avez-vous eu des contacts avec lui dernièrement ?

— Il m'a effectivement contacté il y a trois semaines.

— Il avait un projet d'agrandissement de son entreprise. Il a trouvé de nouveaux locaux dans une autre ville et souhaitait que l'on gère la rénovation.

— Nous avions rendez-vous la semaine prochaine, je crois, pour faire un état des lieux.

L'inspecteur notait tout cela dans son carnet.

— Très bien. Pourriez-vous me donner l'adresse des locaux et l'agence qui les gèrent ?

— Je ne les ai malheureusement pas sur moi.

— Pourriez-vous passer à mon bureau cet après-midi ?

Je finis donc la matinée par rassembler toutes les pièces demandées par l'inspecteur et lui ai amené l'après-midi.

Nous avons donc passé un bon moment à les décortiquer et vérifier ses hypothèses.

Mais l'inspecteur devait sentir que j'étais mal, car il finit par me demander :

— Viviane, est-ce que ça va ? Vous souhaitez faire une pause ou que l'on s'arrête là pour aujourd'hui ?

— Non, non tout va bien, je suis juste un peu fatiguée, continuons.

En réalité, en plus d'être triste pour Sandrine, je revoyais sans cesse le regard noir que m'avait lancé Léo.

Et cette phrase : « Nous te retrouverons » tournait sans cesse dans ma tête.

J'allais donc devoir être très prudente, me méfier de tout et tout le monde car ils allaient soit venir en personne, soit envoyer leurs sbires.

Soit tenter un autre stratagème comme un empoisonnement ou un « accident de voiture ».

Chapitre 37
Le dernier flash

— Et alors, que s'est-il passé avec l'inspecteur, tu lui as donné les plans de l'entrepôt de drogue ?

— Dis-nous tout, tu les as tous tués ?

— Tu pouvais les contrôler à distance, ou voler ?

Attendez les enfants, la vie n'est pas aussi simple. J'aurais effectivement pu faire tout ce que vous dites. J'aurais voulu en finir avec eux avec toute cette histoire et reprendre une vie normale mais je n'en étais plus là.

Ces super pouvoirs étaient cool car j'étais une super ninja, je contrôlais tout, et j'aurais pu affronter n'importe qui.

Mais ils m'ont surtout permis de me protéger et malheureusement tuer ma meilleure amie, qui n'était plus elle-même à ce moment-là.

Alors, dites-moi cela sert à quoi d'avoir des supers pouvoir si c'est pas pour défendre et protéger ceux que l'on aime ?

Et pour le coup à ce moment-là c'est surtout à Zéon que j'en voulais. C'était lui le responsable, c'était tout de sa faute. Il avait implanté une autre conscience chez ma copine, il fallait que je l'affronte, que je le tue et que lui fasse payer cela.

Ce n'est pas une vengeance mais de la justice. Il ne pouvait pas me prendre ma Sandrine.

Alors cette fois, j'ai provoqué le flash, je les ai convoqués.

J'avais besoin de réponse et encore plus de pouvoir. Je me suis mise alors dans mon salon, je me suis détendue, respirant très fort comme me l'avait appris mon maître.

Je suis alors sortie de mon corps, et je pouvais tout diriger et je savais exactement où je voulais aller.

Je voulais retourner dans la salle avec tous les ministres et leur dire qu'il fallait qu'il me donne tout.

Leurs super pouvoirs, leurs technologies et je finirais par buter ce sale con de Zéon.

Et c'est exactement dans cette salle que j'atterris…

Mon maître était alors à ma gauche et à ma droite, une femme que je n'avais jamais vue ou probablement pas encore remarquée lors de mes précédents voyages.

Et celle elle qui engagea la conversation.

— Nous savons pourquoi tu es là. Nous t'avons suivi Viviane.

— Pose-nous les questions que tu veux, mais les réponses sont en toi.

Je commence alors.

— Pourquoi, mais pourquoi m'avoir donné des pouvoirs si je ne peux pas sauver ce que j'aime ?

Réponse unanime de tous les ministres.

— Elles ont fait leur choix.

— Qu'est-ce que je suis censé faire maintenant ?

— Faire ton deuil pour Sandrine. Ce n'est pas toi qui la tuer c'est Zéon, me dit la femme, puis mon maître continue.

— Tu es prête, Viviane, affronte ton destin, assume qui tu es. Nous t'avons donné toutes les armes pour le combattre.

Je ne savais plus à ce moment-là qui parlait.

Était-ce une intelligence artificielle ou une autre civilisation qui avait survécu d'une autre manière ?

Mais ce que je sais, c'est qu'elle m'avait réconforté et donné toute la force en moi pour terrasser Zéon.

Jamais plus il ne prendrait une personne que j'aime. Jamais plus il tuerait des gens.

Et jamais au grand jamais il ne prendra ce monde.

Ce fut mon dernier flash avec eux.

Chapitre 38
Bureau de Europa Technology Company

— Salut Zéon, chouette ton nouveau bureau, comment t'as fait pour l'obtenir ?

— Bonjour à tous, je vous l'avais bien dit que nous allions faire les choses autrement et que cette fois-ci c'est par l'argent que nous allions acquérir ce monde.

— Disons que grâce à votre travail et ceux de nos partenaires on a pu acquérir suffisamment de fonds pour rentrer dans le cercle très fermé d'un réseau d'entreprise.

— Après quelques dîners qui m'ont coûté une somme folle, j'ai pu rencontrer les membres du conseil d'administration d'ETC dont fait partie notre cher maire.

— Et j'ai su les convaincre de me nommer à la tête.

Le cash que j'ai injecté y est un peu aussi pour quelque chose aussi.

— Mais pourquoi cette société ? demanda alors Yohan.

— Disons une j'ai l'ai choisie pour leurs activités centrées sur les nouvelles technologies.

Elles sont vraiment basiques pour l'instant mais vu ce que tu as fait pour la banque, il te sera facile de rentrer dans leurs systèmes et dans ceux de leurs clients notamment les banques, l'administration et surtout l'armée.

— Et pour Sandrine, on fait quoi ? demanda Léo.

— À ma pauvre Sandrine, vous savez tous ce qui lui est arrivé.

— Il est clair que l'on ne va pas laisser passer ça.

— Est-ce que tu as pu comprendre qui est notre ennemi et comment elle est arrivée ici ? Elle a traversé le portail comme moi ? demanda-t-il à Yohan.

— Alors oui j'ai pu avancer et comprendre ce qui s'est réellement passé.

— Lorsque tu as tenté de t'enfuir avec le vaisseau et que tu as déclenché les propulseurs, la bombe ionique a explosé exactement au même moment.

— Ce qui a provoqué une réaction en chaîne, détruit notre planète mais pas que.

— Tout le monde ignorait qu'il existait des mondes parallèles plus ou moins identiques au nôtre.

— Cette réaction a alors ouvert une sorte de portail entre ces mondes.

— Ton vaisseau lui a été détruit car ces matériaux dont il est composé ne passent pas entre les deux. Mais ton corps a pu traverser.

— Au même moment, l'autre personne se trouvait à ton point d'arrivée.

Elle aurait alors dû traverser et se retrouver dans notre monde mais le portail ne l'a traversé qu'à moitié, ce qui l'a retenue et ce qui a créé une sorte de connexion entre les mondes.

— Ce que je ne comprends pas encore pour l'instant c'est comment elle a pu acquérir ses pouvoirs.

— Cela ne s'apprend pas comme cela, il faut notre technologie et un mentor.

— Que souhaites-tu faire avec elle ? questionna Charles, qui en avait marre des explications scientifiques et qui voulait plus que tout la tuer. Ce serait facile pour lui, une balle dans la tête et la question est réglée.

— Est-ce que l'on monte une opération commando pour s'en débarrasser ?

— Attention, dit Léo, je pense qu'elle est surveillée.

— Lorsque j'aurais pu intervenir, un inspecteur l'a approché et je n'ai rien pu faire pour ne pas éveiller les soupçons.

— Écoutez, on ne va rien faire pour le moment, répondit Zéon.

Léo fait la surveiller par plusieurs de tes hommes discrètement, juste le temps de connaître l'étendue de ses pouvoirs et comment nous pourrons la vaincre.

Allez, on se remet au travail.

Vous allez tous bien avoir de nouvelles affectations dans mon entreprise.

Continuons nos travaux dans l'ombre.

Zéon était donc maintenant devenu le PDG de la plus grande entreprise de technologie de France.

Fini les réunions dans le garage de Yohan.

Maintenant, ils avaient un nouveau quartier général qui en imposait.

Il ne lui fallut que quelques semaines pour réorganiser la société et notamment la direction.

Il nomma donc Léo directeur des opérations.

Yohan directeur technique, Charles directeur de la sécurité et Stéphanie directrice de la communication.

Ce poste était initialement destiné à Sandrine, mais comme elle n'était plus là et que Stéphanie se sentait capable d'assumer ces responsabilités, Zéon avait cédé.

Le conseil d'administration ne connaissait aucun de ces nouveaux membres, mais ayant une confiance totale dans leur nouveau PDG a validé tout de suite ces changements.

Maintenant ils ne leur restaient plus qu'à définir ce qu'il allait faire de la société, la réorienter sur de nouvelles voies et tout mettre en œuvre pour signer des contrats importants avec de nouveaux clients.

Yohan lui était maintenant officiellement chargé de créer les nouveaux produits que Zéon projetait d'installer de partout.

Les administrations, l'armée, les banques, ensuite les particuliers.

Ils avaient même établi un plan de croissance optimiste et lancé les recrutements de plus d'un millier de nouveaux collaborateurs.

Ils ne pouvaient alors que se féliciter de cette ascension fulgurante.

Chapitre 39
La pièce manquante du puzzle

Ils avaient eu raison de le mandater, cet inspecteur, car il avait résolu toutes les enquêtes qui lui avaient été confiées.

Il les avait résolus par sa détermination, son instinct ou ce que l'on aurait pu appeler son flairé.

Il rassemblait méthodiquement toutes les pièces du puzzle, reconstituait, imaginait ou revivait les scènes de crimes du point de vue de chaque personne présente.

Mais cette fois-ci, c'était différent.

Cette fois-ci il avait procédé de la même manière.

Il avait compris que l'élément clé était Zéon.

Ce personnage venu de nulle part, qui tout d'un coup devient une personnalité, un homme d'affaires qui dirige une grande entreprise et qui se lance en politique.

Il n'avait jamais vu une telle ascension qui ne cache pas certains secrets, certains cadavres ou pots de vin.

Il avait étudié tout son entourage et comprenait bien que tous les nouveaux dirigeants d'ETC c'est lui qui les avait placés là.

Il n'avait aucune preuve pour l'instant, mais il était persuadé que les fonds nécessaires pour en arriver là étaient liés d'une manière ou d'une autre aux récents changements dans la réorganisation des plus gros trafiquants de drogues.

L'attaque du camp militaire pour récupérer des armes, l'attaque de la banque pour obtenir du cache, eux qui arrivaient du nulle part et qui du jour au lendemain deviennent les dirigeants de la plus importante société des nouvelles technologies de ce pays.

Il était arrivé à relier tout cela, ce qu'il ne comprenait pas c'est deux éléments qui lui permettaient de résoudre ce puzzle.

Le premier c'est Zéon.

D'où venait-il ? Il avait parcouru les mairies, les archives, l'administration.

Mais il n'avait rien sur lui.

Aucun acte de naissance, pas de lien de parenté, pas d'avis d'imposition, pas de crédit, de facture, de contraventions ou autre qui aurait pu prouver son existence.

C'est comme s'il n'avait jamais existé dans ce monde.

La deuxième c'est Viviane.

Beaucoup trop d'éléments la ramenaient à elle.

L'entreprise pour laquelle elle travaillait et notamment pour les barons de la drogue qui maquillaient leur quartier général en garage ou restaurant.

Sa meilleure copine qui était également le bras droit de Zéon et qui avait elle aussi disparu soudainement.

Et surtout dernièrement lorsqu'il avait consulté les scientifiques pour comprendre toute l'agitation qu'il y avait eu dans ce petit village.

Il ne voyait pas le rapport entre une simple météorite qui s'était écrasée et une attaque de banque.

Mais quand un des scientifiques a prononcé le nom de Viviane en lui expliquant que c'était la seule témoin de la scène, il a sursauté et s'est entendu penser :

— Encore Viviane, ce n'est pas possible j'entends ce prénom de partout.

Et c'était bien la même personne. Celle qui lui avait décrit le scientifique et celle qu'il connaissait.

Mais comment raccorder tout cela ?

Comment faire le lien entre une employée de bureau, un baron de la drogue et un actionnaire arrivé de nulle part ?

Il y avait forcément une explication logique, scientifique mais sûrement pas surnaturelle.

Chapitre 40
Le conseil d'administration d'ETC

Un conseil d'administration avait été mandaté par les actionnaires.

Il n'avait pas trop de doutes concernant la nouvelle équipe de dirigeants, mais ils avaient besoin d'avoir un bilan sur la nouvelle orientation, les nouveaux contrats, les fonds investis en recherche et développement.

Zéon n'appréciait guère ce genre de réunion qu'il estimait être une perte de temps.

C'était avant tout un homme d'action et de terrain. Il ne supportait pas de voir des personnes haut placées lui dicter sa conduite ou ces actions à mener.

Mais il savait qu'il ne pouvait pas y échapper et qu'il devait prouver le fruit de son travail et de ses décisions.

Il devrait le supporter encore quelques temps, encore quelques mois avant qu'il ne prenne le contrôle de la société, qu'il devienne le principal actionnaire. Tout était prévu et les choses avançaient comme il les avait imaginées.

Sandrine lui manquait encore plus dans ces moments car c'était plutôt elle qui était chargée de ce genre de choses, elle lui aurait préparé son discours et l'aurait épaulé pour répondre à toutes les questions.

Malheureusement, il n'a pu la ramener qu'une seule fois.

S'il avait été là lorsqu'elle était en train de mourir, il aurait pu lui poser la puce, récupérer sa conscience et la transférer dans un autre corps.

Ils étaient alors tous réunis dans la grande salle de conférence et Zéon commença alors sa présentation.

— Messieurs, tout d'abord je commencerais pas vous remercier d'être venu pour ce premier bilan depuis que je suis le PDG d'ETC.
— Sans plus attendre, rentrons dans le vif du sujet.

Il fit sa présentation complète en 25 minutes.

Il exposa les chiffres, les nouveaux contrats qu'il avait obtenus avec l'armée et l'administration, les projections de croissance et la nouvelle structuration de l'entreprise.

Il avait préparé son discours et s'attendait à être interrompu pendant sa présentation mais personne ne dit rien.

Il se félicita même d'avoir été clair, d'avoir présenté tout ce qu'il souhaitait et se dit qu'ils ne devaient être que contents de lui au vu des résultats qu'il leur a montrés.

Mais il ne vit rien, que des yeux vides qui le scrutait. Il n'observa aucune réaction, aucun sourire de son auditoire.

Il aurait pu utiliser ses pouvoirs pour lire dans leurs pensées, mais il se disait qu'à ce moment il devait être le plus humain possible et agir de la sorte.

Un des premiers membres commença alors.

— Merci pour votre présentation.
Votre bilan est plutôt positif et la voie sur laquelle vous souhaitez engager la société semble prometteuse.

— Mais pour tout vous dire, nous avons d'importants doutes sur la nouvelle technologie que vous souhaitez développer et vendre à nos clients.
— Les fonds que vous avez investis dans la recherche sont bien au-dessus du budget que nous avons consacré ces cinq dernières années.

— De plus, vous avez déjà vendu cette technologie à nos clients alors qu'elle est encore au stade de développement.

— Imaginez les répercussions si votre produit ne sort pas dans les temps.

— Je vous rappelle que vous avez signé des clauses de délai et que si vous ne respectez pas ces accords dans les temps ce seront des millions que nous perdons.

Yohan écoute jusque-là et ne peut s'empêcher d'intervenir.

— Notre technologie est fonctionnelle, encore quelques semaines de développements et nous pourrons bientôt livrer les premiers clients.

Zéon reprit :

— Alors effectivement comme le dit notre directeur technique vous n'avez aucun souci à vous faire sur le bien fait de cette technologie et les délais de livraison.

Et surtout, la croissance sera exponentielle, quand les premiers clients commenceront à l'utiliser, cela va se répandre.

— Ce seront d'abord les administrations qui les utiliseront, puis petit à petit ce sera chaque fois des foyers et chaque individu qui sera en mesure de l'utiliser depuis n'importe où.

— Depuis n'importe où ? Quel intérêt s'esclaffa alors un autre membre.

— On a effectivement besoin de relier les ordinateurs entre eux. Sur cette partie-là, je ne doute pas, mais je ne me vois pas avoir un terminal chez moi qui va me prendre tout mon garage juste pour consulter mes comptes bancaires.

— Et pourquoi ne pas faire ces courses ?

Cette dernière remarque fit rire toute l'assemblée.

Yohan bouillonnait intérieurement.

« Quelle bande d'ignares, comment peuvent-ils être aussi fermés et ne pas voir les bienfaits de la technologie », pensait-il.

Alors qu'il allait se lever pour défendre son point de vue, Zéon lui dit dans son esprit.

— Ne bouge pas, je vais régler ce problème. Ne t'inquiète pas, ils finiront par céder d'une manière ou d'une autre.

— Mes amis, je comprends vos points de vue et vos inquiétudes mais rappelez-vous, dans notre histoire, toutes les nouvelles technologies sont apparues comme cela.

— On a peur de ce que l'on connaît pas, on ne veut pas le voir ou l'accepter tant que l'on ne s'en sert pas.

— Je citerais par exemple Léonard de Vinci. Il avait conçu tellement de choses et tout le monde le prenait pour un excentrique.

— Imaginez-vous à cette époque lorsqu'il défendait l'idée qu'un jour nous pourrions voler comme les oiseaux.

— Qui à ce moment aurait pu lui accorder des fonds ou les ressources nécessaires pour construire ces projets ?

— Et pourtant aujourd'hui, qui d'entre vous n'a jamais pris l'avion ?

— C'était un visionnaire, la seule chose qui lui manquait c'est la technologie, il en aurait pour plus d'une vie pas la construire.

— Mais cette technologie, nous, nous l'avons.

— Alors, dites-moi, vous tous ici présents, vous souhaitez vraiment passer à côté de cela.

— En plus de faire de vous des hommes riches, vous serez des révolutionnaires, vous aurez le pouvoir de changer le monde.

— Alors, que fait-on ?

— Nous revenons au stade où vous étiez avant mon arrivée et on progresse tout doucement et demain nous nous ferons engloutir par d'autres sociétés qui elles auront su prendre le virage à temps.

— Ou alors nous sommes les précurseurs de cette technologie et nous deviendrons le numéro 1 mondial ?

Aucun membre ne put répondre et après avoir délibéré sans Zéon, avait fini par lui faire confiance et lui permit de continuer les chantiers qu'il avait entrepris.

Mais ce n'était bien sûr pas sans contrepartie.

Il devait livrer le premier client qui était l'armée.

Tout devait être opérationnel sous 3 mois maximum et le client devait être satisfait.

Zéon et Yohan se réunirent alors dans le bureau.

— Punaise, celle-là, je l'ai pas vu venir, dit Yohan, comment peuvent-ils être aussi stupides.

— C'est normal Yohan, tu sais, ils ne sont pas prêts pour cela. Je ne m'attendais pas non plus à cela.

— Ce qui m'agace plus c'est l'humiliation lancée par M. Chapuis.

Jamais personne n'avait osé me manquer de respect de la sorte.

Si c'était un chef de clan, je l'aurai abattu directement devant tout le monde, mais dans le monde des affaires il faut procéder autrement.

Étrangement, c'est une semaine plus tard que M. Chapuis a eu un accident de voiture.

Alors qu'il se rendait à son travail, il fut percuté par un camion qui avait perdu le contrôle.

Heureusement pour Zéon, il avait eu le temps de lui racheter la totalité de ses actions avant le drame.

Chapitre 41
Le plan d'attaque

Léo ne s'était toujours pas remis de la mort de Sandrine et avait imaginé un plan d'attaque pour en finir définitivement avec l'ennemi. Il savait que Zéon souhaitait attendre et que ce n'était pas la priorité pour lui.

Mais il ne voyait pas les choses de la même manière. Les affaires roulaient, tous avaient bien compris le message et plus aucun d'entre n'oserait se rebeller ou poser problème.

Même les flics qu'ils avaient pu placer dans différents secteurs assurent et au vu des sommes qu'ils reçoivent aiguillent les enquêtes sur d'autres pistes ou les font volontairement piétiner.

C'est pour lui le bon moment d'agir avant que Viviane ne finisse son entraînement et qu'elle ait trop de pouvoir.

Il réunit alors Charles et Stéphanie ainsi qu'un commando de dix combattants.

Ils avaient confiance en eux, c'était sa section spéciale gros bras pour régler les problèmes.

Ils les avaient déjà envoyés affronter une bande rivale et avaient su se faire comprendre.

Le plan était alors de la surveiller toute la journée et de lancer l'assaut le soir dans son appartement.

Charles était donc placé sur le toit d'un immeuble en face. C'était la position idéale pour un tireur d'élite.

Il voyait très bien tout l'appartement et supposait qu'une seule balle suffirait.

Trois guetteurs s'étaient placés autour de l'immeuble au cas où elle tenterait de fuir.

Stéphanie et deux autres commandos allaient monter les deux escaliers, entrer dans l'appartement et l'abattre.

L'opération ne devrait prendre que deux minutes trente.

C'était largement le temps pour tuer une seule cible.

Léo lui ne faisait pas partie de l'opération, il avait pu cacher sa préparation jusqu'à maintenant.

Mais pour ne pas éveiller les soupçons, il n'avait pas prévu d'en faire partie. Il avait organisé une autre soirée avec Zéon et bien prévenu toutes les autres équipes qu'il ne devait pas le déranger.

Ce n'était effectivement la vraie raison.

Au fond de lui, il savait qu'elle était forte, qu'elle aurait pu le vaincre sans problème. Il espérait et comptait sur l'opération qu'il avait organisée pour en venir à bout.

Il ne le saurait jamais avoué mais c'était dans sa nature.

Il était faible et lâche.

Il se réconfortait cependant car Zéon l'avait choisi. Il lui avait fait confiance et il assurait quand il fallait monter une équipe et assurer les coups.

Et cette fois-ci tout était prêt, tout était calculé à la perfection. Le commando allait exterminer la menace.

Et Zéon allait être fier de lui. Comme il l'avait pu l'être dans le passé.

Mais quel passé ?

Celui du petit Léo qui se faisait taper dessus à l'école maternelle ou celui qu'il était devenu maintenant avec ces super pouvoirs et la conscience de guerrier qu'il avait obtenu ?

Son plan se déroulait comme prévu.

Elle avait bien été surveillée toute la journée et après son travail était rentrée seule dans son appartement. Aucune trace de l'inspecteur ou des enquêteurs qui la suivait de près aussi.

La nuit était tombée, l'opération pouvait alors commencer.

Les soldats étaient en position, prêts à intervenir.

Charles l'avait dans son viseur, elle n'était pas si loin que ça.

Il devait tirer le premier. Avec un peu de chance, il l'aurait dès la première balle.

Il prit quand même le temps de vérifier les différents paramètres : la distance, le vent, la gravité.

Il ajuste alors son arme et quand il est prêt, appuie sur la gâchette.

À ce moment-là, tout va très vite.

La balle est éjectée du canon et file vers sa cible. Trente secondes c'est le temps qu'il avait calculé. Trente et deux secondes, elle gisait par terre.

27, 28, 29, 30, 31, 32.

Mince j'ai loupé mon coup.

33, il se retourne et remarque que sa cible est derrière lui.

35, il constate qu'elle a amené la balle avec elle.

36, il est mort.

Jamais il ne se saurait douter que cette précision qu'il apportait ne se serait retourné contre lui.

40, il tombe par terre et se demande encore comment elle a pu faire pour anticiper son coup parfait et surtout comment elle a pu se transporter à un kilomètre et amener avec elle la balle.

La deuxième opération commence alors.

Le premier commando monte l'escalier, défonce la porte.

Ils pensent alors la trouver morte par terre et entrent en file indienne.

Personne.

Ils se séparent alors pour explorer l'appartement.

Celui-ci étant petit, cela ne prendra pas trop de temps.

Les trois premiers entrent alors dans la cuisine.

Ils l'aperçoivent.

Ajustent leur cible, mais alors qu'ils allaient tirer la lumière s'éteint une seconde.

Lorsqu'elle se rallume, un homme est à terre avec un couteau planté dans son cou.

Un autre est debout et pointe son pistolet sur le dernier.

Viviane est juste derrière elle et chuchote :

— Tire.

Il s'exécute alors.

Puis pour en finir avec eux, Viviane, sans prendre d'élan, lui envoie un coup dans la colonne vertébrale.

Le choc est d'une telle puissance qu'elle se brise instantanément.

La lumière s'éteint alors de nouveau.

Juste le temps alors pour Viviane de se faufiler dans le salon ou se trouve le deuxième commando.

La lumière éclaire.

Elle se trouve alors au centre de la pièce et un membre dans chaque coin.

Ils se préparent alors à faire feu, quitte à se tirer dessus.

Un, deux, trois pas en direction du premier et un bon high kick lui fait lâcher son pistolet. Le deuxième tire alors.

Elle se baisse juste au bon moment pour éviter la balle et l'homme surpris la prend dans l'épaule droite.

Un en mouvement qui pourrait s'apparenter à dc la coopéra ou de la break dance, elle se roule par terre avant de se positionner alors vers le second, saisit son arme dans la main droite tout en lui asséna un coup de coude dans la mâchoire.

Elle en profite alors pour tirer sur celui qui était le plus éloigné d'elle à ce moment-là.

En même temps, elle utilise son énergie pour faire tomber l'armoire sur le dernier.

Il ne reste alors que trois hommes vivants. Mais ce sont des combattants avant tout qui ont juré honneur et fidélité à Zéon.

Malgré les blessures et la douleur, ils continueront de se battre jusqu'à la mort.

Viviane étant revenue au centre de la pièce, leur laisse le temps de se relever.

Ils reprennent leurs esprits et s'apprêtent à en finir au corps à corps.

Ils devaient maintenant changer de tactiques et travailler en équipe. Cela faisait un moment qu'ils s'entraînaient ensemble.

Ils se connaissaient et savaient anticiper ce que les autres allaient faire pour placer leur attaque ou contre-attaque au un bon moment.

Ils commencent alors à tourner autour de Viviane, comme dans un combat de boxe ou les premières secondes servent d'observation.

Viviane, elle ne bouge pas et ne fait que les observer.

Le premier tente alors une feinte et fait mine de s'avancer pour lui porter une directe du droit, puis se rétracte au dernier moment, ce qui permet alors au deuxième de s'approcher d'elle et de l'attraper.

Le but de la manœuvre étant bien sûr de la déstabiliser pour qu'enfin le troisième l'attaque lui de la gauche en lui envoyant un direct.

Mais elle ne bougeait pas, ne se débat pas et alors que l'attaque aurait dû au minimum lui faire tourner la tête, elle resta dans la même position.

Comme s'il avait frappé dans une statue de pierre.

Comment était-ce possible ?

Le premier qu'il l'avait saisie se prit en coup de tête et la lâcha.

Il fallait alors tenter une autre attaque, mais cette fois-ci elle aussi avait changé de tactique.

Elle n'était plus immobile, mais en position de combat et sautillait sur ses jambes.

Il fallait alors attaquer tous ensemble en même temps. C'était impossible qu'elle esquive tous les coups.

Ils sortirent alors des couteaux de leurs dos, et se lancèrent alors en même temps sur elle.

Un en haut visant la tête, un sur sa droite visant son abdomen, et le troisième dans son dos.

Elle se pencha alors en arrière pour esquiver le premier coup, puis fit une vrille sur elle-même pour porter un coup de pied au premier tout en envoyant un coup de poing au deuxième.

Quant au troisième, il la reçoit de tout son poids, et ne peut en rien parer cette attaque.

Une vraie démonstration de combat ninja et comment s'en sortir contre plusieurs ennemis.

C'était comme si elle avait pu anticiper ce que chaque adversaire allait faire et préparer le coup parfait.

Cela aurait alors été le coup fatal pour ce commando-là.

Mais c'est alors que Stéphanie apparut avec un katana.

Elle était idéalement placée pour lui trancher la tête.

Viviane n'avait pas anticipé ce coup-là car malgré qu'elle avait senti l'opération, vu chaque membre, leurs positions et leurs intentions.

Stéphanie, elle, s'était effacée.

Elle l'avait trompé mentalement pour ne pas apparaître dans l'opération.

Elle connaissait Viviane et ses capacités physiques et mentales et attendait juste le moment pour agir.

Et c'était celui-là. C'était maintenant ou jamais.

Un coup de maître comme dans un jeu d'échecs.

La lame du Katana allait tomber et ça en serait fini de ce problème.

C'est alors que de nulle part non plus surgit alors Charlie, il la saisit alors à la gorge et arrêta net son attaque.

— Charlie, tu viens de me sauver la vie ! dit-elle en se relevant.

Viviane avait pressenti cette attaque. Depuis la venue de Léo à son travail, elle était prête mentalement et constamment aux aguets.

Ils avaient pu préparer leur plan en le masquant cela à elle et aussi à Zéon, mais elle l'a senti quand le commando est arrivé en bas de chez elle.

Elle a donc pu agir en conséquence et tous les terrasser.

Mais elle ne se doutait pas que Charlie prendrait sa défense.

Il ne lui restera alors plus qu'à se débarrasser des corps.

Son plan était donc déjà tout réfléchi.

Elle les mettrait donc tous dans la camionnette qu'ils avaient utilisée pour venir, puis elle l'abandonnerait dans l'un des entrepôts de son client.

Elle arrangerait un peu la scène pour que cela ressemble à un règlement de compte entre bandes rivales.

Elle pensait qu'ainsi elle serait en dehors de tout soupçon et si cela pouvait faire plonger un des barons de la drogue de Zéon tant mieux.

Mais elle n'eut pas le temps de mettre son plan en exécution car prise d'un coup soudain de fatigue elle s'évanouit et chuta.

Chapitre 42
La soirée d'ETC

Zéon accompagné de Léo s'apprêtait à rejoindre la cérémonie et faire son discours d'introduction.

Les chiffres étaient plutôt bons et les résultats prometteurs.

Ils avaient convié tout le gratin, les différents dirigeants, clients et partenaires des grosses sociétés high tech, mais aussi et surtout des préfets, certains ministres et les dirigeants du parti Identité nationale.

Partie dont il espérait prendre bientôt la gouvernance.

Il avait préparé un texte de quelques pages qui représentait tout son travail et tout ce qu'il avait accompli jusqu'à maintenant.

Il se tourna alors vers Léo en lui disant :

— C'est notre heure de Gloire puis s'apprêtait à entrer sur scène.

Quand il s'arrêta net, puis se saisit la gorge comme s'il venait d'être attaqué par un loup ou une bête féroce.

Il resta figé dans cette position quelques secondes et commença à trembler.

Ces yeux avaient tourné, ils étaient fixes, on ne pouvait alors voir que le blanc.

Il cria :

— Non, d'une rage folle.

Puis s'immobilisa, repris ces esprits et se tourna vers Léo.

— Qu'est-ce que tu as fait ?

Puis il tendit son bras droit dans sa direction.

On aurait pu s'attendre à ce qu'il le projette contre le mur.

Mais il lui préparait un sort bien pire.

Ce n'est pas physiquement qu'il l'a projeté, mais mentalement.

Il pensait d'abord le renvoyer dans la prison de Jupiter, mais finalement décidait que ce n'était pas suffisant par rapport à cette trahison.

Il l'envoyait alors dans l'anneau de Saturne.

Léo était attaché par les bras et les jambes, presque écartelé.

Il pouvait respirer, mais ne pouvait pas dormir.

Il avait choisi cette prison car en plus de ne pas pouvoir se mouvoir il subissait les astéroïdes qui le traversaient de toute part ou lui arrachaient la peau.

Et dès qu'il avait un moment de répit, ces organes revenaient en place, ces blessures se soignaient instantanément.

Tout cela pour être de nouveau transpercé, écorché, encore et encore dans une souffrance perpétuelle.

Jamais il ne lui pardonnerait de l'avoir trompé, d'avoir gâché ces plans, alors qu'il l'avait ramené de la mort.

Il avait vécu la mort de Stéphanie au moment où elle se faisait égorger par Charlie.

Et tout cela avait été de la faute de Léo.

Déjà dans leurs autres vies, il lui avait fait des coups similaires.

Il a toujours été instable, agissait dans la précipitation sans anticiper et mesurer les conséquences que peuvent peser ces actes

Il lui avait alors redonné une chance et espérait que leur séjour en prison et sa réincarnation l'auraient fait changer. Mais non, il a toujours été stupide et le sera toute sa vie.

Mais ça jamais il ne pourrait lui pardonner, à cause de lui c'est deux de ces combattants, deux de ses plus fidèles alliés, deux frères de cœur qu'il venait de perdre.

Alors, qu'il périsse dans cette prison.

Son corps allait finir par mourir un jour ou l'autre, il ferait tout en sorte pour le maintenir en vie le plus longtemps possible, afin que son esprit subisse ce terrible châtiment le plus longtemps possible.

Quelques minutes après ces événements, Zéon reprit ses esprits et monta sur scène.

Il fit son discours comme si de rien n'était avec juste un petit changement.

Au lieu de féliciter son bras droit qu'il l'avait beaucoup aidé dans sa tâche, il annonça sa démission.

Prétexta que celui-ci voulait changer de vie, moins de stress et qu'il était parti en vacances le temps de se reposer et trouver d'autres projets à réaliser.

Chapitre 43
le champ de bataille après la guerre

L'inspecteur entra dans l'appartement et trouva Viviane allongée par terre. Il se précipita sur elle afin de s'assurer qu'elle était toujours en vie.

Il l'a pris dans ses bras et mesura sa tension.

Malgré qu'il constata qu'elle avait beaucoup de sang sur elle, il ne sentit aucune blessure ou déchirure et conclut que ce sang était celui des autres.

Viviane n'avait effectivement rien, personne n'avait pu la toucher, elle s'était juste évanouie, du fait de toute la puissance et l'énergie qu'elle avait dû utiliser pour venir à bout de ces ennemis.

Rassuré, il regarda autour de lui, tous ces corps de soldats gisant au sol et Stéphanie qu'il reconnut et qui avait été égorgée.

Comment avait-elle pu faire tout cela toute seule ?

Au bout de quelques instants, elle se réveilla, regarda l'inspecteur et dit.

— Inspecteur, mais qu'est-ce que vous faites ici ?

— Je…. Je vais tous vous expliquer.

— Ne vous inquiétez pas Viviane, je ne vais pas vous arrêter.

— Je vous surveillais, pas vous directement mais les agents de Mr Zéon.

— Je n'ai pas encore établi tous les liens, mais un de mes indics m'a dit qu'il préparait une opération contre vous, je ne sais pas pourquoi il vous en veut. J'étais venu vous prévenir.

— C'est quand je suis arrivé en bas de l'immeuble que j'ai aperçu le commando.

— Je m'apprêtais à intervenir, mais vous avez été bien plus rapide que moi.

— Comment avez-vous fait pour tous les terrasser ?

— Avant de vous répondre, avez-vous prévenu la police ?

— Non, je n'ai pas eu le temps.

Pourquoi cette question ?

— Toute cette histoire les dépasse et vous aussi, je pense.

— S'ils interviennent, ils voudront m'examiner, me disséquer et je n'ai pas le temps. Il faut à tout prix arrêter Zéon.

— J'ai effectivement compris qu'il était la clé de toute cette histoire et qu'il n'est pas aussi bienfaiteur qu'il veut le faire croire.

— Il est impliqué dans différentes affaires de drogues, de vols.

— Il a mis la main sur les différents réseaux et a abattu tous les chefs

— Mais pourquoi vous en veulent-ils ?

— Pourquoi vous spécialement ?

— Je, je, promettez-moi de ne pas me prendre pour une folle, mais tout ce que je vais vous dire est vrai.

— Tout est en lien avec le météorite qui s'est écrasé. En fait, il n'y en a jamais eu.

— C'est un autre monde, d'un autre univers qui a explosé et créé une sorte de portail dont Zéon s'est servie pour venir ici.

— Damned, j'en étais sûr. Je suis pourtant quelqu'un de terre à terre, mais dans toutes mes recherches et toutes les preuves que j'ai recueillies, je commençais à me dire qu'il y avait forcément quelque chose de surnaturel. Quelque chose qui dépasse toutes nos connaissances scientifiques.

— Comment ! vous me croyez alors ?

— Oui Viviane je vous crois, et je pense connaître quelqu'un qui pourra nous donner plus d'explications.

— C'est un excentrique sur lequel j'ai enquêté à l'époque. Il était accusé d'avoir tué son voisin avec qui il s'était accroché et qu'il prenait pour un extra-terrestre.

— Mais il s'est révélé que c'était la voisine qui avait tué son mari et voulait le faire accuser à sa place.

— Il faut que l'on aille le voir tout de suite.

— Mais et mon appartement, et ces corps.

— Mince, j'oubliais ça.

Viviane lui exposa le plan qu'elle avait prévu pour s'en débarrasser.

L'inspecteur n'était pas très chaud au départ, et voulait plutôt régler cela honnêtement.

Puis il pensa au rapport qu'il allait devoir faire et aux explications qu'il devrait donner, sans compter qu'il allait sûrement passer pour un menteur en la défendant et en expliquant qu'une petite personne comme elle avait fait un tel massacre.

Surtout qu'effectivement le responsable de tout cela était Zéon, mais il n'avait pas encore la moindre preuve pour le faire tomber, ni même éveiller les moindres soupçons sur lui.

Alors que le plan de Viviane pourrait leur donner un bon coup de pouce.

Lui qui avait toujours été droit, était incorruptible et qui n'avait jamais accepté le moindre pot-de-vin, allait devoir faire une entorse au règlement.

Il allait devoir maquiller un peu la réalité. Mais au fond il le faisait avant tout pour elle.

Car elle ne méritait pas ce qui lui arrivait et encore moi de finir en prison à la place de Zéon.

Ils prirent alors le temps d'affiner leur plan, descendirent un par un les corps sans se faire remarquer.

Puis conduire la camionnette dans l'entrepôt, disposèrent les corps comme si cela avait été une exécution.

Ils pensaient prévenir la police au début, mais le dépôt étant isolé, qui auraient pu entendre les coups de feu ?

Ils ne savaient pas quelle allait alors être la réaction du propriétaire.

Peut-être prendrait-il cela comme un avertissement, et commencerait enfin à combattre Zéon ?

Chapitre 44
Mr Robinson

Mr Robinson habitait dans une vieille ferme d'un petit village de campagne.

Cette ferme était la maison familiale dont il avait hérité de feu son père.

Celui-ci souhaitait qu'il reprenne l'affaire, les terres et continue la culture de céréales. Mais ce n'était pas son truc et il préférait les nouvelles technologies.

Son père avait donc mis toutes ces économies pour lui payer des études dans l'électronique, c'était plutôt un métier d'avenir à cette époque.

Il avait pu trouver un emploi dans un magasin de télévision et d'électroménager comme réparateur.

Ce n'est pas énormément payé, mais ça lui avait permis de se faire son stock personnel de pièces détachées.

Puis à la mort du paternel, il revendit une partie des bâtiments, mit en location des hectares de terres, plus un peu de black par ci par là, ce qui le mit à l'abri pendant un bon nombre d'années.

Il avait donc pu quitter son emploi afin de se consacrer entièrement à sa véritable passion qui était les sciences-fictions et l'ufologie.

Dans le dernier garage, il stockait bon nombre de livres, d'articles de presse, et d'outils pour réaliser des expériences.

Depuis tout petit il était passionné par les extra-terrestres, était persuadé que nous n'étions pas les seuls de l'univers et il pensait bien arriver à le prouver un jour ou l'autre.

Quand l'inspecteur et Viviane arrivèrent devant la maison, ils commencèrent à se demander s'il habitait toujours là car la maison ainsi que le terrain n'étaient pas du tout entretenus, mais la boîte aux lettres, elle était vide.

Pas de courrier ou de publicité, ce qui prouve qu'elle avait été vidée il y a quelque jours.

L'inspecteur appuya sur la sonnette de la porte d'entrée, et même pas trente secondes plus tard, la porte s'entrebâille.

— Oui qu'est-ce que c'est ? C'est mon colis ?

L'inspecteur répondit de suite.

— Non pas exactement, c'est l'inspecteur.

— Vous vous souvenez peut-être de moi, j'avais enquêté à l'époque sur le meurtre de votre voisin.

— Je… je n'ai rien à vous dire, l'affaire est conclue, c'est Françoise qui l'a tué.

— Je sais bien Monsieur Robinson, merci, vous nous avez grandement aidés dans l'enquête, je vous avais malheureusement mal jugé à l'époque et ce que l'on racontait sur vous n'a pas arrangé les choses.

— Effectivement mais qu'est-ce que vous me voulez ? Dépêchez-vous de me le dire ou partez de chez moi, j'ai autre chose à faire.

— Nous ne venons vraiment pas pour cette histoire. Mais à l'époque j'ai constaté que vous étiez calé côté ufologie, extraterrestre…

— J'aimerais bien avoir votre avis sur quelques sujets, tout ce qu'il se passe dans votre village et aussi j'aurais quelqu'un à vous présenter.

Mr Robinson était toujours sceptique et souhaitait plus que tout qu'il parte de chez lui. Mais il avait éveillé sa curiosité et la première fois qu'il l'avait rencontré avait senti qu'il pouvait lui faire confiance.

Il lui accorderait alors 30 secondes de plus et l'enverrait balader s'il se moquait de lui.

Il ouvrit alors la porte en grand et sursautais quand il aperçut Viviane.

— Qu… que, que fait-elle ici ? Pourquoi l'avez-vous amené ici ?

— Comment ? vous la connaissez ? repris de sitôt l'inspecteur.

— Ce, c'est… c'est elle.

— Je ne sais pas qui c'est, mais oui je la connais.

— Suivez-moi ! finit-il par dire.

Quel homme mystérieux ! pensa alors Viviane qui n'avait encore rien dit pour l'instant mais qui trouvait la situation de plus en plus étrange.

Il les amena alors dans son garage qui était plutôt bien sécurisé.

C'était son antre, son domaine.

Il devait passer le plus clair de son temps ici car il y avait toutes ces recherches, le fruit de son travail.

Au centre de la pièce se trouvait un grand tableau, sur lequel étaient accrochées des photos du cratère et des articles de presse.

Et en plein centre une photo de Viviane et une autre de Zéon côté à côté.

Toutes les preuves se reliaient pas ces deux personnages.

— Voilà ce que je voulais vous montrer, commence-t-il à leur dire.

— J'ai fait mes recherches sur le soi-disant astéroïde.

— J'ai très vite compris qu'il n'y en avait jamais eu et que c'est un autre phénomène qui s'est passé ce jour-là.

— Comment avez-vous eu ces photos, elles sont confidentielles ? questionna presque furieusement l'inspecteur qui ne pouvait que constater que certaines preuves avaient fuité.

— J'ai beau vivre comme un reclus, mais j'ai pas mal de connaissances qui me fournissent des preuves. Mais ils ont certainement dû l'avoir car il ne me répond plus et ne fournit plus rien.

— J'ai compris que la clé de cette histoire c'était vous madame, et aussi lui.

— Mais autant pour vous, j'ai pu trouver votre état civil, les écoles que vous avez fréquentées.

— Pour lui je n'ai rien trouvé et pourtant maintenant il est à la tête d'une des plus grosses sociétés de ce pays.

— Et bizarrement, les actionnaires disparaissent un par un. Et il sera alors bientôt le seul maître à bord.

— Effectivement, j'ai fait le même constat que vous. Tous ces accidents mortels des actionnaires ne sont pas naturels.

— Des accidents de voiture, des accidents domestiques, des empoisonnements aussi rapprochés et ciblés sur ces personnes, Zéon y est forcément pour quelque chose.

— Quelle est alors votre théorie, Mr Robinson ? demanda alors Viviane curieuse qui n'avait encore rien dit pour l'instant.

— Attendez, j'allais y arriver.

— Ce fameux jour où l'astéroïde a débarqué, j'étais ici et je menais quelques expériences. Et d'un coup tous les appareils se sont affolés.

— Il y a eu des champs magnétiques super puissants, des ondes ioniques venues de nulle part, des mouvements sismiques puis tout s'est arrêté net d'un coup.

— C'est trop précis pour que ce soit naturel. Je suis persuadé que c'est un ovni qui a atterri sur terre ce jour-là et que cet homme est un extraterrestre venu conquérir notre monde.

— Et moi, alors dans tout cela, s'exclama alors Viviane. ?

— Vous, je sais que vous étiez présente sur les lieux. Alors je me pose la question si vous êtes aussi un extraterrestre qui est arrivé sur terre il y a plus longtemps et qu'il vienne vous chercher. Ou alors que vous étiez rentré en contact et que vous les avez appelés ?

— Félicitations pour vos recherches, vous avez découvert en partie toute la vérité mais il vous manque certains éléments pour tout comprendre.

Viviane, Mr Robinson et l'inspecteur passèrent alors la nuit à échanger, partager leurs découvertes et compléter le grand tableau pour enfin terminer ce grand puzzle.

Chapitre 45
L'exutoire

Les artistes étaient prêts. Ils attendaient dans le backstage le début de leurs représentations.

Ils étaient cinq au total.

Le premier était un jeune homme d'une vingtaine d'années tout au plus.

Il n'avait pas de trait particulier et ressemblait à n'importe quel jeune de cette époque.

À sa droite se tenaient les jumeaux.

Eux par contre étaient atypiques.

Ils devaient être comédiens car leur gémellité et leur physique impressionnant auraient pu leur fournir différents rôles : de bon, de truand, de zombies, ou de démons sortis tout droit des enfers.

Ils devaient mesurer 2 m 10, abusaient sûrement de stéroïdes et d'appareil de musculation.

Pour les trois autres, on se serait cru dans un dojo ou un tournoi d'art martial car ils avaient revêtu leur tenue de combat, kimono, gants de boxe et tout l'équipement spécifique à leur discipline.

Ils se chauffaient encore afin d'être prêts pour le show.

Tous se trouvaient dans une arrière-salle de ce qui devait être un garage automobile.

On pouvait supposer cela car les voitures en réparation n'étaient plus de cette époque. L'équipement électrique non plus d'ailleurs.

Cet endroit servait de planques et de lieux de rendez-vous pour ce genre de spectacle illégal.

Il avait été choisi car il y avait beaucoup d'immeubles aux alentours et les visiteurs pouvaient donc se garer contre les trottoirs sans éveiller les soupçons.

C'est un des sbires de Léo qui avait été chargé du recrutement.

L'argent n'étant pas un problème, il avait pu leur offrir le cachet qu'ils souhaitaient.

Ce qu'il aurait pu leur paraître étrange c'est qu'il avait réglé les quatre-vingt-dix premiers pour cent sans poser de question ou demander à vérifier leurs compétences.

C'était selon lui un gage de confiance et leur demandait juste d'être là le jour J, d'assurer le spectacle et de placer ou profiter de cette avance pour se faire plaisir ou faire un petit cadeau à leur proche.

L'arène étant prête, les spectateurs ayant fait leurs paris, le show pouvait commencer.

Le sbire de Léo vient donc chercher le jeune homme en prenant soin de prévenir les autres combattants qu'il profite des boissons et filles à leur disposition et qu'il viendrait les chercher un par un le moment venu.

Lorsqu'il entra dans l'arène, Zéon était déjà là à l'attendre.

Il s'approcha de lui et lui chuchota dans l'oreille.

— Merci d'être venu l'ami. On va les distraire et leur en donner pour leur argent. Alors, fais pas ta fillette et frappe-moi de toutes tes forces.

Puis il s'éloigna et lui fit un clin d'œil sympathique.

Le présentateur commença alors l'ouverture du spectacle.

— Mes chers amis, collègues et partenaires, merci d'être venu nombreux à cette soirée. Nous tenions à vous inviter afin de vous remercier pour votre engagement et votre loyauté. Notre entreprise et notre réseau grandissent de jour en jour grâce à vous. Alors nous voulions vous remercier en vous offrant un spectacle hors du commun.

— Profitez du buffet, des boissons, de jolies demoiselles et faites vos paris !

Il laisse alors sa place à l'arbitre et la cloche de depuis de round retentit.

Le jeune homme s'avance alors vers le milieu du ring maladroitement.

Il était plutôt bagarreur étant petit et avait mis quelques déculottées à des plus grands que lui.

Il en avait aussi pris deux ou trois dans la figure et savait encaisser les coups.

Zéon leur avait dit qu'il devait en avoir pour leurs sous, alors, il attaqua le premier.

Sans plus attendre, il envoie une droite de toutes ses forces dans son adversaire.

Peut-être n'était-il pas prêt, mais ça le fit tomber raide.

Il se dit : Mince j'y suis allé trop fort, je l'ai mis KO direct.

Heureusement pour lui, au bout de quelques secondes, Zéon se releva et était de nouveau prêt pour le combat.

Deuxième assaut.

Cette fois, il commence un peu à danser devant lui.

Simule un peu des attaques sans porter les coups, esquive de Zéon.

— OK il joue le jeu, tu veux danser, on va danser.

Ils continuent alors ensemble leur danse et cette fois il lui lance un crochet du gauche qui selon lui était plus fort que ce qu'il imaginait.

Deuxième KO.

« Mince, se dit-il. On m'a demandé de me battre, mais je pensais pas tomber sur un adversaire aussi facile. »

Zéon se relève alors une nouvelle fois, le coup devait quand même être fort car il saigne du nez.

Il s'approche alors et avant qu'il puisse dire quelque chose le jeune lui murmure.

— Désolé je t'ai pas trop fait mal, j'ai fait comme tu m'as demandé j'ai voulu les amuser. Au prochain round, je porterais moins les coups, mais reste à terre. L'arbitre comptera jusqu'à dix et se sera fini, ce sera moins humiliant pour toi.

— Tu as raison, rétorqua Zéon.

La cloche du troisième round sonne.

Le jeune homme recommence sa danse, tourne autour de Zéon, simule deux ou trois attaques, fait durer le jeu et quelques secondes avant la fin du round, lance l'attaque finale, envoi un bon crochet du droit, le même que pour le premier Ko mais avec moins de force.

Il s'attendait sûrement à ce que Zéon tombe comme la première fois mais au lieu de cela, il s'écarte juste de ce qu'il faut pour l'esquiver et d'un coup rapide lui envoie trois doigts juste entre le menton et la pomme d'Adam.

Ce coup puissant lui comprime la gorge contre sa colonne vertébrale à tel point qu'il ne peut plus respirer et alors qu'il est sur le point de s'évanouir et tomber Zéon le retient et lui dit :

— Alors je t'avais dit de me frapper de toutes tes forces, pourquoi ne l'as-tu pas fait, au lieu de faire semblant ?

Puis il le laisse tomber raide mort et retourne dans son coin sans se retourner.

C'est au tour des jumeaux.

Le public semble ravi du spectacle.

Le sbire de Zéon s'apprête à accueillir les nouveaux combattants comme il l'avait fait pour le premier, Il les avait engagés pour du divertissement. On ne l'avait pas prévenu que c'était en réalité des combats à mort.

Il aurait souhaité que tout cela s'arrête maintenant et renvoyer les acteurs chez eux, mais au lieu de cela Zéon l'interpelle et lui dit :

— Envoie les Jumeaux, verrouille bien la porte du garage, laisse la porte de l'arène bien ouverte, assure-toi que les autres assistent au spectacle et qu'ils comprennent bien pourquoi ils se battent.

Celui-ci s'exécute alors.

Il rentre dans les backstages, commence par renvoyer les filles, s'adresse aux jumeaux.

— J'espère que vous êtes prêts, ce n'est plus de la comédie, faites le maximum comme si votre vie en dépendait.

Il se retourne alors vers les trois autres combattants.

— Finissez vos verres, préparez-vous, j'espère que vous êtes aussi bon que vous le prétendez, et venez assister au spectacle.

Les trois combattants ne comprennent pas ce virage soudain dans la soirée.

Celui qui était venu les recruter de manière si joviale, ne crachait pas sur le fric, leur offrait du bon temps juste pour qu'ils viennent exposer leur art était d'un coup beaucoup plus anxieux.

Ils comprirent alors pourquoi ils étaient grassement payés quand ils assistèrent au combat entre les jumeaux et Zéon.

Il ne lui fallut qu'une minute trente pour les tuer sauvagement.

Ce n'était pas qu'un simple combat de démonstration, mais un vrai combat à mort tel des gladiateurs dans l'arène.

Ils avaient été piégés, ils étaient exactement dans la même position que ces gladiateurs.

Ils ne pouvaient s'enfuir, rebeller, discuter.

Leur seule issue était le combat.

Après tout, ils s'étaient entraînés plusieurs décennies et maîtrisaient parfaitement leur art.

Ils avaient leurs chances.

Les spectateurs aussi misaient sur eux.

Ils entrent alors à leur tour dans l'arène.

Zeo était plein de sang et épuisé, mais voulait encore plus de violence, encore plus d'action et décida donc d'en finir et de tous les affronter en même temps.

Le présentateur présente alors les différents combattants.

Quelle pourrait alors être leur stratégie ? Il est certain qu'ils peuvent le vaincre, mais comment ?

Ce sont-ils mis d'accord ? ont-ils un plan d'action ?

Le combat commence alors.

Les premières secondes sont de l'observation.

Zéon ne bouge pas alors que le boxeur tourne autour de lui. Le karatéka ne bouge pas non plus, le savate tourne comme le boxeur.

Zéon commence alors à imiter les mouvements de ses adversaires.

Fait-il cela pour les déstabiliser ou alors pour les préparer au combat comme ils en ont l'habitude ?

Une droite du boxeur, Zéon l'encaisse et en renvoie une autre. Une gauche, un crochet, il encaisse et renvoie tout à l'identique.

C'est au tour du karatéka, on va plus s'amuser, il y a les pieds en plus.

Il encaisse et porte le même coup technique.

La savate à l'identique.

Comment fait-il pour maîtriser toutes ces techniques ? Et si les trois l'attaquent ensemble, que se passerait-il ? Il ne pourrait pas tous les contrer ?

Il le pourrait sûrement, mais à ce moment-là seule qu'il souhaitait c'était de se défouler un peu, faire un peu d'exercice pour calmer son stress et décharger toute sa haine et sa violence qu'il avait contre Léo.

Et là, il en a marre, alors, il faut en finir. Il teste avec chacun des trois combattants la même technique.

— Je m'approche, je te lance un coup de poing, tu m'évites, tu l'esquives. bravo tu as la vie sauve, tu peux quitter l'arène.

— Et sinon, il n'y a pas de sinon, tu meurs.

Aucun des combattants n'a eu l'occasion de quitter l'arène.

Zéon les a tous tués, Les cinq combattants.

Il s'est défoulé sur eux et par la même occasion il en a profité pour montrer qui était le maître.

Chapitre 46
Face à face

La longue nuit qu'il avait passée avec Viviane et Mr Robinson lui avait permis de résoudre tout le puzzle.

Tout lui semblait plus clair à présent. Il comprenait le rôle et l'implication de chaque suspect et les liens avec les différents événements : l'attaque de la base militaire, le braquage, la réorganisation dans le réseau de trafiquants et surtout la soudaine notoriété de Zéon.

Il savait que tôt ou tard Viviane devrait intervenir et s'interposer pour l'arrêter.

Mais ne connaissant pas encore l'étendue de tous ses pouvoirs, il était incertain de l'issue du combat et des dégâts collatéraux.

De plus, il n'osait pas encore se l'avouer mais il commençait à l'apprécier de plus en plus.

La forme de son visage, sa belle chevelure, sa démarche et sa façon de parler le séduisait

Vivement qu'il clôture cette histoire, car tant qu'elle fait partie des suspects il ne peut pas l'inviter à dîner ou juste prendre un verre.

Voulant éviter à tout prix l'affrontement, il était persuadé qu'il pouvait faire tomber Zéon d'une manière totalement légale ou plutôt sans explications surnaturelles.

Il n'avait malheureusement pas de véritables preuves pour l'arrêter, il avait donc décidé d'aller l'interroger à l'improviste en espérant pouvoir obtenir plus d'informations concrètes.

Il fallait la jouer finement car il était rusé.

Les différents montages financiers, sociétés offshore avaient tout de légal pour blanchir rapidement énormément de liquide.

Il avait donc préparé longuement son rendez-vous « à l'improviste » pour poser des questions qui devraient sembler anodines mais pertinentes.

Cela faisait un moment qu'il le faisait surveiller.

Un simple coup de téléphone à l'équipe du matin afin de s'assurer qu'il était bien à son bureau et il se rendit à l'immeuble d'ETC.

À sa grande surprise, Zéon le reçut tout de suite.

— Bonjour, je voudrais tout d'abord vous remercier de m'accueillir un peu à l'improviste, je pense que vous devez être très pris.

— Bonjour inspecteur, effectivement je suis bien occupé mais j'ai une bonne équipe et de bons collaborateurs qui m'assistent grandement alors cela me donne un peu de temps libre. Et surtout il est de mon devoir d'aider la police dès que je le peux.

— En quoi puis-je vous aider ?

L'inspecteur, surpris par cet accueil plutôt convivial, prit quelques secondes pour se préparer et démarra son interrogatoire tout en ayant en tête qu'il fallait que cela passe comme une simple conversation.

— Peut-être avez-vous remarqué mais il y a eu pas mal de mouvements et d'événements ces derniers temps. Je me disais qu'au saint d'une des plus grosses sociétés high-tech vous avez peut-être suivi cela de très près et avez peut-être même des équipes dessus.

— Effectivement, la mairie et l'armée nous ont sollicités pour leur apporter notre aide, nos outils et locaux concernant le météorite.

— Nous ne sommes pas directement dans le secteur de l'astronomie et des recherches spatiales mais nos équipements leur sont utiles.

— Et alors vos recherches ont-elles été fructueuses ?

— J'aimerais partager toutes ces informations avec vous inspecteur, mais personnellement je suis cela de très loin, et étant donné la nature très confidentielle de ces recherches je ne peux malheureusement pas vous mettre en en relation avec les équipes.

— À moins que vous ayez une dérogation du Premier ministre lui-même.

Eh mince, se dit l'inspecteur, j'ai été trop direct, il m'a fermé la porte tout de suite.

Il est impossible pour un petit inspecteur comme moi d'obtenir un tel mandat. Surtout en venant de manière non officielle.

— Je comprends.

Avouez quand même qu'ils font tout un cinéma pour un simple astéroïde ?

Le rictus et le regard que fit Zéon à ce moment-là le trahirent.

Il comprend bien alors que pour Zéon ça n'avait rien d'un météorite

— Effectivement, mais je ne comprends pas ce qu'il a de si spécial.

L'inspecteur qui avait eu la confirmation sur ce sujet enchaîna sur le suivant.

— On m'a dit également qu'une de vos filières s'occupe de la surveillance, de la sécurité, de gardiennage d'entreprise ?

— Je vois que vous êtes bien renseigné, effectivement c'est la société Securitis.

Un rapport avec la météorite ?

— Non pas du tout, cela concerne plutôt les changements récents dans les différents réseaux criminels, Peut être que vos équipes ont remarqué des choses inhabituelles ?

Zéon l'interrompit :

— Comme des changements d'affectations des entreprises : des garages qui deviendraient des laboratoires clandestins ?

— Eh oui, c'est à peu près à cela que je pensais.

En vérité, c'était tout à fait cela, mais il ne voulait pas poser cette question aussi directement. Il avait plutôt prévu de l'emmener plus doucement en trois questions anodines.

— Nos équipes nous ont effectivement signalé beaucoup de changements dans ces organisations. Nous n'en sommes pas certains mais il semblerait qu'il y ait un nouveau chef qui s'est emparé de toutes les bandes et qui a réorganisé le réseau. Mais ce ne sont que des constats. Nous ne sommes pas des policiers et n'allons pas pousser les investigations plus que cela.

— Ce qui est sûr c'est que doit faire un moment qu'il est dans le milieu car on ne prend pas la tête de ce genre de réseau si facilement.

— Mais certains de ces locaux ne vous appartiennent-ils pas ?

— Notre société a effectivement beaucoup investi dans l'immobilier. Notre branche immobilier est chargée de louer ces bâtiments qui ne nous servent pas pour l'instant. Nos contrats de location sont carrés et assurent une certaine tranquillité à nos clients alors nous les laissons les utiliser comme ils le souhaitent.

— Peut-être pourriez-vous mener une enquête ou apporter une surveillance plus accentuée sur certains d'entre eux ?

— Nous pourrions effectivement, mais comme je vous l'ai dit. Ces clauses sont dans nos contrats. Si nous faisons cela, ils pourront tous se retourner contre nous. Et nous n'avons nullement besoin d'une telle publicité ou procès public

Comment rebondir là-dessus ? se dit l'inspecteur, et zut encore une porte fermée.

Allez, enchaîne.

— Je comprends, mais vu votre position et que vous êtes maintenant à la tête de cette grosse société, je m'étais dit que vous pourriez peut-être nous aider.

— D'ailleurs, entre nous, comment avez-vous fait pour grimper les échelons aussi rapidement ?

— Il y a peu de temps, personne ne vous connaissait et maintenant vous êtes le PDG de cette société, vous faites aussi de la politique. Bref vous êtes devenu une personnalité ?

— Que dire, inspecteur, j'ai eu beaucoup de flair et su m'entourer des bonnes personnes.

— C'est ça la clé du succès ?

— Par contre à ce que j'ai entendu il y a eu du changement aussi dans votre conseil d'administration. Vous venez de perdre certains membres des plus importants.

— Hélas, oui, inspecteur, vous connaissez tous cela. La loi des séries comme on dit. Il y a des fois où tous les malheurs s'enchaînent.

— Mais du coup vous avez plus de pouvoir en étant l'actionnaire majoritaire ?

— Oh vous savez je me serais bien passé de cela. Ce qui me plaît, moi, c'est de diriger cette entreprise. Le fait d'être le seul maître à bord ne me réjouit guère. Si je prends de mauvaises décisions, c'est tout le bateau qui coule et je ne supporterais jamais de perdre ces entreprises et d'être obligé de licencier. Et surtout de briser de nombreuses familles.

Et encore une fois, il répond de manière cordiale et conviviale mais bloque toute réponse ou autre question, se dit l'inspecteur.

C'est comme une partie d'échecs où il bloquerait dès le départ toutes les attaques.

— Très bien merci d'avoir pris le temps de me recevoir, je ne vais pas vous déranger plus longtemps.

Sur ce, l'inspecteur quitte le bureau déçu de cette entrevue.

Son plan qu'il avait mis un petit moment à élaborer a fait un flop total. C'est comme si on s'était préparé et connaissait les réponses à l'avance.

Il n'aurait pas pu mieux les esquiver tout en y répondant de manière presque sincère.

Il fut découragé l'espace d'un instant puis se ressaisit car il devait absolument trouver une autre solution.

Il était toujours hors de question pour lui d'envoyer Viviane au combat.

Il allait donc se pencher plus sérieusement sur les réseaux. Dans toute la bande de malfrats, il allait bien y avoir quelqu'un qui lâcherait une information essentielle.

Chapitre 47
Le doigt dans l'engrenage

Peut-être connaissez-vous cette expression ou avez-vous l'image en tête d'un simple mécanisme que l'on actionne et c'est toute une suite de réactions en chaîne qui se déclenche.

Un petit domino que l'on fait tomber en soufflant dessus puis ce sont des centaines qui s'effondrent sous différents tableaux.

Ou alors l'image d'un doigt que l'on met dans un tout petit engrenage et qui finit par tout aspirer.

C'est en tout cas exactement ce que l'inspecteur avait en tête.

Il ne se remettait toujours pas de sa « partie d'échec » qu'il avait misérablement perdu comme un débutant qui découvre ce jeu.

Il avait énormément de pression sur cette enquête qu'il devait boucler. Les militaires, ses responsables même les ministres qui lui demandaient ses rapports quotidiennement.

Mais ça, il pouvait le gérer, il en avait l'habitude.

Toutes ses précédentes affaires s'étaient déroulées de cette façon et cette pression-là, il la subissait et faisait en sorte qu'elle ne soit pas toxique afin de se concentrer sur l'essentiel.

Et quelques fois elles lui permettaient également de prendre un certain recul.

Le fait de devoir s'écarter de l'affaire, de se plonger sur d'autres formalités permet d'orienter ses idées sur d'autres pensées et souvent de voir les choses autrement.

Mais pas cette fois.

Cette fois-ci était bien différente de toutes ses précédentes affaires.

Cette fois-ci il s'en moquait de risquer sa carrière, il ne rendrait de compte à personne.

Il pourrait perdre son emploi, peu importe.

L'enjeu n'était plus sa propre personne, ses responsables ou les ministres tout en haut.

L'enjeu cette fois c'était le monde, notre planète et Viviane.

Elle lui avait partagé sa vision de l'autre peuple qui avait perdu sa terre à cause de Zéon.

Et cette vision était terrible, il ne pouvait la supporter.

Tout petit inspecteur qu'il était, tout petit être insignifiant parmi 5 milliards d'autres.

S'il pouvait faire quelque chose pour les sauver, il le ferait.

Il s'était donc isolé pendant 4 jours.

Pas dans son appartement car il savait qu'il allait être dérangé d'une manière ou d'une autre.

Il avait besoin d'être seul.

Il a donc rassemblé tous ses dossiers, prévenu Viviane et Mr Robinson et personne d'autre ! Il est parti s'isoler dans une petite maison perdue dans la forêt.

Cette petite maison servait de repère pour les chasseurs. Il savait qu'il ne serait pas dérangé car ce n'était pas la saison.

Une fois arrivé, il ferma la porte à double tour, posa les provisions et l'eau à côté de l'évier, prépara son lit, puis son espace de travail :

La table avec tous les dossiers et le mur qui allait être épinglé de photos, de post it, d'article de journal…

Tout était prêt.

C'est ici qu'il allait préparer la machine infernale ou Zéon mettrait le doigt.

Chapitre 48
La partie commence

1. L'inspecteur envoi des flics tabasser et racketter un petit dealer en lui faisant passer un message : Tout vient à point à qui s'est attendre

2. Le grand frère du dealer ne comprenant pas pourquoi son petit frère s'est fait tabasser pour si peu de marchandise décide de prévenir son cousin en se disant qu'il y a quelque chose de louche, mais c'est sûrement un coup des flics pour remonter le réseau.

3. Les cousins commencent à se soupçonner entre eux. Tous n'ont pas aimé la façon dont Zéon a pris les rênes mais qui d'entre eux pourrait être assez fou pour être prêt et en plus avoir des « Alliés » chez les flics.

4. Le message est passé chez les flics, il y aurait un bœuf-carotte. Un ripou encore plus pourri qu'eux, qui en plus de leur piquer leurs « avantages » les ferait tomber.

5. En peu de temps la nouvelle monte aux têtes des réseaux :

a.   Les responsables de régions chez Zéon, qui ne serait pas contre une certaine rébellion et pourquoi pas un nouveau chef.

b.   Au préfet de manière bien moins informel car il est le seul à pouvoir lancer des bœufs-carotte.

6. Zéon ayant été informé de l'affaire et voulant calmer tout le monde envoie un message clair.

7. Zéon fait une apparition télévisée à double sens.

Il a un discours très posé, très calme, réfléchi et sensé.

Ces phrases sont justes, il parle de justice, d'insécurité, de délinquance et surtout qu'il va aider tout le monde.

Le message qu'il veut surtout faire passer dans les réseaux mafieux est qu'il ne faut surtout pas s'inquiéter, ils peuvent continuer à faire leurs affaires sans soucis, les flics les aideront à faire leur business et à aucun moment ils ne seront jugés pour cela.

8. Le message a bien été accepté par tout le monde car il est vrai que c'est un orateur, un personnage qui en impose et qui sait rassurer.

Il a gagné. La partie est finie, Mr l'inspecteur.

9. Il suffit des fois d'une seule phrase ou d'un seul mot pour que tout dérape.

Et cette fois-ci c'est quand il a parlé des infirmes, ou plutôt quand il les a insultés.

Et ça Myriam ne l'a pas supporté.

Myriam est une de ses petites vendeuses.

Une qui peut continuer à vendre sa merde de drogue sans soucis.

Sauf que cette drogue elle est tellement impure, mélangée avec tellement de produit et médicament qu'elle a failli faire un overdose.

10. Myriam a été entendue, elle a fondé un nouveau clan « Sortir de la drogue, il ne faut plus attendre. »

11. La révolte gronde.

On le sait, le ressent.

Et pourtant Zéon ne pense pas au fond de lui s'être mal comporté dans ce nouveau monde.

Lui, c'est un leader, il a suivi tous les codes de ce monde.

Il est arrivé de nulle part, a bâti des choses autour de lui et conquis le monde avec l'argent.

Il a tout de suite compris que l'argent achetait tout.

Au fond, ce n'est pas si grave que ça, les choses vont se tasser naturellement et tout reprendra son cours normal.

12. Un appel pour une intervention d'une prostituée qui a fait une overdose est lancé sur les radios des voitures de police.

L'inspecteur s'empare de l'occasion et se rend immédiatement sur les lieux.

C'est la pièce maîtresse du puzzle qui entraîne la chute de la pyramide.

Il profite alors de l'occasion pour déposer discrètement quelques pièces à conviction sur les lieux afin d'orienter les recherches vers une piste criminelle.

La personne visée n'est pas Zéon, mais le préfet Mr Jacquemin qui est également un des derniers membres du conseil d'administration de ETC.

Il s'occupe ensuite de prévenir anonymement les journaux afin que l'affaire fasse grand bruit.

Il s'est pertinemment que les inspecteurs chargés de l'enquête concluent à une overdose et écartent la piste criminelle rapidement.

Le préfet s'en sortira sans problème.

Comme il l'avait prévu lors de son interpellation, les principaux médias étaient là.

Cela a occupé la télévision et la presse pendant une bonne semaine.

Avec ce coup-là, c'est comme s'il s'était emparé de la dame dans un jeu d'échecs et que son adversaire n'a plus que le choix de reculer sans cesse, mais ne peut plus lancer de réel plan d'attaque.

13. C'est le contre coup pour les cousins, les têtes des réseaux, les flics.

Il y a d'un côté le discours rassurant de Zéon qui assure la protection pour tous, et d'un autre le préfet qui tombe et qui va sûrement balancer tout le monde.

De plus, le mouvement lancé par Myriam prend de l'ampleur, notamment sur la vente de drogue.

Chapitre 49
Le fou du roi

Zéon est seul dans sa chambre d'hôtel qui lui sert de résidence principale.

Il a réservé cette suite depuis qu'il est à la tête de l'organisation et la fait passer comme avantage en nature.

Il se sert alors un whisky, il n'est pas bien. Les pensées qu'il a en tête le torturent et il ne voit finalement pas la fin.

— À quel moment me suis-je trompé ? Aurais-je mal jugé Mr Jacquemin ?

A-t-il manigancé dans mon dos ? Je ne peux pas l'éliminer comme les autres, si je m'en débarrasse c'est tous les contrats avec l'armée que l'on perd.

— A-t-on perdu confiance dans les réseaux, je n'ai peut-être pas été assez ferme ? Comment peuvent-ils tenter de se rebeller ?

— Qui pourrait me doubler ou vouloir me faire chuter ?

Il tentait d'élucider cette question en faisant les cent pas dans la suite et en descendant 4 ou 5 verres.

Il passa alors en revue les différents suspects. Les membres du conseil d'administration, ces alliés dans le parti politique, les têtes des réseaux, un nouveau venu dans le milieu.

En croisant toutes les pièces, il en vint à la conclusion que la seule personne possible était l'inspecteur.

Il n'avait aucune certitude, cela pouvait n'être que de l'intuition, mais il n'avait aucune autre piste réelle.

Puis il commença à s'exprimer à voix haute, tel un dramaturge dans une pièce de Molière.

— J'accuse l'inspecteur de mener un complot contre moi.

— J'accuse l'inspecteur d'utiliser les services de police pour faire tomber mes associés en tentant de prendre ma place.

— Cet inspecteur n'est qu'un insecte dans ce monde, il ne peut pas me faire de l'ombre à Moi.

— Moi, Grand Zéon.

— Puissant Général qui ai conquis, Jupiters, Uranus et temps d'autres planètes.

— Moi qui ai survécu à ma propre mort et qui en plus ai ressuscité mes frères, mes amis.

— Moi qui me suis toujours battu pour le peuple et pour le monde.

— Moi qui me suis toujours battu pour la nation, pour la suprématie, pour que les plus méritants, les sangs bleus dominent le monde.

— Moi qui m'adapte et comprends comment fonctionnent les mondes et comment les asservirent.

— Moi qui suis un leader et qui leur offre tout ce qu'ils veulent : de l'argent, du sexe, de la drogue.

— Moi je leur offre tout ça, pourquoi ne sont-ils pas contents ?

— Et bien qu'il en soit ainsi, je vous offre mon plus fidèle disciple Léo.

Il avait choisi cet hôtel car dans cette suite, il y avait une pièce secrète qu'il pouvait disposer à sa guise et dont personne ni même le personnel ne pouvait accéder.

Léo était donc là allongé sur une chaise de dentiste, des perfusions l'alimentaient en nourriture et eau car son corps lui était bien là, mais pas son esprit.

Celui-ci était toujours dans sa prison dans les anneaux de Saturne.

Il posa alors sa main sur sa tête et le libéra.

Il enleva ensuite les perfusions et lorsque Léo reprit ses esprits et lui dit :

— Mon cher Léo, la situation est grave. J'ai besoin de toi car si tu ne m'aides pas nous allons périr !

Chapitre 50
Myriam

Le retour de Léo devait permettre de remettre un peu d'ordre dans l'organisation et de rétablir certaines règles.

Zéon et lui avaient passé un long moment à établir un plan d'action spécifique pour les différentes branches.

Afin de reprendre du service en douceur, le premier problème devant être règle était Myriam et son organisation.

Elle n'était pas aussi importante que ça pour le moment mais il valait mieux éviter qu'elle s'étende trop et redonner confiance aux dealers dont les ventes commençaient à baisser.

Léo se rendit donc dans les locaux de l'association accompagnés de deux gros bras.

Il savait qu'elle y serait car c'était l'heure de sa permanence.

Ils entrèrent et alors qu'elle triait des documents sur une table à l'accueil, il l'interpella.

— Bonjour Myriam.

Sympa ton nouveau quartier général.

— Aurais-tu quelques minutes à nous accorder ?

— Tu es de retour ? répondit-elle sèchement.

— De quoi veux-tu qu'on parle, je n'ai pas grand-chose à te dire.

— Juste que j'ai quitté « l'organisation », alors, je ne pense pas que l'on ait beaucoup de sujets de conversation à part les banalités comme la météo et autres.

— Mais franchement, je n'ai ni le temps ni l'envie d'être courtoise avec toi.

— Toujours autant de caractère à ce que je vois ! répondit-il avec un sourire.

— Mais, attends, je ne suis pas venue ici pour t'embêter juste parler d'un sujet important. Peut-on se mettre dans un endroit plus calme pour en parler ?

Comprenant qu'elle ne s'en sortirait pas si facilement, elle les amena dans son bureau.

Ils entrèrent tous et le dernier acolyte de Léo ferma la porte derrière lui et se plaça juste devant.

Léo commença :

— Écoute Myriam, tu sais comment fonctionne l'organisation ?

— On est un peu comme une famille, on doit pouvoir compter les uns pour les autres et s'entraider pour faire vivre toute la famille.

— Que tu souhaites nous quitter est déjà un coup dur et incompréhensible pour nous, mais qu'en plus tu souhaites créer ta propre famille c'est comment dire ?

— Un coup de poignard, une trahison !

— Comment peux-tu nous faire cela alors que l'on ta sortie de la rue, on a pris soin de toi, on t'a enrichi.

— Soin de moi ? reprit Myriam furieuse.

— Non mais tu ne sais donc pas que j'ai failli faire une overdose à cause de votre merde ?

— J'étais votre esclave chargé d'attirer de nouveaux clients juste pour vous enrichir.

— Jamais tu entends bien !

Oh oui, jamais je ne reviendrais dans votre organisation criminelle.

Elle savait bien au fond d'elle qu'elle n'aurait pas dû être si agressive et qu'il y aurait des conséquences, mais elle était comme cela : sanguine et colérique.

Elle leur en voulait.

À lui de l'avoir recruté, et à toute l'organisation d'avoir fait d'elle une délinquante, une marchande de morts.

Elle remercia presque Zéon d'avoir insulté les infirmes car cela lui a permis d'ouvrir les yeux, se repentir, œuvrer pour le bien et empêcher d'autres jeunes de prendre les mauvaises voies qu'elle-même a suivies.

Ne s'attendant pas à sa venue et ne pensant pas être aussi dérangeante, elle ne s'était pas préparée à cette entrevue.

Mais elle connaissait les méthodes de l'organisation et leur façon de régler les problèmes.

Rapidement dans sa tête, elle cherchait une issue.

Il y a trois gros bras contre elle.

Elle pouvait crier, mais est-ce que quelqu'un allait l'entendre et venir à son secours ?

Que vont-ils faire d'elle ?

La battre à mort.

La droguer et faire passer cela pour une overdose ?

L'emmener quelque part et la torturer ?

Elle savait bien qu'il n'allait pas en rester là et que son heure était venue.

Léo s'approcha alors d'elle et commença d'un ton calme et apaisé.

— Très bien Myriam, je te comprends.

Je suis juste déçu et énervé contre nous.

— Nous n'avons pas su t'écouter et prendre soin de toi, comme je te l'ai dit nous sommes une famille et je ne serai plus un frein ou une barrière pour ton émancipation.

Tout en apaisant sa colère et regagnant sa confiance, il s'approchait petit à petit d'elle.

Puis d'une manière très fraternelle il caressa sa joue, fit mine d'arranger une mèche de cheveux puis prit sa tête entre ces deux mains.

Il l'avait maintenant en sa possession et pouvait entrer dans son esprit, lui dicter et surtout lui imposer la vie qu'elle allait mener maintenant.

Sans prononcer un seul mot, il lui dit :

— Myriam écoute moi.

Myriam, je suis là.

Myriam entend ma voix.

Myriam m'entend tu ?

— Oui, Léo, je t'entends.

— Très bien, Myriam.

Tu es ma sœur Myriam.

J'ai confiance en toi.

Et toi, me fais-tu confiance ?

— Oui Léo, tu es mon frère, je te fais confiance.

— Myriam, je veux que ton bien, je veux que tu sois heureuse.

Souhaites-tu être heureuse ?

— Oui Léo, je veux être heureuse.

— Myriam, le chemin que tu as pris n'est pas le bon.

Ce combat, cette quête que tu mènes n'est pas la tienne.

— Elle ne te mène que vers le malheur, la tristesse et la dépression.

— Et en plus tu embarques d'autres personnes avec toi.

— Soit heureuse Myriam, cela ne dépend que de toi.

— Souhaites-tu être heureuse ?

— Oui Léo, je veux être heureuse.

— Alors, si tu veux être heureuse ne mène plus ce combat, ferme l'association.

Convaincs les membres que tu as fait fausse route.

— Le paradis existe pour tout le monde. On peut le trouver facilement.

Il suffit de prendre les bons remèdes.

— Les bons remèdes ?

— Oui, tu sais de quoi je parle et c'est sur cette voie-là qu'il faut suivre et guider tes fidèles.

— Tu as raison Léo, excuse-moi de m'être fourvoyé.

Je me sens si bête, on est une famille, jamais je ne déshonorerai la famille.

— Tu me pardonnes ?

— Bon, je vais être clément cette fois, mais ne me trahis plus jamais.

C'est bien compris ?

Il relâcha alors à ce moment la tête de Myriam puis parla à voix haute.

— Merci de nous avoir reçus, cela m'a fait plaisir de discuter avec toi.

Nous nous sommes retrouvés.

On remet ça bientôt ?

Myriam peinant à se remettre de cet état de transe fit juste un léger signe de la main.

Elle reprit alors ses activités comme si de rien n'était, comme si ce qu'il venait de se passer n'était qu'un songe, une crainte, une pensée perdue.

Mais pas perdue pour tout le monde.

À des dizaines de kilomètres de là, Viviane savourait cet instant.

Mon pauvre Léo, tu as toujours été bête et tu le seras toujours.

Il suffit que l'on te soit d'accord avec toi ou que l'on te flatte pour que tu nous laisses tranquilles.

Elle remercia alors à ce moment-là l'inspecteur de l'avoir prévenu.

Depuis qu'elle le connaissait, elle n'arrivait pas à le cerner. Elle le trouvait plutôt séduisant, mais devait-elle s'en méfier ou lui faire confiance ?

Elle l'avait tout fait pour lui cacher toute la vérité sur cette histoire invraisemblable et sur ce qu'elle était devenue malgré elle.

La soirée avec Mr Robinson avait fait éclater toute la vérité, puis il avait disparu, il devait s'isoler.

Et puis du jour au lendemain, il l'appelle et lui dit.

— Viviane, vous souvenez-vous de ce que nous avons échangé dans la cabane de Mr Robinson ?

— De vos soudains changements, de vos nouveaux pouvoirs et comment selon-moi en faire une force ?

— Vous en souvenez-vous ?

— Alors c'est maintenant que j'ai besoin de vous ?

— Léo est revenu et il va agir.

Il va faire du mal à Myriam.

Empêchez-le à tout prix !

Et oui, mon pauvre Léo, à ton avis qui te répondait ?

Chapitre 51
La femme de Mr Filippeitti

Devenir majoritaire dans une société importante n'est pas facile quand il y a beaucoup d'associés et de membres au conseil.

Il y a toujours une manière ou d'une autre quelque chose pour les faire plier ou dit autrement « trouver un accord pour qu'ils cèdent leurs actions »

Tout le monde a des vices, des points faibles, des « points de pressions ».

Il suffit alors d'actionner les bons leviers pour trouver un accord qui convienne à tout le monde.

C'est bien cela que Zéon avait compris de notre monde et avait su en jouer en sa faveur.

Cette société, il la voulait à tout prix.

Arriver au poste de PDG n'était qu'une première étape de son plan, car malgré ce poste prestigieux il n'était finalement que leur pion.

Il devait avoir leur accord de principe pour la stratégie, leur fournir des bilans comptables, des bilans stratégiques…

Bref tout ce qui l'a toujours agacé quand il était dans l'armée de l'autre monde.

Et c'est bien pour cela qu'il s'était battu et fondé son propre clan.

Alors il était hors de question que dans ce monde-ci il revive la même chose.

Ce monde-ci, il le dominerait ! Il ne laisserait personne lui barrer le chemin.

Alors la deuxième étape dans cette société était donc de récupérer toutes les parts pour être le seul maître à bord.

Pour la majorité des personnes, c'est facile. Mais pas pour Mr Filippetti, il était quelqu'un de ce qu'on pouvait appeler de droit.

Et même un angle droit pouvait craindre de Mr Filippetti.

Mr Filippetti, dans toute sa droiture, avait des parts importantes dans la société.

Et malgré que Zéon ai missionné des collaborateurs pour trouver ces défauts ou ses faiblesses, il n'avait rien pour le faire plier.

Alors il n'y avait pas d'autre solution.

Un accident de voiture, c'est malheureux mais ça arrive vite.

Ce jeudi-là, il y avait une réunion importante. Il ne voulait pas être en retard car les fonds demandés étaient importants.

Ça s'est passé au petit matin.

Il savait qu'il était surveillé, il faisait attention à tout et tout le monde.

Après avoir déjeuner son traditionnel café avec ces deux biscottes juste beurrées et son jus d'ananas, il était parti de chez lui avec sa Cadillac et prit la route en direction d'ETC.

Le drame s'est alors produit dans la montagne, sur une petite route sinueuse. Il la connaissait par cœur et faisait attention à chaque virage.

Particulièrement le septième qui est en épingle et très étroit. Au moment de s'engager, il se trouva face à un bus scolaire.

Celui-ci arrivant beaucoup trop vite a été déporté sur l'autre voie.

Le choc du face-à-face a été violent mais pas suffisant pour arrêter le bus qui précipita la voiture dans la falaise avant de braquer et revenir sur la route.

Après de nombreux tonneaux, la voiture s'est finalement écrasée tout au fond.

Mr Filippetti n'a sûrement pas eu le temps de réaliser ce qu'il se passait et il était impossible qu'il en sorte vivant.

Le chauffeur de bus a par la suite prétexté un problème dans les freins et qu'il avait tout fait pour éviter la collision.

En réalité, les hommes de Léo avaient kidnappé sa fille et la retenaient en otage jusqu'à ce qu'il exécute sa mission.

Ils s'étaient bien sûr assuré qu'il ne puisse aller voir la gendarmerie sous peine de l'exécuter et de le faire accuser de pédophile et meurtrier. Après enquête, il ne fut pas reconnu coupable et récupéra sa petite saine et sauve.

Mme Filippetti ne pouvait pas croire à l'accident.

Elle savait que son mari était surveillé par les hommes de Zéon.

Elle savait qu'il menait une enquête car il n'avait aucune confiance en Zéon et savait qu'il jouait double jeu.

Il ne lui restait encore que quelques preuves à rassembler avant de le faire tomber réellement.

Il n'avait pas tout partagé avec son épouse afin de la protéger, mais lui avait donné la consigne que s'il lui arrivait quelque chose elle trouverait tous les éléments et les preuves dans son coffre-fort.

Les hommes de Zéon l'on tout de suite prévenu quand il l'on vu ouvrir le coffre et décortiquer le dossier au travers de la vidéo surveillance qu'il avait bien sûr piratée.

Zéon ne savait pas exactement ce que contenait le dossier mais était persuadé qu'il y aurait suffisamment de preuves contre lui. Il fallait donc régler le problème au plus tôt.

Il envoya donc une équipe, dont un sniper, pour s'occuper de cela.

Celui-ci devait se positionner sur la colline près de leur maison et lui tirer en pleine tête pendant qu'une autre équipe s'introduirait dans le bureau pour voler le dossier.

Il était 21 h 30 lorsqu'ils passèrent à l'action.

Mme Filippetti était dans son fauteuil comme à son habitude et regardait sa série habituelle.

Le tireur pouvait donc apercevoir via la lunette de son fusil les cambrioleurs s'approcher de la maison.

Ils ne rentreraient pas avant d'avoir son signal. Il devait d'abord s'occuper d'elle afin qu'il puisse opérer tranquillement.

Cela ne lui prit que 30 secondes.

Il ajuste son viseur et tire.

Comme toujours, une seule balle suffit.

Il prévient alors les autres membres qui s'introduisent et force le coffre-fort.

Ils en profitent pour vider aussi des tiroirs et des armoires pour faire passer cela pour un cambriolage.

Ils auraient pu s'en occuper de la même manière que son mari, mais vu l'urgence de la situation, ce n'était pas envisageable.

Zéon n'était pas le seul à savoir comment profiter des gens, et surtout à en faire ce que l'on désire.

L'inspecteur aussi était doué pour ce genre de choses. Lui aussi savait comment mettre la pression. Très tôt dans son enquête, il avait pu placer des informateurs dans les troupes de Zéon.

Des petits délinquants pour qui il acceptait de fermer les yeux sur leurs activités à condition qu'ils le préviennent de ce qu'il se passe et des opérations en cours.

C'est ainsi qu'il avait été averti de l'attaque de Mme Filippetti. Il eut alors juste le temps d'aller chez elle et prépara la contre-attaque.

Il ne souhaite pas les arrêter, il était encore trop tôt pour que l'affaire éclate au grand jour. Ils devaient être persuadés de réussir leur mission.

Il avait donc remplacé les documents dans le coffre-fort et habilement placé un mannequin balistique dans le fauteuil de Mme Filippetti qu'il avait bien sûr préalablement mise en sécurité.

Et le tour de passe-passe avait plutôt réussi car les malfrats ne s'étaient aperçus de rien.

Il s'imaginait déjà qu'elle serait la tête de Zéon lorsqu'il étudiera le dossier et qu'il ne trouvera rien de compromettant : que des bilans comptables, des contrats et autres brevets.

Chapitre 52
La nouvelle tête de réseau

Les deux problèmes s'étant plutôt rapidement réglés et sans trop de soucis, Léo commença à reprendre confiance en lui.

Le temps passé dans sa prison l'avait fait réfléchir.

Il avait fait un gros travail sur lui et compris ces erreurs. Sa précipitation avait effectivement causé du tort à tout le monde et surtout Sandrine.

Il ne pouvait plus se permettre d'agir par instinct et dans la précipitation.

Il avait bien géré pour Myriam car autrefois il l'aurait descendu directement mais cela n'aurait pas réglé le problème pour autant, un autre infirme aurait pris sa place.

Pour Mr Filippetti il avait cette fois été obligé de travailler en urgence, mais il se félicite alors d'avoir fait les choses en toute discrétion et proprement.

Il était donc prêt pour la mission suivante confiée par Zéon.

Cette fois-ci l'opération sera plus musclée.

On l'avait prévenu qu'un petit nouveau du nom de Jeremy avait fondé un réseau sur le territoire nord.

Ce qui était ambigu c'est que personne ne le connaissait réellement.

Était-ce vraiment un nouveau qu'il voulait jouer dans la cour des grands, ou un complot mené par une plusieurs têtes de réseau ?

À ce que l'on pouvait entendre, sa marchandise serait de bien meilleure qualité et au même prix.

Il n'y avait pas raison de s'inquiéter pour l'instant mais il fallait mieux s'en assurer et commencer à recueillir des informations pour le faire tomber tout de suite.

Évitons que le cancer se répande, se dit alors Léo.

N'ayant malheureusement pas plus d'info que de simples rumeurs, tous les soupçons se portent alors sur la bande des gitans de Saint Alban.

Ils avaient été les plus compliqués à convaincre et étaient toujours en train de mendier : plus de commissions, plus d'avantages en nature, des caravanes…

Il devait alors en avoir le cœur net, faire une inspection de routine et remettre un peu les pendules à l'heure.

Surtout avertir qu'il était de retour, que les choses allaient changer quitte à faire tomber quelques têtes au passage.

Accompagnés de deux gros bras, ils se rendirent alors ce samedi matin au camp des gitans.

Ils allèrent directement vers la caravane de celui que l'on surnommait Tony.

Tony était un petit brin avec une petite barbe de quelques jours. Il était affalé dans son vieux canapé posé juste devant sa caravane.

Léo sortit de la voiture et se dirigea directement vers la caravane.

Il fit un petit signe d'amitié en direction de Tony en guise de salutation.

Puis il commença.

— Salut, Tony, toujours en plein travail dans ton bureau à ce que je vois. Les affaires tournent ?

— Yo, Léo, de retour ?

Qu'est-ce qui nous vaut ta visite ?

— Comme tu vois, je suis revenu, je ne fais pas des visites de contrôle, mais simplement je viens voir comment se portent nos affaires.

— Les affaires tournent bien, ne t'inquiètes pas. C'était pas la peine de te déplacer pour cela.

— OK, très bien.

En fait, je fais un peu le tour aussi car il y a un certain bruit qui court.

— Des bruits qui courent je suis intéressé dis-moi en plus ?

— J'ai entendu dire qu'un nouveau réseau serait en train d'émerger avec un certain Jeremy à sa tête. Ça te dit quelque chose ?

— Et c'est moi que tu viens voir pour ça ?

Hum comment dire, j'en suis presque flatté.

— Comment ça ?

— Que tu suggères que je sois à la tête de ce réseau me plaît. Enfin, tu reconnais mes vraies valeurs et compétences.

— Malheureusement, ce n'est pas moi mais je confirme tes propos.

— Je m'en doutais bien mais ton sourire ne me plaît guère.

— Et qu'est-ce que tu crois mon petit, tes vacances t'ont fait oublier que l'on est dans un monde de requins ?

— On est pris à la gorge avec ton réseau, on ne dégage pas assez de bénéfice pour vivre, ça gronde dans les troupes, il faut te préparer à une petite révolution.

— Qu'est-ce que t'es en train de me dire là ?

Tu veux nous quitter ? Ce sont des menaces ?

— Je m'attendais à ce que tu le prennes comme ça.

— Alors oui mon petit Léo, nous allions le faire tôt ou tard mais oui on te laisse tomber.

— Avant vous on se faisait plus de bénéfice, on avait moins de règles alors Tchao la compagnie.

— Nous allons voler de nos propres ailes et nous reprenons notre territoire au passage.

— Quoi, tu rigoles là ?

— J'ai l'air de rigoler là ? Je suis sérieux et j'en ai marre de voir vos gueules, alors barrez-vous !

Léo ne pensait pas que les choses se dérouleraient de cette manière mais il s'était préparé pour ce cas-ci malgré tout.

— Attends tu crois vraiment que Zéon va laisser passer ça ?

— T'as oublié que vous lui appartenez, nous allons pas partir avant de lui demander son avis non ?

Il savait qu'il prendrait cette menace au sérieux, mais au lieu d'appeler Zéon il allait jouer sa carte secrète.

Il envoya alors un de ces gros bras pour passer un coup de téléphone à Léon.

Léon était le chef d'un autre réseau, c'était aussi un gitan mais d'une autre famille.

La famille de Léon et celle de Tony étaient toujours en guerre.

Une histoire de famille qui datait et dont personne ne savait plus exactement la cause.

Avant sa venue il l'avait appelé pour lui dire qu'il allait peut-être avoir besoin de lui et de ses gros bras.

Qu'il se tienne prêt à intervenir et qu'il allait enfin pouvoir régler ses comptes avec Tony.

C'était Léo qui maintenait les distances entre eux car il avait besoin des deux.

Mais si l'un des deux posait problème, il leur permettra de s'affronter et ainsi obtenir leur territoire.

Au bout de 10 minutes, son acolyte revient et fit un juste geste de la tête à Léo pour le prévenir.

Léo se retourna alors vers Tony qui attendait sagement dans son canapé.

— Alors mon P'tit, dit-il d'une manière condescendante.

Je pense qu'il va bientôt arriver, il doit être en colère.

Tous attendirent encore 10 minutes sans plus s'adresser la parole.

Une Mercedes entra alors dans l'allée.

Mais ce n'était pas Zéon mais Léon qui en descendit.

Tony fut tellement surpris qu'il se leva aussitôt et dit.

— Leon, mais bordel de merde, qu'est-ce que tu fais là ?

Leon s'approcha sans dire un mot et sortit son pistolet.
— Je vais t'expliquer ! Il l'arma alors et tira deux balles.

Mais pas sur Tony. Sur les deux hommes de Léo.
Puis il pointa son arme sur lui.

— Alors Tony, comment va la famille ?
Léo surpris ne sut pas comment réagir et s'écria :
— Putain mais c'est quoi ce bordel, qu'est-ce que tu me fais là ?
— Quand je t'ai appelé, tu m'as donné ta parole, tu devrais te débarrasser de Tony et récupérer son territoire.
— Je croyais que c'était ton pire ennemi et que tu souhaitais sa mort avant tout ?
— Non mais qu'est-ce que tu crois Léo ? Tu crois qu'on a pas compris ce que tu étais en train de faire ?
— Jérémy nous a prévenus que tu allais venir et que tu allumerais les mèches entre nous pour que l'on s'entre-tue.
— Un de débarrasser et après il te reste plus qu'à liquider l'autre.
— Comme cela tu te débarrasses des problèmes, tu récupères deux territoires et tu fais passer un message au passage « Le grand Léo est de retour. »
— Tony s'approcha alors de Léo et le prit par l'épaule.
— Et si nous allions boire un coup dans mon atelier pour fêter notre réconciliation.

Deux jours plus tard, Zéon reçut une boîte ronde, d'environ 30 centimètres de diamètre et 50 de haut.

Chapitre 53
Le redressement fiscal

L'enquête d'un inspecteur du fisc débuta une semaine auparavant chez un des garagistes « partenaire » d'ETC.

Il n'était pas censé se faire contrôler car il n'avait jamais eu de soucis dans ses déclarations et ses règlements.

Disons qu'il avait été prévenu officieusement par un agent de police qui menait une enquête, pas directement sur lui mais sur un autre gros poisson avec qui il avait quelques affaires en commun.

L'agent du fisc avait étudié le dossier mais ne trouva rien du suspect au premier abord : des bénéfices bons mais pas exorbitants pour ce genre d'activité, une comptabilité irréprochable, des déclarations et paiements dans les délais.

En temps normal il ne se serait jamais intéressé à ce genre de dossier, mais il avait eu plusieurs fois l'occasion de travailler avec ce policier et il savait que s'il lui avait refilé ce tuyau ce n'était pas pour rien.

Ensemble, ils avaient pu démanteler des réseaux clandestins ou des sociétés-écrans qui blanchissaient de l'argent via des restaurants ou autres types de commerces.

Il lui faisait donc confiance car s'il l'avait prévenu c'est que c'était un gros dossier et surtout c'était de l'argent sale : de la drogue, de la prostitution, des cambriolages.

Lui n'était qu'un agent du fisc n'ayant pas autant de pouvoir que les flics pour mettre en prison des malfrats, mais si avec ses contrôles il pouvait contribuer à rendre la ville plus sécurisée, c'était déjà pas si mal.

Il passa une heure chez le garagiste et partit énervé de n'avoir rien trouvé, mais pas désespéré.

Il savait pertinemment que c'était souvent comme cela que débutent les enquêtes.

Au début, on piétine, on rassemble des pièces qui n'ont aucune valeur séparément, puis on les assemble comme un puzzle et c'est ainsi que tout le mystère se résout.

De plus, cela aurait été presque trop facile s'il l'avait trouvé tout de suite. Un peu comme quand on rentre dans un labyrinthe qui semble prometteur et dont on trouve la sortie en deux minutes.

Il continua alors son enquête chez d'autres garagistes, restaurateurs, entreprises de livraison mais aussi et c'est ce qui est surprenant des dentistes, des docteurs, des sociétés immobilières.

Il eut beaucoup de mal à faire le rapprochement entre les garagistes et restaurateurs qui sont des commerces facile pour blanchir de l'argent et des professionnels de la santé.

Son enquête prit quelques semaines mais c'est le temps qui lui fallut pour comprendre.

Tous ces acteurs étaient liés d'une manière ou d'une autre à ETC via différentes sociétés-écrans ou sous-traitants.

Les garagistes prenaient des contrats d'assurance qui dédommageaient des kinésithérapeutes.

Les entreprises de livraison employaient des services de sécurité hors de prix.

Il comprit très vite que seul un groupe de la taille d'ETC et de la diversité de ses activités pouvait se permettre ce genre de fraude.

Les petits encaissant de l'argent sale qu'ils blanchissent par le biais de sociétés tout à fait légales comme les assurances.

Sur ce coup-là, son compère ne lui avait pas menti, c'était réellement quelque chose d'énorme et seul un agent avec beaucoup d'expérience comme lui pouvait détecter la fraude.

Il avait prévu de se confronter tôt ou tard au grand PDG d'ETC afin de lui montrer qu'il était le plus fort, qu'il avait déjoué tous ces plans et qu'il allait le faire tomber.

Il débarque alors à l'improviste un mercredi à 15 h 30.

En tant qu'inspecteur du Fisc, il n'avait pas besoin de rendez-vous.

Au contraire, la surprise était un grand atout.

Par chance Zéon était présent ce jour et put le recevoir tout de suite.

Il commença alors par se présenter et prétexta que ETC étant un prestataire de l'État et de l'armée, il était obligatoire que des agents fassent des inspections.

Au début, Zéon trouva presque cela normal mais plus leurs échanges passaient, plus il commença à se douter de quelque chose.

Comment en était-il arrivé à faire le lien entre ses différentes sociétés ?

Sans faire partie de la société ou de ses différentes filiales, il était quasiment impossible de comprendre qu'un kiné facturant des séances d'un dommage constaté par un garagiste validé et remboursé par une assurance n'était en réalité que du blanchiment.

Lui qui était perfectionniste ne comprenait pas ce qui avait pu lui échapper ou ce qu'il avait mal géré pour qu'un simple inspecteur démantèle tout.

Plus le temps passait, plus les preuves s'accumulent contre lui, et plus Zéon se demandait comment il allait sortir honnêtement et légalement de cette entrevue.

Il ne tenterait même pas la carte de la corruption avec lui car il savait pertinemment que ça ne marcherait pas et pourrait même jouer contre lui.

Viviane était à une visite de chantier à ce moment et a ressenti quelque chose d'anormal.

L'inspecteur lui avait demandé de se tenir aux aguets et de mettre toutes ces nouvelles compétences à son service pendant quelque temps.

Ces nouveaux pouvoirs de perception ainsi que leur connexion entre eux lui permit à ce moment de comprendre ce que Zéon préparait.

Il allait entrer dans la tête de l'inspecteur, il allait le corrompre, réorienter ses idées, le faire penser autrement et clôturer son enquête.

Mais « pas de chance pour toi, Zéon », se dit Viviane, je suis là, je veille ? « Tu veux jouer, on va jouer comme avec Myriam, tu vas avoir les réponses que tu attends. »

C'était presque un jeu d'enfant pour elle. Elle ne s'était pas beaucoup exercée en situation réelle, mais entrer dans le cerveau d'une personne, en prendre le contrôle était maintenant quelque chose de plutôt simple pour elle.

Elle trouva une excuse pour s'isoler dans la salle de bain encore en travaux mais fonctionnelle et se prépara.

La position de l'arbre était sa préférée, celle dans laquelle elle se sentait la plus à l'aise car son corps était figé et fixe et son esprit pouvait partir sereinement.

Une inspiration, une expiration et c'est parti, on entre.

Mais alors que d'habitude elle entrait par une simple pensée, un souvenir d'enfance, une réflexion là elle arriva directement dans un parking de supermarché.

Drôle de souvenir, se dit-elle à ce moment-là. Peut-être que cela représente quelque chose d'important pour lui.

Allez sortons de ce parking, trouvons un autre souvenir et entrons dans sa tête. Mais plus elle s'approchait de la sortie, plus le parking s'agrandissait jusqu'au moment où elle aperçut des grilles tout autour.

Puis, spontanément, au lieu de s'agrandir, le parking et ses grilles se rétrécissaient et de manière exponentielle.

Comment était-ce possible, était-il en train de vouloir la capturer ?

Allait-elle finir bloquée dans cet esprit ?

Elle se mit alors à courir vers le centre et finit par apercevoir une silhouette qui elle aussi courut vers le centre.

C'est l'esprit de l'inspecteur, son esprit savait qu'elle était pour le protéger. Il va m'indiquer la sortie.

Mais au lieu de cela, elle comprit très vite que c'était Zéon, lui aussi était pris au piège.

Et malheureusement, il la vit aussi. Elle qui voulait opérer en toute discrétion s'était foutue.

Ils étaient alors plus qu'à quelques mètres et elle put apercevoir de la peur en lui.

Dans ces yeux elle put lire qu'il était terrorisé par cette situation, cet emprisonnement.

Cela n'avait pas d'importance pour le moment mais c'est toujours un bon avantage de connaître les faiblesses de ses adversaires.

SORTEZ !

C'est juste avec ce seul mot qu'il la sortit de son esprit alors que la cage continuait de se refermer sur Zéon.

Viviane, encore secouée par ce revirement, savait que la situation devenait plus que critique pour l'inspecteur.

Il avait tout compris sur les magouilles d'ETC et en plus maintenant il venait de découvrir le vrai Zéon et tous ses pouvoirs.

Il fallait à tout prit intervenir car Zéon allait être dans une rage folle.

Il pouvait peut-être le contenir dans son esprit mais il allait finir par en sortir et contre sa puissance physique surhumaine là il ne pourrait rien faire.

En toute urgence Viviane entra alors dans le cerveau de l'autre inspecteur. L'autre, le policier.

— INSPECTEUR, INSPECTEUR c'est Viviane.

— VITE Il va le tuer, l'agent du fisc, il est chez Zéon.

— Il a tout découvert, Zéon est fou de rage. Il le contient pour l'instant mais pas pour longtemps.

La cage devenait de plus en plus petite, Zéon ne pouvait plus fuir.

Ça y est, il l'avait capturé.

En deux fois.

Premièrement il avait démantelé tout son réseau et maintenant il l'avait capturé mentalement.

Il lui restait plus qu'à le garder dans sa cage jusqu'à ce que l'inspecteur arrive car il avait entendu l'appel de Viviane et savait qu'il était en route.

Il devait tenir bon 10 ou 15 minutes, ce n'était pas si terrible que ça.

À son grand étonnement, Zéon resta sans bouger les 14 premières minutes.

Puis il se retourna, le regarda fixement dans les yeux, tendit la main vers lui le poing fermé.

Il la retourne alors et l'ouvre. L'inspecteur regarde attentivement et découvre une clé.

17 minutes, c'est le temps qu'il lui a fallu pour arriver jusqu'au bureau de Zéon.

17 minutes, c'est trois minutes de trop qu'il lui manquait pour le sauver.

Quand il entra dans le bureau, il n'y avait plus personne.

L'inspecteur et Zéon avaient disparu.

Leurs ascenseurs avaient sûrement dû se croiser.

L'inspecteur montait alors que Zéon et sa victime descendaient.

C'était une victime à ce moment-là car on retrouva son corps trois semaines plus tard.

Allongé sur le dos dans un champ, son corps était propre et dans un beau costume.

C'est comme si Zéon avait eu du respect pour lui et lui avait offert de belles funérailles.

Viviane et l'inspecteur se sont longuement interrogés sur cette soirée et sur ces événements.

En réalité, il s'est avéré que cet inspecteur avait aussi quelques dons de télépathies.

C'était surtout quelqu'un de très droit et très juste.

Il ne s'en serait jamais servi pour abuser de quelqu'un, mais pour détecter un menteur c'était très efficace.

C'est ce dont qu'il lui a permis d'empêcher Viviane et Zéon d'entrer dans sa tête.

Et c'est exactement ce même don que l'autre civilisation a su maîtriser et exploiter grâce aussi à leur technologie évoluée.

14 minutes c'est exactement le temps qu'il a fallu à Zéon pour explorer tout son cerveau.

Repasser tous ces souvenirs, chercher ses points faibles.

Chez tout le monde il lui en aurait fallu 2 voire 5 minutes tout au plus.

Mais pas chez lui.

Il était tellement carré, tellement organisé que ce sentiment-là il l'avait rangé dans un coin de sa tête et enfermé à triple tour.

Et c'est cela même que Zéon a trouvé… la clé.

L'inspecteur a eu une vie irréprochable, c'était un bon mari, un bon père, un bon employé.

Mais au fond de lui c'était avec un homme qu'il aurait aimé vivre.

Cette passion-là, il l'avait vécue la première fois pour ses 19 ans, une autre à 20 ans puis la dernière fois à 23 ans avant de se ranger et d'enfouir une bonne fois pour toutes cette « dérive »

Ce que Zéon ne savait pas c'est qu'il était tellement méticuleux qu'il notait tout en double et surtout ses déplacements et rendez-vous.

La dernière pièce du puzzle, c'est bien lui qui l'a posée.

Chapitre 54
Les produits d'ETC

Réunion de crise chez ETC.

Toutes les équipes techniques sont convoquées et surtout Yohan.

À cette époque-là, on ne parlait pas encore de pirate informatique ou de hacker mais c'est bien ce qu'il sait passé.

ETC grâce à Yohan qui était en avance sur la technologie ont pu vendre l'hyper connectivité : relier tous les ordinateurs entre eux et ainsi pouvoir consulter ses comptes, gérer son entreprise, faire des transactions et bien plus.

Yohan savait que tôt ou tard il faudrait qu'il travaille sur l'aspect sécurité mais il n'était pas pressé.

Au contraire, cela ferait l'occasion de vendre de nouvelles prestations.

— De toute façon ce peuple est tellement en retard sur la technologie qu'il y a aucun moyen qu'il me pirate, se disait-il.

Et effectivement, ce monde était en retard, mais il n'aurait pas pu anticiper que Viviane, Mr L'inspecteur et Mr Robinson se rencontrent.

Et c'est bien effectivement de cette rencontre-là que Mr Robinson a compris que cette technologie-là était différente.

C'est de cette rencontre qu'il a compris qu'elle était beaucoup trop évoluée pour que lui seul la comprenne.

Ou tout du moins qu'un seul homme la comprenne et qu'il a alors fondé un mouvement nommé « Open Source » c'est le seul nom qui lui est venu à ce moment-là et qui a beaucoup de sens aujourd'hui.

L'inspecteur lui a demandé de creuser de ce côté pour comprendre ce qu'il préparait.

Il pensait qu'il vendait juste de gros ordinateurs. Et qui de toute façon ne pourraient jamais remplacer les humains.

Il ne s'attendait pas à ça quand Mr Robinson et toute son équipe ont compris.

— Comment dire les choses ? lui a-t-il dit.

— Avec ces technos qu'il met en place.

— C'est comment dire, il va contrôler le monde.

— Pour faire simple aujourd'hui vous travaillez, vous recevez de l'argent : des billets ou des pièces.

— Ces pièces, vous les échangez contre du pain, de la nourriture, des cigarettes.

Mais demain on fait disparaître les billets et ces pièces et tous les échanges se font via une sorte de grosse tirelire électronique.

— Vous avez votre tirelire et vous transférez vos sous sur la tirelire du boulanger.

— Pas de soucis, vous êtes content parce que vous ne devez pas vous balader avec plein de ferraille dans votre poche et vous avez pu acheter votre pain.

— Dites-vous maintenant que celui qui garde votre tirelire et celle des autres c'est lui le gardien.

— Il faut à tout prix le protéger et qu'il peut malgré tout demander ce qu'il veut.

— Alors c'est cela qu'est en train de mettre en place Zéon.

— Avec les ordinateurs en plus de mettre en place les tirelires ils mettent en place la gestion et la diffusion de l'information, les transports en commun…

— Bref, une fois que tout sera à place, ils pourront effectivement contrôler le monde.

— Mais c'est terrible, se dit l'inspecteur, il faut à tout pris les en empêcher, vous pouvez faire quelque chose ?

— Ce ne sera pas évident, mais je pense que oui. Nous avons créé un programme informatique capable de tout bloquer.

— Disons qu'il agit un peu comme un virus. Il faut juste que l'on puisse « Infecter » un de ces ordinateurs, il se diffusera alors de partout.

— Mais vous ne pouvez pas le faire d'ici ?

— Malheureusement, non. Nous avons pu obtenir un de ces ordinateurs pour décortiquer la technologie mais il n'est pas relié au réseau.

— Ah oui je comprends ce dit l'inspecteur, mais ça tombe plutôt bien, le commissariat vient juste de s'en équiper.

C'est ainsi que Mr Robinson et son équipe ont déclenché la guerre informatique à Zéon et Yohan.

Dans la première heure, le virus s'est juste répandu discrètement.

Yohan a effectivement constaté quelque chose, mais il a pensé que c'étaient des variations électriques qui provoquaient des petites instabilités.

Il y avait trop de données qui s'échangeaient entre les différents terminaux. Il n'avait pas compris que c'était le virus qui bondissait de machine à machine.

Puis au bout de 4h47 minutes il était enfin de partout. Sur toutes les machines qu'ETC avait installées.

La deuxième phase du plan pouvait alors débuter.

Mr Robinson exécuta alors juste une commande et tout alors était bloqué.

Plus personne ne pouvait consulter ces comptes ou se servir d'un ordinateur.

Ce fut donc très vite la panique chez ETC.

Yohan et toute son équipe ne comprirent pas de suite ce qu'il se passait.

Seul Yohan avait encore un ordinateur qui était protégé du système il put alors comprendre que c'était une attaque informatique.

Deux semaines, c'est le temps qu'il leur a fallu pour se débarrasser définitivement du virus et tout remettre en fonctionnement.

Ce fut deux semaines intenses. Deux semaines de « combat » entre les deux équipes.

Dès que Yohan supprimait un virus d'un ordinateur, l'équipe de M. Robinson étudiait la parade et relançait un nouveau virus plus puissant.

Mais finalement Yohan finit par créer un antivirus capable d'anticiper et bloquer toute nouvelle infection.

Il avait gagné la bataille et repris totalement le contrôle.

Il avait fait en deux semaines ce qu'il avait prévu de faire dans les six prochains mois.

Malheureusement pour lui et pour ETC, il ne pouvait rien facturer. La sécurité des données, la stabilité du système faisaient partie des contrats.

Ce qu'il n'avait par contre pas anticipé c'est que Mr Robinson ne dirigeait pas une mais deux équipes.

La première était chargée de bloquer les systèmes, créer et diffuser les virus.

Mais ce n'était qu'une diversion pendant que l'autre équipe était chargée de retrouver les différents comptes de la société et de transférer tous les fonds.

Cette attaque n'avait pas pour objectif de bloquer tout le pays, mais bien décrédibilisé ETC, leur faire perdre leur contrat et au passage récupérer tout cet argent sale.

Les fonds ont donc été transférés vers diverses associations comme celle de Myriam.

Tous ceux que ETC avait détruits par la drogue allaient enfin pouvoir se reconstruire.

Toute cette histoire a fait grand bruit, les journaux papiers et télévisuels ne parlaient plus que de cela.

L'inspecteur et Mr Robinson avaient réussi leurs coups.

Ils ne leur restaient plus qu'à attendre que Zéon tombe.

Chapitre 55
Conseil d'administration en urgence

Yohan avait pu riposter et rétablir la situation assez rapidement.

Mais cela ne suffisait pas pour calmer les derniers membres du conseil d'administration.

Zéon avait repoussé cette réunion le plus possible car il savait que ça allait mal se terminer pour lui.

La réunion débuta à 10 h.

Tous les membres du conseil étaient plutôt calmes et souhaitaient avant tout comprendre ce qui avait pu se passer, ce qu'il n'avait pas anticipé, les pertes colossales que cela allait engendrer.

Ils passèrent alors en revue les différents contrats : ceux qu'ils avaient perdus et ceux qu'ils avaient réussi à sauver.

Au bout de trois heures, ils actèrent qu'ils allaient pouvoir s'en sortir mais qu'ils devraient se restructurer.

Cela passerait donc par la fermeture de certaines filiales, l'arrêt complet des activités les moins lucratives, de la revente de beaucoup de bien immobilier et malheureusement de nombreux licenciements.

Zéon et Yohan s'en sortaient plutôt bien.

Leurs explications étaient limpides, claires et précises.

Ils ont pu ainsi démontrer qu'il n'y avait aucun moyen d'anticiper cette attaque.

Jamais auparavant il ne s'était passé ce genre de situation.

C'est Yohan qui a créé toute cette technologie, c'est lui et ses équipes qui les ont misent en place et en assuraient le contrôle total.

Il était alors impensable que quelqu'un puisse analyser, comprendre, s'introduire et s'en emparer.

La réunion reprit alors à 15 h après la pause déjeuner.

Elle était maintenant orientée sur les choix et les décisions que Zéon a prises.

Ils étudièrent les relevés des comptes, les investissements, les bénéfices.

Zéon n'avait pas l'esprit tranquille à ce moment-là, car même si tout était bien dissimulé et tout transpirait la légalité, il redoutait qu'ils finissent par tout découvrir à cause d'un dossier mal géré, d'une affaire suspecte.

Mais ils ne trouvèrent rien, ils le félicitèrent même d'être aussi perfectionniste et de gérer cette entreprise aussi bien.

Tout n'était pas perdu pour lui.

Il pensa à ce moment-là qu'il allait s'en tirer.

Toute la mauvaise presse et le coup médiatique passé, il continuera de tenir les rênes de ETC et redressera la société.

Quant à la politique et le mandat de préfet qu'il visait, il allait le mettre en suspens pour le moment.

La réunion allait donc être clôturée lorsque la secrétaire personnelle de Zéon entra en tenant dans sa main un épais dossier.

— Oui, dit Zéon.

Une personne m'a donné ce dossier et insisté pour que je l'apporte tout de suite.

— Très bien, Nathalie, pas de soucis, nous avions terminé. Donnez-le-moi.

Mais au lieu de le lui tendre, elle le donna au premier membre du conseil d'administration.

— Je suis désolé, mais il n'est pas pour vous, dit-elle.

Celui-ci le saisit et commença à l'étudier, puis au bout de cinq minutes sans un bruit. Il se leva, regarda Zéon et lui dit :

— Je vais vous demander de quitter cette salle, l'heure est grave, très grave. Nous devons discuter entre nous.

— Que se passe-t-il ?

Il ne lui répondit pas et lui fit juste un signe vers la sortie.

Zéon et Yohan n'incitent pas et partent.

Ils attendaient alors dans son bureau en se demandant quel pouvait être ce fameux dossier et qui pouvaient leur avoir donné.

Puis la secrétaire leur demandait de retourner dans la salle où ils les attendaient.

— Messieurs, savez-vous ce que contient ce dossier ?

— Non.

— Savez-vous qui nous l'a apporté ?

— Non j'en ai aucune idée.

— Et bien ce dossier c'est Mme Filippetti qui nous l'a apportée.

— Son défunt mari ne vous appréciant guère a mené une enquête sur vous.

— Nous savons tout.

— Toutes vos activités illégales sont répertoriées là-dedans.

— Pris séparément, chacun de ses dossiers ne prouve rien du tout, mais quand on les relie tout s'éclaircit.

— Mr Filippetti avait toutes ces preuves et ne savait pas quoi en faire.

— Vous avez bien reçu la visite d'un agent du Fisc il y a peu non ?

— Vous avez tenté de nous le cacher, mais lui aussi était prévoyant. Il craignait aussi de disparaître.

— Il avait donc anticipé sa mort. Une copie de toutes ses recherches devait être envoyée à Mme Filippetti s'il lui arrivait quelque chose.

Et c'est ainsi que l'affaire éclata au grand jour.

Zéon bouillait à ce moment-là.

Il en voulait au Sniper d'avoir raté sa mission, et encore plus à Léo de ne pas avoir vérifié qu'elle était bien morte et qu'il n'avait pas vérifié les dossiers.

Finalement, Léo avait bien mérité de mourir et ce qui lui était arrivé

Et cet inspecteur du Fisc, malgré qu'il ait fouillé toute sa tête, il n'avait pas découvert ce qu'il avait préparé pour sa mort.

Zéon était foutu, il ne pouvait pas regagner la confiance ou manipuler mentalement les derniers membres du conseil.

Qui d'autres ont ces fameux dossiers, les autres inspecteurs de police, les Fiscs, le FBI ?

Il devait agir et vite.

Il devait en terminer avec cette histoire et ces membres.

Il devait s'en débarrasser.

Tant pis s'il n'a pas encore toutes les actions. Il va tous les tuer et se débrouillera autrement pour les obtenir.

Plus personne ne parlait dans la salle.

Il s'apprêtait alors à sortir le couteau qu'il gardait toujours sur lui et donnant mentalement l'ordre à Yohan de fermer à clé la porte de la salle.

Il allait enfin pouvoir déballer toute sa colère sur eux.

Cette bande de traite qu'il a enrichie s'était retournée contre lui.

La trahison est bien ce qu'il déteste le plus chez les humains.

C'est à ce moment qu'il entendit des sirènes.

— Quoi, comment ça, vous avez appelé la police ?

Il sortit alors son couteau. Il aurait le temps de tous les massacrer avant qu'ils arrivent.

Mais il ne s'attendait pas à ce qu'ils soient tous armés et qu'eux aussi sortent leur pistolet de dessous la table.

Il n'avait plus le choix, maintenant, il devait fuir.

Fuir cette salle de conférence, fuir cette entreprise.

Quitter cette ville, ce pays, et ce monde aussi.

Finalement, il ne vaut pas mieux que sa terre natale.

Zéon et Yohan sortirent de la salle de conférence en courant puis rejoignirent le bureau de Zéon.

Le premier commando de police arrivait déjà au bas de l'immeuble.

Ils allaient les arrêter et retour à la case prison.

Mais Zéon ne se laisserait pas faire, lui aussi était prévoyant.

Il n'imaginait pas en arriver là mais il avait quand même fait construire un passage secret depuis son bureau.

Derrière sa bibliothèque se trouvait un ascenseur qui menait directement au quatrième sous-sol.

Celui-ci aussi était secret, seul cet ascenseur permettait d'y accéder.

C'est donc ainsi qu'ils purent s'échapper de l'immeuble.

Mais ils ne pourraient aller bien loin. Maintenant que toute l'affaire avait éclaté au grand jour, ils étaient devenus les ennemis publics numéro 1 pour tous les pays.

Chapitre 56
Le piège se referme

Le piège tendu par l'inspecteur était littéralement en train de se refermer sur Zéon et sa bande.

L'inspecteur s'y était pris de la même manière que Zéon avait construit tout son réseau.

On construit des petites choses à droite à gauche, on lance différents chantiers.

On crée des sociétés-écrans, on s'assure que tous travaillent indépendamment, puis on les lie habilement de manière totalement indirecte.

Le chantier de l'inspecteur n'était pas aussi imposant que celui de Zéon, mais il lui avait suffi d'allumer quelques mèches aux bons endroits, lancer des petites rumeurs et tout avait finalement fini par s'embraser.

Il ne pouvait pas tout anticiper et tout gérer, mais le résultat était bien au-delà de son espérance.

Zéon avait juste le temps de régler un problème qu'un autre arrivait, puis un autre et encore un autre.

Myriam s'était rebellée et avait pu créer d'autres associations qui sauvent les jeunes de la drogue.

Les différents gangs ont tous récupéré leur territoire et ils font de nouveau cavaliers seuls.

Toute l'organisation de Zéon et son réseau de blanchiment sont tombés.

ETC va se reconstruire et arrêter toutes ses activités illégales.

Il ne restait plus qu'à les capturer et les juger mais la manière dont ils s'étaient échappés restait encore un mystère pour l'inspecteur.

De la bande originale qu'il avait construite dans ce monde, il ne restait plus que Yohan.

Ils se cachaient alors dans leur QG en préparant leur plan d'évasion.

Mais en avait-il un ? Que pouvaient-ils faire maintenant qu'ils étaient recherchés par toutes les polices ?

Zéon fut fou de rage quand il comprit qu'il n'avait plus aucun fonds disponible.

Où était passé tout l'argent des différents comptes ? Qui et comment avait-il pu effectuer tous ces transferts ?

— Yohan tout est de ta faute, combien de fois je t'avais demandé de sécuriser ta technologie.

— De t'assurer qu'aucun pirate ne puisse nous voler, et surtout de créer un historique des transactions, au moins on aurait pu retrouver les transferts.

Yohan qui ne savait plus quoi dire tenta de s'expliquer en vain.

Zéon s'approcha de lui tout doucement avant de lui envoyer un puissant coup de ses deux points directement dans l'abdomen.

Le coup fut si puissant que Yohan fut projeté quatre mètres en arrière et percuta le mur.

Sa tête tapa violemment ce qui lui fit perdre connaissance immédiatement.

Il s'approcha alors de Yohan et s'apprêtait à en finir.

Et alors qu'il allait l'étrangler, il s'écria : « L'INSPECTEUR ! »

Mais bien sûr, c'est lui qui est derrière tout ça.

Pourquoi à t-il cette illumination à ce moment reste un mystère mais tout lui semblait plus claire maintenant.

Il fit le rapprochement entre Viviane, Mr Filippetti, l'inspecteur du Fisc et Viviane.

Il en était persuadé maintenant d'autant plus qu'il l'avait vu dans la tête de l'agent.

Ils se connaissaient, c'est pour cela qu'il avait eu ce contrôle.

— Attention, Mr l'inspecteur j'arrive et tu vas payer.

Chapitre 57
L'inspecteur doit payer

Zéon était déterminé, il voulait faire payer l'inspecteur.

Zéon était intelligent et ressentait les choses, grâce à ses pouvoirs télépathiques, il savait exactement ce qu'il se passait dans tous ces réseaux.

Il surveillait également l'inspecteur car il était une menace pour lui.

Mais ce coup-ci il avait été bien plus malin que lui, il l'avait battu à son propre jeu et entraîné sa chute et la mort de ses fidèles compagnons.

En quelques rumeurs, il avait tout détruit ce qu'il avait méthodiquement et longuement construit.

Il allait donc payer pour cela.

Il savait qu'il était chez lui, il allait le tuer à petit feu, le torturer jusqu'à ce qu'il le supplie de l'achever.

Toutes les polices étaient à leurs trousses mais ça ne l'empêchait pas de régler ce problème, dans toutes les conquêtes il y a toujours des dommages collatéraux.

Il se rendit donc chez l'inspecteur avec la 4x4 aux vitres teintées.

La route n'était pas longue et il n'avait croisé personne.

Il se gare sur le parking, descend de la voiture et se rend vers le hall d'entrée.

À leur grand étonnement, il tombe nez à nez sur Viviane.

— Viviane ? Je ne pensais pas te trouver ici.

— Je t'attendais, j'ai tout ressenti.

Je lis en toi comme dans un livre. Je sais ce que tu es venue faire ici.

Je t'en empêcherai.

Tu es fini, rend toi c'est la seule la façon, pour que tout se termine le mieux pour tout le monde.

— Me rendre ? Mais pour qui tu me prends, je suis un guerrier, un conquérant. J'ai bâti un empire ici et ton très cher inspecteur m'a tout pris. Il doit payer pour ça. Et ce n'est sûrement pas toi qui vas m'en empêcher.

Il tendit son bras alors en avant d'une force inouïe et invisible, il projeta Viviane contre le mur de l'immeuble.

Le choc fut terrible et elle retomba inconsciente sur le sol.

— Voilà une bonne chose de faite. Je te pensais plus forte que Viviane. Maintenant l'inspecteur.

Il s'avance vers le hall, saisit la poignée et tente d'ouvrir la porte, mais celle-ci ne bougea pas. C'était une simple porte sans clé, pourquoi était-elle bloquée ?

Il tendit alors également son bras et alla la faire exploser.

Il mit la même force que pour Viviane, mais rien ne se passa.

Comme si la porte absorbait sa force.

Zéon sortit alors son pistolet et vida son chargeur sur la porte.

Les balles s'arrêtent net à quelques centimètres de la porte, flottaient quelques secondes, puis disparurent pour réapparaître et reprendre leurs courses juste derrière lui.

Zéon avait senti ce coup-là et les dévia instantanément. S'il ne l'avait pas fait, au moins deux balles les auraient transpercés.

Il se retourna alors vers Viviane, mais elle avait disparu.

— Viviane ! cria-t-il.

— Cela commence à bien faire, montre-toi et viens m'affronter.

Elle apparut alors de nul par et dit :

— Je suis là. Tu as raison, il faut en finir.

Il tendit alors une nouvelle fois sa main vers elle et propulsa un champ de force plus puissant que la première fois.

Viviane ne bougeait pas, resta droite et figée et absorba tout le champ de force.

Il se jeta alors sur elle et commença à enchaîner les coups de poing et coups de pied.

Sa technique était parfaite. Tous ces enchaînements ne provenaient pas que d'un seul mais plusieurs arts martiaux.

Un coup de point de karaté, un recul, puis une attaque de capoeira, une tentative de saisie de krav maga.

Aucun maître de n'importe quel art n'aurait pu survivre à ce combat, mais Viviane elle esquivait tout.

Zéon avait encore quelques bottes secrètes.

Il savait que Viviane tenterait d'entrer dans son cerveau afin de connaître d'avance ces attaques.

Depuis qu'ils s'étaient retrouvés dans le cerveau de l'inspecteur du fisc, ils s'étaient passé quelque chose entre eux.

Normalement quand Viviane entrait, l'hôte ne le sentait pas.

Zéon allait donc la laisser entrer. Il la sentait en lui.

Il avait pu obtenir ce nouveau pouvoir de l'inspecteur du Fisc.

Il commença alors par faire diversion et lança quelques attaques puissantes.

Bien évidemment, Viviane les esquiva sans problème.

Le combat se déroulait alors dans le cerveau de Zéon mais également physiquement.

Il allait alors lancer sa prochaine attaque. Il se mit en position, les jambes fléchies et envoya un coup de pied retourné en direction de la joue droite de Viviane.

Ça, c'était mentalement, car en réalité et physiquement c'est un coup de poing directement dans le cœur qu'il envoie.

Viviane, elle, fut surprise, mentalement et physiquement c'est bien le coup de pied qu'elle avait paré en protégeant son visage avec ses deux avant-bras.

Ce coup-ci directement dans le cœur devait la tuer, mais le poing passa à travers.

Viviane à ce moment-là était presque comme un fantôme. Elle n'était pas faite de chair et d'os mais de fumée.

Sur le coup, Zéon ne savait plus où se passait l'action, dans son cerveau ou dans la réalité.

Mais c'était bien dans la réalité.

L'être de fumée recula alors de quelques mètres puis Viviane reprit son apparence physique, elle tendit ses mains devant elle et c'était maintenant à son tour d'envoyer un champ de force sur Zéon.

Il était tellement surpris et abasourdi par ce qu'il venait de se passer qu'il ne put l'esquiver et fut projeté contre une voiture du parking.

Il ne perdit pas conscience et se releva quasiment aussitôt.

— C'est incroyable, quel est ce pouvoir ? Où l'as-tu appris ?

— Tu croyais tout connaître des anciens, Zéon ? Mais il se méfiait de toi. Cette technique-là, seuls quelques grands maîtres la maîtrisaient. Il fallait être bon, altruiste et le cœur pur pour qu'il t'accepte de te l'enseigner.

— Comment ça ? À toi, il te l'a enseigné ? Ils sont encore vivants ?

— Non ils sont tous morts, ta fuite les a bien tous tués et détruit ta planète, mais ils ont pour ainsi dire sauvegardé leurs consciences dans une Intelligence artificielle. C'est elle qui m'a contacté et tout appris. Ils m'ont montré qui tu es, tout le mal que tu as fait. Ils m'ont prévenu que tu allais faire la même chose dans mon monde.

— Je ne suis pas mauvais, Viviane. Votre monde est corrompu. Les politiciens ne pensent qu'à eux, leur confort personnel et leurs richesses.

Les patrons, les maires, les préfets, les flics, Ils sont tous pareils, avec beaucoup d'argent on peut tous les acheter. C'est ce que j'ai fait. Votre monde est rempli de vermines et il court de par lui-même à sa propre perte. C'est pour cela qu'il vous faut un leader, un vrai.

Quelqu'un capable de remettre de l'ordre dans tout cela. J'allais y arriver, j'ai presque conquis votre pays. J'allais bientôt devenir le maître du monde.

— Le maître du monde ? Un dictateur, oui plutôt. Et comment allais-tu y arriver avec la drogue, la prostitution, les gangs ? C'est comme cela que tu comptes conquérir le monde. En détruisant les pauvres et les malheureux.

— Ce n'est pas moi qui les force à prendre de la drogue. S'ils en prennent, c'est que ce sont de mauvaises personnes, S'ils en meurent, alors tant mieux. Ça fait un peu de ménage, il ne restera alors plus que les élites.

— Non mais tu es fou, jamais je ne laisserais faire ça. Je t'en empêcherais coûte que coûte.

Zéon se jeta de nouveau sur elle.

Il allait bien finir par l'avoir.

Elle entra alors de nouveau dans leur tête et recommença le combat. Cette fois-ci, en plus des coup de pied et poing, ce sont les champs de forces et les balles qui éclataient dans tous les sens.

Les voitures étaient projetées de partout. Les bruits des impacts étaient si forts que les habitants de l'immeuble assistent aux combats à leurs fenêtres. Plusieurs d'entre eux avaient appelé la police.

L'armée était donc en route.

Cela devenait plus compliqué, Viviane qui ne pouvait parer tous les coups, mais elle encaissait.

Puis, d'un seul coup, sans que Zéon ne la touche, elle s'effondre.

Zéon l'avait capturé dans sa tête comme L'inspecteur du fisc avait fait avec lui.

Viviane était tellement concentrée sur les deux combats qu'elle devait mener à la fois dans les deux têtes et aussi physiquement qu'elle n'a pas pu anticiper le piège que Zéon était en train de préparer.

Et en quelques secondes seulement il avait refermé la cage sur elle.

Elle tenta bien de passer à travers les barreaux en se transformant en fumée, mais Zéon ayant tout prévu et avait ajouté un champ de force tout autour.

Elle était bien sa prisonnière et n'avait plus aucune issue.

— Tu n'es pas la seule à avoir de nouveaux pouvoirs Viviane.

— Celui-ci c'est l'inspecteur qui me l'a appris quand on était dans la tête. Il t'a libéré trop tôt avant qu'il ne me capture de la même manière.

Il était en réalité Médium.

— Relâche-moi tout de suite.

— Sûrement pas. Mais j'ai une proposition à te faire.

— Rejoins-nous, avec tes nouveaux pouvoirs, nous pourrons conquérir le monde. Je serai le nouvel empereur et je ferais de toi mon impératrice.

Unissons nos forces, nous pouvons faire quelque chose de grand et puissant.

— Jamais tu entends, non jamais je ne mettrais mes pouvoirs à ton service.

— Bien j'accepte ton choix, il resserrera alors la cage sur Viviane au point de l'étouffer.

L'armée arrivait, il fallait partir tout de suite.

Il se dirige alors vers le 4x4 qui avait subi de gros dégâts et n'était plus en état de rouler.

Zéon ouvrit alors le coffre et en sortit un JetPack.

Ce n'était que des prototypes pour l'instant. Tous droits sortis des laboratoires d'ETC, Il comptait obtenir un nouveau contrat avec l'armée et en équiper les soldats.

— Et l'inspecteur ? pensait-il tout haut…

— Nous nous en occuperons plus tard, il faut que nous terminions notre mission avant.

Il s'équipe, puis s'envole.

1 minute plus tard, l'inspecteur rejoint le parking et accouru vers Viviane. Il tenta en vain de la ranimer.

Elle n'était pas morte, son cœur battait, sa respiration et son pouls étaient normaux, mais elle était comme plongée dans un coma.

Elle lui avait fait part de ses pouvoirs, il savait qu'elle pouvait rentrer dans la tête des gens.

Mais il ne savait alors pas où, ou plutôt en qui elle pouvait être, et malheureusement il n'avait aucun moyen de savoir comment la ramener.

La police, l'armée et une ambulance arrivent enfin sur les lieux.

Tout le quartier était bouclé, l'inspecteur ne comprit pas tout de suite comment ils avaient fait pour s'échapper.

— Inspecteur !

C'était le Premier ministre lui-même qui arriva. Devant la tournure qu'avaient prise les choses, il avait fait le déplacement pour suivre l'action de très près.

— Où sont-ils passés ?

— Je ne sais pas comment ils sont partis, mais je sais où ils vont. Répondit l'inspecteur.

— Ils vont au cratère.

Quelle ironie ! pensa-t-il alors. Toute cette histoire va se terminer là où elle a commencé.

Une seule section resta sur les parkings, le temps de sécuriser la zone, alors que les autres, l'inspecteur ainsi que l'ambulance transportant le corps de Viviane prirent la route vers le cratère.

L'inspecteur tenait à ce qu'elle l'accompagne car il ne savait pas à quelle distance son esprit et son corps pouvaient être séparés et avait réellement peur de la perdre définitivement.

Chapitre 58
Le cratère

Il ne fallut que 12 minutes à Zéon pour rejoindre le cratère.

Zéon avait apprécié ce vol, regrettant que les choses en soient arrivées là car il aurait aimé aller au bout de son plan et en équiper toute l'armée.

Il avait également eu le temps de prendre un peu de recul et d'envisager la situation d'une autre manière.

Jusqu'à maintenant il avait foncé et agit dans la précipitation. Ces derniers jours ont été tellement compliqués pour lui.

Tous les pièges que lui avait tendus l'inspecteur s'étaient refermés sur lui et il n'avait guère pu en contrer.

Il avait donc accumulé beaucoup de stress, de tension et énormément de haine.

Cela avait donc fini par exploser et c'est sans réfléchir qu'il était parti se débarrasser de l'inspecteur.

C'est ce type d'erreur qui avait causé sa perte dans l'autre monde. Les autres aussi lui avaient tendu un piège et par précipitation, sans réflexion ni méfiance il était tombé dedans.

Il s'était juré de ne plus commettre ce genre d'imprudence et de prendre calmement chaque situation en main.

Il se consolait quand même car grâce à cela il avait pu capturer Viviane.

Il ne pensait pas qu'elle serait si importante pour lui avant de découvrir l'ensemble de ces nouveaux pouvoirs.

Il la garderait donc précieusement enfermée dans sa nouvelle prison pour l'instant.

La seule chose à faire sera de récupérer son corps, car tôt ou tard il finirait pas la rallier de son côté.

Il commencerait pas sa grande force de persuasion et irait jusqu'à la torture s'il le fallait.

Yohan était déjà sur place et les attendait dans le quartier général.

— Alors, Yohan, tu as eu le temps de te préparer ?

— Oui, concernant les défenses du camp, tout est prêt, l'armée et leur blindé peuvent venir, ils seront bien reçus.

— Très bien, répondit Zéon en reprenant espoir. Enfin, il reprenait la situation en main.

— Et concernant l'autre partie du plan, là aussi tout est prêt ?

— Eh bien comme on en avait discuté l'autre fois, on en est vraiment pas loin, mais il reste toujours des fluctuations que je n'arrive pas à régler.

— Je croyais que tu en avais trouvé la cause ?

— Oui, j'ai trouvé ce qui provoque ça, mais dans tous mes essais il y a toujours de nouvelles interférences qui arrivent.

— Et que se passerait-il si on allumait maintenant ?

— Difficile à dire. Tout peut se passer normalement ou alors c'est la catastrophe.

— OK dernières questions. À combien estime-tu les chances de réussite et combien de temps te faut-il pour stabiliser l'appareil ?

— Les chances que tout fonctionne correctement sont de 98 % et je pense qu'il me faut encore 3 heures pour terminer.

Ce ne sont pas tellement les réponses qu'attendait Zéon, mais il n'avait malheureusement pas le temps et refusait d'agir encore une fois par instinct.

— OK pour 3 heures, on aura le temps de le retenir.

Son premier lieutenant de Zéon était là et suivait la conversation attentivement.

Il connaissait ces ordres et savait ce qu'il devait faire, il n'attendait plus que le Go de Zéon pour se lancer.

Zéon le regarda alors et lui demanda de s'approcher vers la table centrale.

— Revoyons nos plans, si tu le veux bien.

Sur la table était exposée la carte de toute la zone.

Elle contenait les clôtures, les points d'entrée, les points de surveillance.

Ce qui, à la base, n'était qu'une zone de recherche scientifique interdite au public était devenu avec le temps un vrai camp militaire.

Quels secrets les scientifiques et l'État étaient si importants pour les garder aussi précieusement.

— Alors où sont nos défenses ?

Le lieutenant s'approchant de la table montrant quelques points. C'étaient principalement des Miradors.

— Ça ne va pas du tout. Ce camp est protégé contre des petits intrus ou amateurs qui pourraient avoir envie de visiter le camp. Mais pas contre ce qui est en train d'arriver.

Le temps était précieux et s'écoulait vite avant qu'ils ne soient là.

Mais Zéon et son lieutenant prirent le temps d'établir une nouvelle stratégie défensive.

Au bout de sept minutes il sortit alors prit sa moto et fit le tour de tout le camp pour transmettre les nouveaux ordres à toutes ces équipes.

Chapitre 59
Prise de position

Il ne leur fallut que 15 minutes chrono pour monter le QG de l'armée.

L'inspecteur ayant fait des rapports réguliers à ses supérieurs, ils avaient eu le temps de se préparer.

Ils ne pouvaient pas savoir comment la situation allait tourner, mais au fond de lui il n'envisageait pas que Zéon s'enfuit et disparaît sans un dernier coup d'éclat.

C'était avant tout un militaire et un général qui meurt mais ne se rend pas.

Le plan d'action qu'il avait établi s'était quasiment déroulé sans accrocs mais il ne pouvait estimer précisément quand il en arriverait là.

Il avait eu un peu de mal à convaincre ses responsables qu'il fallait qu'il se tienne près.

Qu'ils ne devaient pas mal juger Zéon et toutes ces équipes, et quand ce moment allait arriver c'est le plan antiterroriste qui devait être appliqué.

Il avait bien évidemment eu le soutien du Premier ministre en personne car la presse et toute l'actualité ne tournaient maintenant plus qu'autour de Zéon.

Il devait donc répondre à bon nombre de critiques de différents médias mais surtout de ses adversaires qui l'accusent de faire partie du complot ou d'avoir laissé faire.

Le camp avait été monté devant l'entrée principale sur un des prés non utilisés par les agriculteurs.

Les différents véhicules : voitures, camion et même de tank s'étaient rassemblés là, le temps d'obtenir les ordres et savoir où ils devaient se positionner.

Réunion de crise tendue dans la tente principale qui servira de QG principal de toute l'opération.

Le général Buron sera le chef d'orchestre.

Il commença donc la réunion en écoutant le rapport des différents « Éclaireurs » qui connaissaient bien les lieux.

Il demanda ensuite à l'inspecteur de lui décrire en détail Zéon, ses équipes, son caractère et ses intentions.

Il observa ensuite la carte de la zone, se mit à penser comme s'il était à la place de Zéon et que c'est lui qui devait défendre le camp. Comment se serait-il positionné ? Quelle équipe aurait-il déployée ?

Il prit aussi le temps de poser deux ou trois questions au Premier ministre, principalement comment il souhaitait que cette histoire se termine.

Il y avait plusieurs plans d'attaque : soit tenter de négocier et cela pourrait s'éterniser, soit effectuer une expédition rapide et meurtrière mais dans ce cas il y a souvent des dommages collatéraux.

Enfin un négociateur avait été mandaté pour tenter de rentrer en contact avec Zéon afin de connaître plus en détail leurs revendications et surtout leurs intentions.

Le général était quelqu'un de très droit et surtout très directif. Il allait droit au but et ne permettait pas que la réunion parte dans des conversations inutiles et sans fin.

Même le Premier ministre qui était pourtant son responsable hiérarchique le craignait et ne lui coupait pas la parole ou ne haussait le ton en cas de désaccord.

Ainsi, cette forte personnalité permit que la réunion fût bouclée en trente minutes.

C'est le temps qu'il lui a fallu pour obtenir toutes les informations nécessaires pour concevoir le meilleur plan d'action approprié.

Il y avait bien sûr beaucoup d'inconnues, par exemple le nombre d'alliés de Zéon, le nombre de personnes militaires et scientifiques encore présentes dans la zone, l'arsenal militaire dont il disposait.

Mais ces inconnues faisaient partie de l'équation et du plan, toutes ces questions auront leurs réponses en temps voulu.

Il clôtura donc la séance en remerciant tout le monde et officialisa le lancement de l'opération.

Chacun savait ce qu'il avait à faire. Ils sortirent donc de la tente et allèrent transmettre leurs ordres aux différentes équipes.

Les équipes de logistiques commencèrent alors à établir les différents camps tout autour de la Zone.

Des techniciens coupèrent toutes les communications entre la zone et le monde extérieur et mirent en place une ligne directe entre eux et aussi une entre le QG et le poste central où devait se trouver Zéon.

Des éclaireurs s'étaient également mis en position sur les collines d'où ils pouvaient observer toute la zone.

Le général avait donc remercié le Premier ministre car il ne souhaitait pas l'avoir à ses côtés pendant l'opération.

Il ne restait alors plus que lui, l'inspecteur, le négociateur, deux gardes et trois opérateurs qui transmettent les ordres et font des rapports.

La première partie du plan allait donc pouvoir commencer.

C'est la phase d'observation.

Avant d'aller plus loin, il avait besoin de connaître l'état actuel de la situation : le nombre d'acteurs, les activités et le maximum d'informations avant de tenter d'établir un premier contact.

Chapitre 60
Les alliés

Dans son plan d'action final, l'inspecteur avait inclus Mr Robinson.

Lui et son équipe avaient peut-être piraté les différents systèmes d'ETC mais Yohan avait réussi à en reprendre le contrôle.

Il avait beaucoup de doutes et de craintes concernant tous les systèmes qu'ils avaient pu vendre et mettre en place pour l'armée.

Cette zone n'était qu'un espace de recherche scientifique, mais peut-être que Zéon avait eu le temps d'apporter des nouvelles armes : des missiles auto guidés, des drones ou peut-être même une bombe nucléaire.

En temps normal, à cette époque, la guerre n'était que physique, mais pas celle-ci.

Celle-ci serait à la fois physique et informatique. On ne parlait pas encore de cyberattaque ou autres.

Mr Robinson était donc venu avec son équipe de ce que l'on appelait aussi maintenant de Geek.

Le général n'aurait jamais toléré que des civiles fassent partie de l'opération, mais rien d'en cette histoire n'était normal, et lui aussi était féru de nouvelles technologies.

Il avait donc fait partie des premières qui les utilisaient et partageaient donc naturellement l'inquiétude de l'inspecteur. Il avait aussi suivi l'histoire du piratage lancé par Mr Robinson et tout ce qu'il en avait découlé.

Il savait donc qu'il n'avait pas le choix, qu'il fallait que cette équipe soit à ses côtés car même s'il avait confiance en ses équipes techniques, elles n'étaient pas formées pour agir rapidement.

Une tente avait alors été montée pour eux juste à côté du QG. Il ne savait pas exactement ni quand ni comment ils interviendraient mais ils devaient se tenir prêts et leur remonter toutes les informations sur ce qu'ils pourraient trouver suspect.

Ce que n'avait pas anticipé par contre l'inspecteur c'est que l'information se divulgue très rapidement et que certains curieux se précipitent pour suivre les opérations.

La gendarmerie avait eu le temps d'établir une zone de sécurité mais ne pouvait pas barrer toutes les routes.

Il était donc maintenant inenvisageable que cette opération reste secrète.

Bien au contraire, il était à prévoir que les médias et la population suivent cela de très près.

Les premiers sur les lieux étant bien évidemment ses ennemis directs.

L'association de Myriam, les différentes familles de gitan, Mme Filippetti et bien d'autres encore.

Tous voulaient le voir perdre cette guerre, ils seraient prêts à attendre plusieurs jours s'il le fallait, mais il voulait le voir avec les menottes dans le dos ou le voir passer sur un brancard et pouvoir cracher sur sa dépouille.

Heureusement pour le général, il ne s'était rassemblé que devant la zone et n'avait pas cherché à investir d'autres lieux, ce qui aurait pu mettre en péril toute l'opération.

Afin de pouvoir les contenir, et éviter que les médias ne diffusent trop d'informations, le général avait convoqué le porte-parole du gouvernement.

Il n'avait pas prévu cela dans son plan initial mais cela pourrait être un atout.

S'il n'arrive pas à établir un contact direct avec les terroristes, ils pourraient alors leur faire passer des messages par la télévision ou la radio.

Il garderait donc cette éventualité sous le coude même s'il ne savait pas quand il devrait faire une conférence de presse officielle.

Chapitre 61
Phase 2, les civils

Les premiers rapports des éclaireurs étaient arrivés.

Il restait effectivement du personnel dans la zone.

Principalement deux catégories : des scientifiques qui cherchaient encore et toujours à comprendre ce qui s'était passé dans le cratère et des militaires qui s'occupaient de la surveillance et la sécurité de la zone.

Zéon ne devait pas encore les avoir pris en otages car il vaquait encore à leurs occupations quotidiennes.

Ils devaient donc en profiter pour les prévenir et les faire sortir en toute discrétion et sans encombre.

La section militaire qui avait été affectée ici ne faisait pas partie de la caserne locale. C'était une section de l'armée de terre spécifique pour la mise en sécurité et la surveillance de zone principalement suite à des catastrophes naturelles.

Le général ne mit pas longtemps pour obtenir des informations sur eux : le commandant, leurs activités ici et leurs derniers rapports.

À son grand étonnement, ils n'avaient encore pas cherché à prendre contact avec lui.

Pour la sécurité et la surveillance, on repassera. Comment n'ont-ils pas pu s'apercevoir que toute une armée se tenait à leur porte ?

Leurs positions aussi et leurs répartitions dans les différentes zones étaient étranges.

Ce ne sont pas les manœuvres habituelles et de cette façon que l'on apprend à sécuriser une zone.

La priorité serait alors d'entrer en contact avec eux discrètement, faire en sorte qu'ils préviennent les civils et les évacuent.

Une autre équipe de commando pourrait alors intervenir dans un deuxième temps pour aller droit au but et ne pas risquer des pertes civiles.

Les techniciens commencèrent donc par scanner toutes les fréquences en espérant pouvoir les écouter dans un premier temps puis rentrer en contact directement.

Mais rien. Aucun message, aucun signal, c'est comme s'il ne communiquait pas entre eux.

Ce n'était pas possible. Comment peuvent-ils assurer la sécurité d'une zone aussi vaste sans communiquer ?

Même Mr Robinson et son équipe ne parviennent pas à obtenir de résultats. Ils n'avaient pas non plus connaissance d'autres technologies de communication mises au point par ETC qu'ils pourraient alors utiliser.

Le canal sécurisé ! Il fallait tenter le tout pour le tout et émettre un appel sur ce canal.

Normalement, chaque militaire connaît ce canal et doit impérativement y répondre d'une manière ou d'une autre.

Mais là non plus aucun résultat.

Pas de réponse, pas de Bip, pas de signaux visuels.

Un sergent apporta alors les derniers rapports au général.

— Comment ça, mais c'est pas possible ! s'écria-t-il.

— J'ai demandé les derniers rapports et cela date de six mois.

— Ce sont les seuls que nous avons mon général. Répondit alors le sergent.

— Qu'est-ce que c'est que cette histoire ? Comment une section peut-elle ne pas faire de rapport pendant six mois et que personne ne soit au courant ?

Il ne connaissait pas directement cette section de l'armée, mais il y a un code d'honneur que chaque militaire doit connaître et appliquer.

Personne, ni même lui, ne peut échapper aux rapports. Ils en avaient connu des déserteurs, des petits malins qui ne voulaient pas suivre le règlement et sur ce point il était intransigeant. Dans le meilleur des cas, ils étaient juste virés de l'armée, mais la plupart du temps c'était la prison.

Par contre qu'une section entière ne répondent pas, ce n'était tout simplement pas possible.

Il envoie alors son premier lieutenant avec une équipe à la porte principale pour prendre un contact direct avec les gardiens. Tant pis si cela grillait leur couverture et leurs chances de faire évacuer les civiles discrètement.

Le commando se dirige alors vers l'entrée principale.

Ils sont en contact direct avec le QG mais aussi les éclaireurs du front qui suivent tout ce qu'il se passe.

Le lieutenant sort alors du 4x4 et, accompagné de ses seconds, se dirige vers le poste de garde.

— Alors sergent, on ne répond pas au signal d'alerte ? s'écria-t-il en direction du gardien.

— Non, lieutenant, nous l'avons bien intercepté, mais nous n'y répondrons pas.

— Comment ça vous n'avait pas répondu ? C'est une mutinerie ?

Le lieutenant était de plus en plus furieux. Le dernier qui avait osé lui répondre de la sorte avait fait quinze jours de trou.

— Est-ce une mutinerie de ne pas répondre à un signal d'une autre armée ?

— Comment ça, d'une autre armée ? Dois-je vous rappeler que vous appartenez à l'armée française ?

— Ce genre de comportement n'est pas tolérable, vous allez être relevé de vos fonctions et vous serez jugé.

— Pas du tout lieutenant, nous appartenons à l'armée de Zéon. Je vous conseille vivement de faire demi-tour, de quitter les lieux et de ne jamais revenir ou nous considérerons cela comme une déclaration de guerre.

Aussitôt après avoir fini sa phrase, les deux gardiens pointent leurs armes sur eux.

— Une déclaration de guerre ? L'armée de Zéon, mais pour qui vous prenez vous ? Rendez-vous tous de…

Le lieutenant n'eut pas le temps de finir sa phrase qu'il reçut une balle en pleine tête.

En même temps, chaque gardien abattit le militaire en face de lui avec en totale coordination.

Comment pouvait-il tirer en même temps sans avoir de signal et où pouvait être le troisième tireur ?

C'était donc maintenant officiel, la guerre était déclarée.

Chapitre 62
L'inspecteur et Myriam

Le plan du général ne convenait pas du tout à l'inspecteur.

Il n'en pouvait plus d'attendre et surtout il savait que Zéon ne se rendrait jamais et que sa seule issue serait la mort.

C'est exactement ce qu'il souhaitait pour lui car il avait fait trop de mal autour de lui et exécuté beaucoup trop de personnes directement ou par ses sbires.

Mais il savait malheureusement que Zéon ne pouvait pas mourir, car s'il périssait, il amènerait forcément Viviane avec lui.

Tant qu'elle était prisonnière dans sa tête et qu'elle n'avait pas trouvé le moyen d'en sortir, elle était vulnérable.

Qu'adviendrait-il alors lorsqu'il rendrait son dernier souffle ? Est-ce que Viviane serait libérée et pourrait réintégrer son corps ? Celui-ci allait-il mourir aussi ou rester dans un état végétatif ?

La mission du général était vraiment une opération commando pour lequel Zéon n'avait que peu de chance d'en sortir vivant.

De plus, le préfet lui avait bien fait comprendre qu'il fallait mieux qu'il y reste, car s'il se rendait les retombés et tout ce qu'il pourrait dire allait provoquer un séisme énorme et beaucoup de personnes haut placées allaient tomber. Au fond, c'est bien eux qui l'ont aidé à acquérir cette notoriété.

Il avait donc bien tenté d'intervenir au prêt du général, expliquer tout cela en détail. Malgré que c'est grâce à Viviane qu'ils ont pu stopper son ascension, elle n'avait finalement pas beaucoup d'importance et ferait partie des victimes collatérales.

Il n'avait bien sûr pas insisté car il savait que le général avait pris sa décision et il n'y avait peu de chance qu'il revienne dessus.

La tuerie qu'il venait de se produire le poussa encore plus dans sa décision de ne pas obéir aux ordres et de tenter quelque chose. Il fallait ou plutôt il devait sauver Viviane.

Il profita alors que tout le QG soit en alerte pour s'éclipser de la tente.

De toute façon, le général n'aurait plus besoin de lui. Il lui avait dit tout ce qu'il avait besoin de savoir et ne lui serait plus d'aucune utilité.

Il s'était donc rendu dans la salle des Geeks pour rejoindre Mr Robinson. Il souhaitait établir son plan qu'avec lui, mais sur le chemin il croisa Myriam.

Lui partageant brièvement ces craintes avec elle, elle lui avait alors proposé puis insisté pour établir un plan d'action et en faire partie.

Elle ne connaissait pas spécialement Viviane avant toute cette histoire, mais elle lui serait éternellement reconnaissante de lui avoir sauvé la vie.

Viviane n'avait passé que quelques instants dans sa tête à répondre à sa place, mais cet échange avait scellé leur amitié pour toujours.

Pour Myriam c'était plus que de l'amitié, elle ne se l'avoue pas mais c'était presque comme une grande sœur pour elle.

Il fallait alors qu'elle se joigne à l'inspecteur quitte à y laisser la vie.

Le plan d'action était alors simple :

1. Mr Robinson les équipe d'oreillette et de micro de sa fabrication indétectable par les militaires présents.

2. L'inspecteur et Myriam cherchent un point d'entrée, s'introduisent dans le camp et trouvent Zéon.

3. Ils le prennent alors en otage et le torturent jusqu'à ce qu'il libère Viviane.

C'était du suicide, les avait prévenus Mr Robinson.

L'inspecteur avait vu ce dont Zéon était capable, il espérait peut être un miracle ou tout du moins se disait-il qu'il fallait qu'il soit au aux côtés de Viviane.

Si elle sentait leur présence ou les attendait, cela pour l'aider à se libérer.

— La question la plus essentielle, commença l'inspecteur.

— Par où rentre-t-on ?

Mr Robinson alla chercher un plan qu'il posa sur la table. Les différents points d'entrées mais également les positions des différentes troupes y étaient reportées.

— On pourrait tenter pas ce point-ci, commence Myriam.

— C'est isolé, peu éclairé, et c'est là qu'il y a moins de militaires. Je pourrais alors les distraire, pendant que vous volez leurs armes. Ensuite, on les bâillonne et on rentre.

— Tu me prends pour un surhomme, Myriam. Ce sont des militaires surentraînés, tout seul je ne pourrai jamais en venir à bout.

— À part si je les distrais et je leur donne l'ordre de changer de position, proposa alors Mr Robinson.

— C'est une bonne idée, mais vous oubliez qu'il y a aussi les militaires de Zéon. Et eux là vous ne pourrez jamais communiquer avec eux.

— Alors on fait tout péter, lança Myriam. On y va au lance-missile, on explose la clôture et on court se cacher.

— Sûrement pas, toutes les troupes se ramèneront alors et ils nous tireront comme des lapins.

Ils établissent plusieurs hypothèses, mais aucune n'était réellement valable et avait la moindre de chances de réussir.

Et alors qu'ils désespéraient, Myriam s'écria :

— Mais que l'on est bête, je sais exactement pour où on va passer, puis, elle désigne un point sur la carte.

— Alea jacta est ! s'écria alors l'inspecteur.

Chapitre 63
Réunion de crise

Une réunion de crise exceptionnelle avait été organisée par le général.

Celle-ci réunissait les commandants des différentes sections.

Jamais les choses ne s'enchaînent aussi rapidement dans une prise d'otage.

En général, il se passe bien 8 ou 10 heures avant les premiers coups de feu.

Heureusement pour l'inspecteur qui était déjà parti, il n'avait pas été convié.

Ni le Premier ministre, qui avait pourtant insisté.

Cette fois-ci le général n'avait plus le choix, il devait passer la vitesse supérieure et lancer l'assaut.

Ce qui le dérangeait le plus, c'est que le négociateur n'ait pas eu le temps d'intervenir.

Car hormis le fait de tenter de résoudre la situation, c'était le moment pour en apprendre plus sur les terroristes.

Il devait malheureusement effectuer cette opération à l'aveugle sans savoir s'il allait se rendre, attaquer ou pire faire exploser plusieurs bombes.

Le général savait comment s'y prendre et comment placer ses troupes pour se donner les meilleures chances de réussir.

Il avait échangé et affiné son plan avec ses lieutenants.

La partie allait donc commencer.

La première phase de celui-ci serait bien sûre de sécuriser la porte d'entrée principale afin de récupérer les corps des soldats abattus.

Ils allaient devoir être très rapides et coordonnés, attaquer sur tous les fronts en même temps, afin de ne pas leur laisser le temps de réagir, comprendre ce qu'il se passe et préparer leur contre-attaque.

Tout était validé, les chefs des différentes sections s'apprêtaient à quitter la tente pour s'exécuter quand une sonnerie retentit.

C'était le téléphone d'urgence. Tous furent surpris car ce téléphone-ci n'est pas censé sonner, mais sert plutôt pour contacter directement le président pour les cas extrêmes.

L'opérateur décrocha, dit bêtement allô, écouta les instructions puis tendit le téléphone au général.

— Il veut vous parler.

— Général Grandjean, a qui ai-je l'honneur ?

— Enchanté, mon général ici c'est Zéon. J'imagine que je vous appelle à temps avant que vous lanciez votre opération commando.

— Une minute de plus et c'était parti, veuillez retenir vos lieutenants quelques instants, il est important que nous discutions.

Le général ne s'attendait pas du tout à cet appel. Comment pouvait-il savoir qu'il s'apprêtait à lancer l'opération ?

— Que nous discutions ? répondit-il d'une voix sèche et autoritaire.

— Vous venez d'abattre trois de mes soldats, c'est une déclaration de guerre que vous venez de faire.

— Une déclaration de guerre ? questionna Zéon qui lui restait plutôt calme.

— Je ne prendrais pas en compte cette remarque, mais ce sont vos hommes qui ont tenté de rentrer de force dans notre camp.

Mes soldats les ont prévenus, ils n'ont pas voulu obtempérer.

— Vos soldats ? Mais enfin, ils appartiennent à l'armée, à aucun moment ce sont vos hommes et votre armée. Tout comme ce camp qui est un lieu de recherche scientifique également de l'armée française. Vous n'avez aucun droit d'occuper ces lieux.

— D'ailleurs, il y a un mandat d'arrêt international contre vous, alors rendez-vous tout de suite sinon.

— Sinon quoi ? l'interrompit brutalement Zéon ? Je n'apprécie pas du tout le ton que vous prenez avec moi.

Cet espace est à moi depuis le premier jour où je suis arrivé ici.

Cette armée, je l'ai créée en recrutant chaque membre un par un. Je ne laisserai personne me traiter de criminel ou de terroriste.

Alors je vous préviens Général soit nous tentons de négocier un accord entre personnes civilisées et chef d'armée. Soit je raccroche tout de suite.

C'est exactement ce qu'il allait faire, raccrocher et lancer le plan d'attaque pour atomiser ce terroriste, mais malheureusement il ne le pouvait pas, car il pensa à ce moment-là aux civiles encore à l'intérieur.

Il entendit quelques secondes puis finit par répondre d'une voix plus calme et apaisée.

— Soit, discutons d'homme à homme, que souhaitez-vous ?

— Très bien mon Général, sage décision. Alors pour commencer comme je vous l'ai dit. Je revendique cette terre, cet espace qui est le mien maintenant, ou plutôt il est à nous, notre nation.

Nous revendiquons ici la création d'un nouveau territoire, d'une nouvelle nation.

Nous sommes un peuple libre qui ne dépend et ne dépendra jamais d'une autre organisation ou d'un pays. Nous ne souhaitons pas faire la guerre ou conquérir d'autres territoires.

Ce que nous souhaitons alors c'est que nous signons un accord avec la France, afin que L'ONU et le monde entier reconnaissent cette nouvelle nation.

Nous avons préparé les documents officiels, il ne vous reste plus qu'à les signer.

— QUOI, COMMENT ÇA ? s'énerva alors le général qui ne pouvait croire ce qu'il venait d'entendre.

— Jamais dans toute sa vie de militaire et même d'être humain il n'avait entendu de pareille absurdité. Qui pouvait être assez fou ou dérangé pour demander un territoire.

Il n'eut pas le temps de prononcer un seul mot de plus que Zéon avait déjà raccroché.

Était-il vexé que le Général ne le prenne pas au sérieux ? Ou simplement ne pouvait-il pas accepter qu'on lui crie dessus ?

Le général et ses lieutenants durent reconsidérer la situation. Devaient-ils continuer les négociations ? Devaient-ils lancer quand même l'assaut ?

Chapitre 64
Première offensive

Jamais au grand jamais, le général n'aurait dû agir par anticipation.

Il n'acceptait toujours pas la façon dont Zéon l'avait humilié et empêché de négocier.

Ce n'était plus le général qui avait pris la décision à ce moment-là, mais l'homme.

Cela faisait bien longtemps que personne ne lui avait parlé de la sorte. Probablement, le dernier qui l'avait fait devait être son père quand il lui avait annoncé qu'il ne souhaitait pas rejoindre l'armée.

Quelle honte, quelle humiliation, il n'était pas envisageable qu'il ne suive le même chemin que son père et son grand-père avant lui. Les Buffards sont des militaires qui défendent leur pays. Comment pouvait-il seulement envisager de faire autre chose ?

Il s'en mordra les doigts tous les jours d'avoir dit cela car son père s'était emporté, avait crié des heures et lui avait même mis la raclée de sa vie.

Il ne lui en avait jamais parlé et s'était donc engagé.

Il s'était promis que plus personne ne lui parlerait comme cela. Il fallait donc qui lui fasse payer, qui lui montre à ce Zéon qui était le plus fort.

Sans que personne ne puisse intervenir ou s'interposer, il lançait l'opération commando.

Mais il est évident que cela restera la plus grosse erreur de sa vie.

Jamais il n'aurait dû lancer cette opération sans reconsidérer la situation.

Si Zéon savait qu'ils allaient attaquer, il était certain qu'ils étaient prêts.

Dans cette précipitation, il devait sûrement penser que c'était que du bluff, ou qu'ils allaient les prendre par surprise et en finir rapidement.

Malheureusement pour lui il ne savait pas ou n'avait pas voulu se l'admettre mais Zéon était un général comme lui qui pesait ses paroles et ne faisait rien d'irrationnel.

Jamais cela n'aurait dû se dérouler de la sorte, ce n'est pas une section mais bien 4 qu'il perdit dans cette attaque éclair.

Ce n'est pas quatre ou cinq militaires qui sont tombés à ce moment-là mais bien trente-deux.

Le massacre débuta par l'entrée principale, c'est bien par la force que le général voulait pénétrer dans le camp, c'est donc deux blindés qui devaient foncer sur les grilles, avant de laisser la place à deux sections à pied.

Mais ils n'ont même pas pu atteindre les grilles que des torpilles venant de nulle part les détruisit.

Le chaos et les explosions furent si intenses qu'elles apportèrent les sections derrière eux.

Pendant ce temps-là deux autres sections de commando devaient entrer discrètement par deux autres points stratégiques.

Ce n'étaient pas des entrées, mais ils devaient couper le grillage, s'infiltrer discrètement et foncer jusqu'au QG.

Mais là non plus aucune des sections ne put atteindre leurs objectifs. C'est comme si l'ennemie connaissait d'avance le plan d'attaque.

Le camp tout entier s'étendait sur plusieurs hectares.

Le peu de militaires à l'intérieur ne pouvait sécuriser toutes les entrées et toutes les barrières.

Mais des snipers s'étaient positionnés exactement au bon endroit pour les abattre un par un.

Les deuxièmes commandos devaient intervenir quelques minutes en décalé du premier.

Ce qu'il leur laisse le temps de comprendre qu'ils étaient là, qu'ils étaient en train de se faire décimer et qu'ils pouvaient encore fuir.

Mais les snipers ne leur donnaient même pas cette occasion, ils les abattirent aussi un par un, dans la tête, dans le dos.

Pourquoi ce général avait-il donné cet ordre ?

Cette mission furtive ne devait pas se dérouler de cette manière. Un ou deux militaires pourraient être blessés, mais ils devaient tous revenir vivants et glorieux.

Au lieu de cela c'est une mission suicide d'où un seul militaire en est sorti vivant.

Le général ne pouvait qu'assister à ce massacre sans comprendre ce qu'il se passait. Il n'avait aucun visuel, juste les radios pour entendre et suivre les événements.

L'opération fut vraiment furtive car elle ne dura que quatorze minutes.

Comment pouvait-il alors expliquer ces quatorze petites minutes où il a perdu autant d'hommes ?

Quelle armée pouvait être autant préparée et renseignée pour déjouer aussi facilement son plan d'attaque ?

C'est certains qu'il aurait des comptes à régler.

Il avait agi bêtement, la colère et l'humiliation lui on fait prendre la mauvaise décision. Il ne s'était pas conduit en général à ce moment-là mais en imbécile.

Lorsque plus aucune radio n'a émis de conversation, que tout était fini, sans un mot, il se retira et sortit pour s'isoler.

Que devait-il faire maintenant ? Allait-il être renvoyé de l'armée, jugée pour trahison ?

Devait-il laisser Zéon gagner ? Au fond était-il plus fort que lui ?

S'il avait vaincu cette première bataille aussi facilement de quoi d'autre était-il capable ?

Peut-être qu'il fallait répondre à ces attentes et lui accorder cette nation ? Mais ne serait-ce pas que le début et qu'ensuite il en voudrait plus et déclarait la guerre aux autres pays ?

Il ne revient finalement dans la tente qu'une heure trente plus tard.

Chapitre 65
Le passage par la falaise

Myriam avait raison, il y avait effectivement un passage qui n'était pas sécurisé.

Peu de monde le connaissait, il fallait être du pays pour qu'un parent, un frère ou un ami très proche vous le fasse découvrir.

Surtout que pour l'atteindre il fallait traverser plusieurs près d'agriculteurs et surtout les terres du domaine de châtelain.

Le château pourrait bien tomber en ruine petit à petit mais les murs de clôture eux étaient en bon état et le comte et ses employés veillaient bien à ce que personne ne passe chez lui.

Mais il devait ignorer qu'il y avait un passage sur une de ses terres qui permet de pénétrer sur le domaine.

Il fallait d'abord descendre par la route à côté de la vieille église, puis passer par le petit chemin dans les bois.

Ensuite, au lieu de continuer par le sentier principal, il faut passer sur la droite à côté du vieux chêne.

Le sentier n'est pas visible car il n'est quasiment jamais emprunté par personne, et la végétation repousse par-dessus. Quand on dit qu'il faut être du pays pour connaître ce chemin.

Ensuite il faut s'enfoncer loin dans les bois, on pourrait se perdre facilement ou tourner en rond.

Au bout de 10 minutes de marche dans la forêt se trouve une petite rivière qu'il faut alors suivre dans le sens de la descente.

Encore 10 minutes puis c'est là que se trouve le passage pour entrer sur le domaine.

C'est un vieux pont en pierre totalement abandonné, il devait sûrement servir aux bonnes pour venir laver leur linge car il menait tout droit vers les ruines de ce que l'on pourrait imaginer être un lavoir.

Ce lavoir devait sûrement être très ancien et construit bien avant celui du cœur du village qui était alors à ce moment utilisé également par les gens du château car beaucoup plus proche et accessible.

C'était donc réellement le seul point d'entrée sur le domaine.

Ensuite, il fallait rejoindre le château, longer les écuries en toute description puis passer par le verger derrière le château pour atteindre les bois de celui-ci.

Heureusement pour Myriam et l'inspecteur, il n'y avait pas de festivités, d'événements ou de parties de chasse prévues à ce moment car sinon cela aurait eu beaucoup de monde.

Mais la route était loin d'être terminée pour les deux compères car il fallait ensuite atteindre la falaise.

Encore une bonne demi-heure de marche à travers la forêt, puis ils arrivèrent presque à destination.

Ils étaient tout en haut de la falaise et le site du cratère se trouvait juste en dessous à une centaine de mètres.

Toute cette partie-là n'avait pas besoin d'être sécurisée par les militaires car il était quasiment impossible de déployer une section ici.

— Alors qu'elle est ton plan maintenant Myriam, on va descendre en rappel ?

— Impossible, la falaise est trop raide pour pouvoir poser un cordage et descendre en toute sécurité.

— Mais alors par où allons-nous accéder ?

— Hé hé, vous êtes impatient Mr L'inspecteur.

— Je vous ai montré un point sur la carte. C'est un point que peu de monde connaît, mais non loin de là il y a une grotte. En faisant un peu de spéléologie et en empruntant les bons couloirs, on peut traverser la falaise et descendre tout en bas.

— D'accord, je comprends mieux alors pourquoi tu avais besoin de corde. Tu te rappelles tous les couloirs, tu es sûr de ne pas nous perdre ?

— Pas de soucis, Mister, J'ai parcouru ces galeries des dizaines de fois quand j'étais ado, c'est un peu d'exercice et il ne faut pas avoir le vertige, mais nous serons vite en bas. Le plus dur ensuite sera de rejoindre le QG en toute discrétion.

Et c'est alors qu'il s'apprêtait à descendre que Mr Robinson les contacta pas leur canal sécurisé et leur expliqua le massacre qu'il venait de se dérouler.

Myriam ne pouvait pas croire ce qu'elle venait d'entendre.

— Des sanguinaires, ce sont des sanguinaires ! s'exclama-t-elle avant de se mettre à pleurer en pensant à tous ces militaires qui venaient de perdre la vie.

Elle aurait voulu renoncer à ce moment-là, s'enfuir et quitter ce monde de fou. Laisser derrière elle toute cette histoire.

L'inspecteur lui-même voulait la persuader de rebrousser chemin.

De retourner près de sa famille et des siens.

Zéon lui avait fait plus de mal que l'on puisse en supporter. Il voulait la remercier pour l'aide précieuse qu'elle venait de lui apporter et continuer cette aventure tout seul.

Mais elle était déterminée à se venger et, plus que tout, sauver Viviane.

Ils prirent alors un moment pour revoir leur stratégie, puis s'engouffrèrent dans la grotte.

Chapitre 66
Le QG de Zéon

Zéon sait qu'il a perdu la première bataille.

Il n'a pas pu conquérir ce monde car un simple inspecteur est venu se mêler de ses affaires.

Tout ce qu'il avait construit, il l'a fait pour eux.

Les humains de cette planète veulent plus de richesses, plus de loisirs, plus de bonheur.

C'est ce qu'il leur a donné.

De la drogue pour le bonheur.

Des nouvelles technologies pour les loisirs.

Beaucoup, beaucoup d'argent à ceux qui en voulaient encore plus.

Mais apparemment, ce n'est pas comme cela que ce monde fonctionne car il y a des gens ou des esprits pour juger.

La drogue n'est qu'une façon de s'échapper de la réalité car la vie est difficile.

Les nouvelles technologies nous gratifient quand on peut se les acheter.

Et avec l'argent on a tout.

Il avait apporté tout cela à ce monde alors que dans son monde à lui il n'était qu'un militaire qui avait fait des conquêtes.

Et bien qu'il en soit ainsi, militaire il était, militaire il restera toujours.

Il avait rapidement pu repousser la première offensive.

Il savait que le général Buffard ne s'arrêterait pas à cela.

Qui aurait pu prévoir un tel retournement de situation ?

Qu'un simple site d'observation devienne un QG d'un nouvel État révolutionnaire.

Mais Zéon avait toujours un coup d'avance et celui-ci était son plan B.

Il ne pensait pas le mettre en exécution un jour car il pensait ce monde très faible et que personne ne se serait interposé.

Dans ces phrases de prospection chez ETC, il s'était acharné pour avoir des contrats avec l'armée, surtout pour « Sécuriser » cette zone.

Il a donc pu fournir du matériel pour les recherches et aussi des militaires

Peu importe la section qu'on lui fournirait, ces hommes-là aussi il savait qu'il pourrait les convertir à sa cause.

Et c'est exactement ce qu'il a fait. Comme il venait régulièrement suivre les avancés des recherches, il a pu les rencontrer un par un et les préparer à changer de camp.

Et une fois qu'il était prêt, il leur faisait un cadeau.

Comme pour Léo et ces autres associés, il avait pu ramener avec lui des puces contenant les esprits de ses combattants.

C'était la plus redoutable armée de l'autre monde, ils lui étaient fidèles et s'étaient battus jusqu'à leurs morts lors de la grande bataille où il avait tenté son coup d'État raté.

Ils avaient tous péri car les autres clans malgré leurs désaccords s'étaient unis contre eux.

L'armée présente était donc bien devenue la sienne maintenant.

Malgré que ces nouveaux soldats avaient la loyauté et la volonté de combattre à ses côtés, ils n'avaient malheureusement que la force physique de leurs hôtes.

Ils pourraient repousser quelques assauts du général, mais quand la guerre prendra plus d'ampleur, ils seront terrassés.

Zéon ne voulait surtout pas perdre une nouvelle fois la guerre et pour cela il avait un allié important.

Cet allié c'était Zork, Le grand et puissant général de Neptune, mais de l'autre Neptune.

Finalement, quand il s'était enfui, que le portail s'était ouvert en détruisant son monde, les autres planètes n'avaient pas disparu.

Zork était l'ennemie jurée de la république, il avait continué les grandes guerres de ses ancêtres. Zéon lui-même avait été missionné pour le combattre.

Mais finalement il avait été contraint d'accepter la grande alliance qui stoppa toutes les guerres car il avait perdu énormément de soldats et l'issue était trop incertaine pour lui.

Il ne s'en était donc jamais remis, et l'explosion de la terre avait alors redistribué toutes les cartes.

Il pouvait maintenant reprendre la guerre et conquérir la galaxie.

Mais il ne s'était jamais attendu à ce que Zéon le recontacte d'une autre galaxie.

Il le pensait mort depuis longtemps.

Il ne pouvait surtout pas refuser le nouveau pacte qui lui était proposé.

Il allait l'aider à conquérir la galaxie, mais avant cela il lui offrait une nouvelle planète avec de nombreux habitants qu'il pouvait enrôler dans son armée.

La seule chose que souhaitait Zéon c'était le laisser gérer ce nouveau monde qu'il lui proposait.

C'était l'équipe de Yohan et tous les scientifiques qui étaient arrivés à établir cet exploit.

Les scientifiques eux n'avaient pas été convertis, ils pensaient qu'ils effectuaient des recherches simples, mais Yohan ayant tout organisé avait morcelé les équipes de recherche de sorte que personne ne connaissait le plan dans la totalité.

Même les autorités qui suivaient les recherches n'avaient vu que du feu.

Certains analysent les fragments de sols avec les outils d'ETC qui donnaient des résultats qu'ils ne pouvaient interpréter.

En réalité ce que cherchait Yohan c'était de comprendre, d'analyser et surtout de maîtriser le portail.

Grâce à celui-ci, ils pourraient alors voyager entre les différents univers.

La première victoire avait été de pouvoir communiquer. Il leur a fallu de nombreux mois de recherche et d'expérimentation pour créer le premier transmetteur. Mais ce premier pas ouvrait la voie à toutes les autres recherches.

Après un signal transmis entre les mondes, ce serait de la matière, puis des végétaux, des animaux et des humains.

Et enfin toute l'armée de Zork pourrait venir, commencer par terrasser le général Buffard puis toutes les armées du monde.

— Alors Yohan où en est-on ?

— À soixante-trois pour cent de chance de réussite, on continue d'affiner les algorithmes, mais il reste encore beaucoup de variables à définir et affiner.

— Soixante-trois pour cent ? Ce n'est pas suffisant. Sur ce coup-ci, on aura qu'une seule chance, on ne peut pas la louper, car sinon on perd tout et jamais, oh oui jamais je ne retournerais en prison.

— Moi non plus, Zéon, on avance, on avance.

— Très bien, fais de ton mieux, Yohan, je te fais confiance.

Chapitre 67
Les grottes

L'inspecteur et Myriam avaient franchi la plus grosse partie des grottes, il ne leur restait que le passage le plus difficile qui était la descente de la plus grande fissure.

Myriam connaissait bien toutes les cavités et les différents passages, mais il n'y avait malheureusement que celui-ci pour arriver tout en bas.

La première fois qu'elle l'avait franchie, elle n'avait que 14 ans, c'était pour elle un défi qu'elle s'était lancé. Elle voulait connaître chaque recoin et espérait faire une découverte aussi grande que les grottes de Lascaux.

Elle avait vraiment été imprudente car elle était descendue qu'avec une simple corde, sans harnais, casque ou gants, et surtout sans prévenir personne.

Elle aurait pu faire une chute, rester coincée et finalement mourir ici sans que personne ne la retrouve.

Même si elle ne l'a jamais raconté à personne, elle a bien cru qu'elle allait y passer. Aux trois quarts de la descente, un rocher s'est décroché l'entraînant ainsi dans une chute vertigineuse.

Heureusement pour elle le passage se resserrant vers le bas, elle a pu effectuer un mouvement de rotation et ralentir la chute en calant un pied contre chaque mur.

Le choc contre le sol en fut alors beaucoup moins violent. Elle a cru malgré tout s'être cassé la hanche à ce moment.

Fort heureusement la sortie n'était qu'à une dizaine de mètres sans de nouveaux obstacles à franchir.

Cette malheureuse expérience la traumatisera à vie. Elle n'imaginait pas perdre la vie si jeune et s'en était voulu de s'être lancée dans cette descente sans prendre plus de précautions.

Se souvenir remonta alors tout de suite à la surface quand elle se trouve au bord du précipice.

Jamais elle n'aurait voulu refaire cette descente mais elle n'avait pas le choix, d'autant plus qu'elle n'était pas seule, en plus de sa sécurité elle devait assurer celle de l'inspecteur.

C'est donc après s'être bien assuré d'avoir accroché les cordes correctement, vérifié trois fois le matériel qu'ils entreprirent la descente.

Myriam bien sûr était devant pour chercher les meilleurs passages et guider l'inspecteur.

Au trois quarts de la descente, elle revit le passage d'où elle était tombée la première fois.

Elle le reconnut sans hésitations, son souvenir revenu instantanément, ce qui la désorienta et lui fit presque perdre appui.

Heureusement, cela ne dura que quelques secondes, l'inspecteur ne s'en rendit même pas compte.

Finalement, la descente se déroula bien mieux que prévu.

L'inspecteur et elle arrivèrent tout en bas sans encombre.

Peut-être était-ce l'âge où la maturité qui change notre perception des choses mais dans ses souvenirs cette descente semblait presque insurmontable alors qu'en réalité il ne faut qu'une trentaine de minutes pour arriver en bas.

Ils ne leur restaient alors plus qu'à sortir de la grotte, rejoindre le camp, trouver un moyen d'entrer puis sauver Viviane.

— Bravo, Mr l'inspecteur pour cette descente.

— Merci à toi Myriam, tu as bien gérer, dans d'autres circonstances j'aurais aimé faire ce genre de randonnée avec toi plus souvent.

— Qui sait, une fois toute cette histoire terminée, nous pourrons peut-être organiser cela.

— Oui, pourquoi pas, mais continuons, ne perdons plus de temps, je m'inquiète pour Viviane.

Ils reprirent alors leur route vers la sortie, mais alors qu'il ne leur restait plus que 5 mètres, l'inspecteur trébucha sur une pierre, il tenta de s'accrocher à une racine qui pendait juste à côté, mais celle-ci se déroba en décrochant une partie de la terre et provoqua un effondrement.

L'inspecteur tomba à terre, une bonne partie de la terre le recouvrit et surtout une pierre imposante chuta et lui atterrit directement sur la jambe droite.

Celui-ci cria alors, il voulait être discret, mais la surprise, le choc et la douleur insupportable l'empêchèrent de se retenir.

— QUI EST LA ? s'écria alors un militaire qui gardait l'entrée.

Que faisait-il ici ? Myriam et l'inspecteur n'auraient jamais imaginé que Zéon place des hommes aussi ici.

S'ils entraient, ils seraient foutus.

L'inspecteur n'aura sûrement pas le temps de se dégager.

Celui-ci prit son arme, la tendit à Myriam et lui fit signe d'aller se cacher.

C'était lui qui aurait dû intervenir et maîtriser les gardes, mais dans cette situation il ne pouvait malheureusement rien faire.

Il se rendrait au garde en espérant que dans les meilleurs des cas il soit fait prisonnier, mais il devait protéger Myriam.

Les deux militaires entrent alors dans la grotte. Des lampes fixées sur leur casque illuminent alors celle-ci.

Leurs mitraillettes armées et pointées en avant, ils avancent prudemment.

Myriam ne devait surtout pas tirer à ce moment-là car même si elle en abattait un, l'autre riposterait à tous les coups.

Elle avait malgré tout eu le temps de se réfugier derrière un rocher et armé le pistolet de l'inspecteur.

Les deux militaires se séparent alors.

Le premier se dirige vers le tas de terre et l'inspecteur alors que le deuxième continue son chemin vers le rocher.

Il le contourne et se trouve alors face à face avec Myriam.

Elle n'a que trop attendu, elle doit agir et tirer la première.

Mais malgré sa détermination, elle ne peut appuyer sur la gâchette.

Comme si une force surhumaine la retenait.

Il reste alors planté là, tourne la tête de gauche à droite pour observer les moindres recoins, puis fait demi-tour et rejoint son coéquipier.

L'inspecteur lève les bras pour se rendre.

Les deux militaires baissent alors leurs armes. Le premier s'accroupit pour étudier le tas de terre puis s'exclame :

— Etrange, c'est sûrement un animal qui est passé par là et a provoqué un effondrement.

— Oui, tu as raison, rien à signaler.

— Nous pouvons partir.

Et c'est à ce moment-là que leur radio retentit.

— Unité 23, nous avons besoin de vous. Abandonnez votre position et revenez tout de suite au camp.

— À vos ordres, répondirent-ils en cœur.

Une fois les soldats loin, Myriam revint et pu libérer l'inspecteur.

— Que vient-il de se passer inspecteur ?

— J'avoue que je ne comprends pas.

Autant pour la radio j'ai bien reconnu la voix de Mr Robinson : Je pense qu'il a détecté les agents et les renvoyer, mais pourquoi ne m'ont-ils pas vu ?

— Idem pour moi, le militaire était juste en face de moi avec mon pistolet pointé sur lui, j'allais tirer, mais je n'ai pas pu et il a rien dit et est parti ?

— Il se passe tellement des choses étranges dans cette histoire, je n'en suis presque pas étonné mais nous aurons sûrement l'explication plus tard.

Myriam dégagea alors l'inspecteur du tas de terre et en s'aidant d'un bâton pour faire levier elle put enlever la pierre.

Heureusement, l'inspecteur n'avait rien de cassé, la terre qui s'était accumulée entre sa jambe et la pierre avait fait tampon, et ne lui avait donc pas brisé les os.

Ils attendirent alors le départ des soldats, s'assurèrent qu'il n'y avait plus personnes et purent reprendre leur route.

Chapitre 68
Le club des médiums

S'il y avait une chose dont on pouvait dire que Zéon avait réussi, c'était bien de se faire des ennemis.

Dans son ascension, beaucoup le soutenaient, comme les préfets et politiciens qu'il avait achetés.

Les mafieux dont il avait acquis les territoires et qui malgré tout s'étaient ralliés.

Les dirigeants de ETC dont l'action avait plus que triplé en peu de temps.

Tous le soutenaient et croyaient en lui, mais il est bien évidemment qu'il n'entraînera bien sûr personne avec lui dans sa chute.

Finalement ils s'étaient bien enrichis grâce à lui et ne voulaient surtout pas perdre leurs acquis ne serait-ce que pour le soutenir un petit peu.

Il y a bien une personne qui ne l'a jamais soutenu et qui était peut-être son pire ennemi c'était le fils de Mr Filippetti, l'inspecteur du fisc.

Il n'avait rien contre lui au départ, mais lorsqu'il s'en est pris à son père, tout avait changé.

Il ne pouvait expliquer comment c'était possible et malgré qu'il connaissait et maîtrisait ses pouvoirs de médium, il ne comprenait pas comment il avait pu ressentir la mort de son père.

Il était là lui aussi lorsque Zéon et Viviane sont entrés en lui.

C'était peut-être toute cette alchimie ou la puissance de Zéon qui l'a attiré et connecté à ce moment-là.

Personne ne le voyait ou le ressentait, mais il était là et ne pouvait pas intervenir.

C'est donc impuissant qu'il vécut cette tragédie.

Il était là quand son père a pu capturer Zéon tout en éjectant Viviane.

Et puis, quand Zéon a pu se libérer et finalement le tuer.

Et c'est ensuite, telle une aura qui assiste à une scène en survol, qu'il voit comment Zéon s'est échappé des locaux et s'est débarrassé du corps de son père.

Il n'était pas vraiment proche de son père car il y avait beaucoup de distance entre eux.

Son père, qui était droit et strict, n'avait jamais réellement joué avec lui ou partagé des moments forts.

Malgré cela il l'aimait et le respectait car il lui a tout appris et a fait de lui l'homme qu'il était devenu aujourd'hui.

Même si son père ne lui avait jamais dit, il savait qu'il était fier de lui.

Il devait alors faire quelque chose.

C'était de son devoir de participer à cette guerre contre cet être abject qui se permettait de prendre des vies impunément.

Il ne pourrait pas combattre physiquement car il n'avait rien d'un combattant.

Sa force à lui était tout autre, elle était psychique.

Tout comme son père lui aussi pouvait s'introduire dans les personnes.

Mais alors que son père ne pouvait que lire les pensées, lui pouvait également les modeler à sa façon.

Ce don supplémentaire, il devait sûrement le tenir de sa mère qui n'était pas médium ou autre mais était une grande oratrice et savait mener le monde à sa baguette.

En vivant avec elle et en l'observant, il a pu faire évoluer son pouvoir dans ce sens-là.

Il l'avait expérimenté petit sur ses professeurs ou ses camarades de classe pour obtenir de meilleures notes ou des faveurs.

Puis en grandissant, il l'avait un peu mis de côté car il ne trouvait pas cela juste.

Il voulait être jugé sur ce qu'il était réellement.

Mais il se devait d'intervenir, alors, quand l'opération au cratère a débuté, il entra lui aussi en guerre.

Il débuta par une première phase d'observation.

Il devait définir qui étaient les véritables ennemis, quels étaient leurs points forts et les points faibles et comment il pouvait les combattre ou les affaiblir.

Il a donc commencé par le personnel et les scientifiques, en peu de temps et en les « Parcourant » il comprit qu'elle était réellement leurs missions sur le site.

Il comprit que ce n'était que des pions inoffensifs dans cette histoire. Qu'ils ne seraient pas une menace et qu'il fallait au contraire les protéger.

Il passa ensuite dans les soldats avec beaucoup de prudence car il redoutait que ce soient des agents de Zéon ayant les mêmes pouvoirs que lui.

Il ne tenait vraiment pas à se faire remarquer.

Il chercha alors de soldats isolés qu'il pourrait persuader à s'entretuer si jamais il était démasqué.

Et c'est totalement par simple coïncidence qu'il choisit les deux militaires qui surveillaient la grotte.

Zéon et ses hommes, qui étaient plutôt prévoyants, ne voulant laisser aucune chance à l'ennemi, avaient donc fait surveiller chaque entrée, même celle qui n'avait aucune chance d'être utilisée.

Quand il entendit à travers les oreilles du premier soldat l'éboulement, il se doutait alors que quelque chose se préparait et qu'il devait intervenir.

Cela lui demanda un maximum de concentration car s'il voulait réussir cette mission-là, ce n'était pas une mais deux personnes qu'il devait contrôler et cela il ne l'avait jamais fait.

Il devrait être perspicace, anticiper leurs réactions et actions afin de façonner la réalité.

Ce qu'il n'avait malheureusement pas pu anticiper c'est que Myriam, elle, serait cachée et prête à faire feu.

Il n'en est pas certain, mais il se doutait que si l'hôte dans lequel il se trouvait mourait brutalement, il ne pourrait pas sortir et subirait également le même sort.

Heureusement pour lui, elle ne tira pas et il put ainsi la gommer du champ de vision du militaire.

C'est également de cette manière qu'il a pu dissimuler l'inspecteur en jonglant entre les deux cerveaux.

Heureusement que le quartier général les avait appelés à ce moment-là car cet exercice l'avait épuisé, il n'aurait pas pu tenir encore quelques instants de plus, tant et si bien qu'il finit par s'évanouir.

Ce n'est qu'au bout de dix minutes qu'il se réveilla au son d'une voix qui lui était familière.

— Alors cousin, ça va mieux ? On part à l'aventure sans moi ?

— Sophie, mais qu'est-ce que tu fais là ?

— Comment ça idiot, tu ne la pas sentie ? Je t'ai sauvé la vie. À ton avis pourquoi elle n'a pas tiré ?

— C'était toi ? J'ai bien ressenti qu'elle allait le faire, mais je ne savais pas ce qu'il l'avait retenu ?

— T'as oublié que l'on est liée toi et moi, j'ai senti que tu partais en expédition, je t'ai rejoint dans l'aventure.

— Félicitations pour ta prouesse de contrôler deux personnes en même temps. Pendant que tu faisais cela, j'ai observé la grotte, pour écarter tout danger et c'est grâce à cela que j'ai vu ce qu'elle allait faire et l'arrêter à temps.

— Super, merci pour tout.

— Alors, qu'est-ce qu'on fait maintenant ?

— C'est grave ce qu'il est en train de se passer, je n'ai pas encore tout le plan en tête, mais ces soldats, ils ne sont plus humains ?

— Comment ça, ce n'est pas possible !

— Si je te jure c'est effrayant.

C'est comme s'ils étaient deux esprits dans un même corps. Il y a à la fois l'esprit de l'humain de base qui était là en premier et un invité, un autre esprit.

Je ne sais pas d'où ils viennent mais ils sont superpuissants et prennent le contrôle de leurs hôtes.

— Mais c'est effrayant ça et on va pouvoir faire quelque chose ?

— Oui, on va devoir les affronter, c'est une guerre vraiment spéciale qui se prépare, mais on va avoir besoin de renfort.

— Tu veux dire que tu penses aux ?

— Oui, oui le club des médiums, on doit se réunir et intervenir.

Le club des médiums, c'est comme cela qu'ils s'étaient surnommés quand ils étaient jeunes.

Étant petits, les deux cousins s'étaient vite rendu compte qu'ils avaient ce type de pouvoirs.

C'étaient leurs petits secrets car ils ne savaient pas si c'était un don ou un défaut.

Ils ne devaient donc en parler à personne.

C'est lors d'un repas de famille, alors qu'ils étaient à table et s'ennuyaient, c'est lui qui pensait très fort.

— Qu'est-ce que l'on s'ennuie !

Et sans savoir comment il entendit :

— C'est clair !

Il comprit alors instantanément en la regardant que c'est elle qui venait de lui répondre.

Ils ont alors ensuite égayer ces repas tout en développant leur pouvoir en écoutant les pensées des hôtes, et surtout en leur suggérant des phrases.

Une fois cela a même failli déraper car elle avait suggéré une mauvaise phrase qui avait fait ressortir de vieilles querelles.

Ce n'est que bien plus tard, vers la fin de l'adolescence qu'ils ont peut rencontrer d'autres personnes comme eux, avec des pouvoirs plus ou moins similaires.

Ils ressentaient et savaient qu'ils pouvaient se faire confiance.

C'est donc un peu de cette manière-là qu'ils ont pu fonder ce club.

C'est d'ailleurs le seul club au monde qui n'a ni locaux ni statut, ni même organisé aucune rencontre physique.

Avec le temps, le nombre de membres avait atteint la vingtaine.

Ils se rassemblaient mentalement certains vendredis soir ou chacun partageait ses expériences, ses nouveaux dons ou des anecdotes.

Ils parlaient entre eux, ils se demandaient des conseils ou des avis sur des situations du quotidien.

Et c'est donc tout naturellement qu'il pensa à eux.

Jamais leur club n'avait eu d'utilité jusqu'à maintenant.

Ils s'étaient fait la promesse de ne jamais utiliser leurs dons pour de mauvaises choses.

Par contre là c'était l'occasion de faire le bien, d'aider à sauver le monde à leur manière.

Tous l'ont compris, et tous sont venus.

Et tous étaient prêts et allaient participer à cette guerre.

Chapitre 69
Première intervention

— Alors tout est prêt ? demanda Zéon au sergent prêt de lui dans le QG.

— Oui mon général, ils vont bientôt tenter une offensive mais nous les attendons de pied ferme.

Effectivement le général Buffard ne s'étant pas remis de la tentative de négociation avait prévu de lancer une attaque éclair.

Il ne souhaitait pas se précipiter, mais ne voulait pas pour autant laisser trop de temps à Zéon et ses armées pour se préparer.

Il fallait lancer plusieurs attaques coordonnées à des endroits stratégiques afin de pouvoir les surprendre et entrer dans le camp.

Les observateurs avaient donné des indications très précises sur les positions des troupes ennemies et les entrées possibles.

Le général et ses subordonnées avaient alors pu définir les points d'attaques et l'opération pourrait alors commencer.

Toutes les différentes troupes s'étaient positionnées à leur point de départ.

Le compte à rebours débute et le Go est transmis par radio aux différentes sections.

Des tireurs d'élite surveillaient la section la plus éloignée qui devait tenter de rentrer par l'arrière du camp.

Le premier commando s'approche alors près du grillage.

Deux soldats commencent alors à le découper rapidement pour créer une porte.

Rien ni personne ne bouge, le premier soldat bouclier pénètre alors et se met en position pour protéger les autres.

Aucune alerte ni information des tireurs d'élite.

Ils peuvent alors continuer de progresser en toute discrétion dans le camp.

Ils sont surentraînés et n'ont pas besoin de se parler pour savoir qui doit faire quoi et comment ils doivent avancer.

Ils arrivent alors devant une vieille bâtisse, ils ont beau être éloignés, les tireurs d'élite assurent encore leur protection.

Jusqu'à maintenant tout va bien, se dit alors le chef de l'escouade.

Cette bâtisse ferait par contre un point stratégique pour une embuscade, il y a fort à parier qu'ils se sont positionnés là.

Alors qu'Il fait alors signe à sa troupe d'encercler et de sécuriser le bâtiment, un premier coup de feu retentit.

Il provient d'une des fenêtres ouvertes à l'étage.

En l'espace de quelques instants, ils se mettent tous à l'abri.

Un message du tireur d'élite.

— Ils sont trois à étages et deux au rez-de-chaussée. Pas de mouvement autour.

— C'est OK.

À ce moment-là, ils savent tous qu'ils doivent intervenir rapidement afin de ne pas se faire tirer comme des lapins.

Ils ne sont qu'à quelques mètres des différentes entrées, il faut intervenir.

Deux soldats par l'entrée principale, trois par la porte de derrière.

Il fait très sombre et l'intervention se déroule très rapidement en l'espace de trois minutes trente.

Ceux qui sont passés par devant ont rapidement pu abattre les ennemis du rez-de-chaussée, alors que la troupe qui a pénétré par-derrière est vite montée tuer deux des trois terroristes.

Le troisième lui étant abattu par les tireurs d'élite.

Ça s'est un plan qui s'est déroulé sans accrocs, se félicite alors le chef avant d'être interrompu par un des sergents.

— Chef venez voir, je ne comprends pas.

Il se penche alors vers le terroriste allongé par terre pour se rendre compte alors avec horreur que ce n'est pas un soldat, mais un civil.

Il a la bouche scotchée, les mains liées et attachées à un fusil.

— Comment ça, c'est quoi ce délire ?

— Ils sont tous comme ça.

Saisi d'effroi, il appelle alors les tireurs d'élite.

— Putain mais qu'est-ce que vous avez foutu, pourquoi vous nous avez pas prévenus que c'étaient des civils ?

— He ben mon pauvre gars, t'es vraiment un militaire de pacotille, pourquoi tu m'a cru, tu t'es pas dit que c'était peut-être pas ton véritable tireur d'élite à qui tu parlais ?

Il n'eut pas eu le temps de répondre qu'il entendit des coups de feu par la radio.

Il s'imagina alors à ce moment qu'il était tombé dans un piège et que les véritables tireurs d'élite venaient de se faire abattre.

Juste le temps de crier – Fuyez que la bâtisse explosa.

C'en était fini pour cette section et les tireurs d'élites qui les surveillent.

C'était effectivement une embuscade, pas pour les commandos d'interventions, mais les tireurs d'élite.

Ce sont eux qui sont tombés dans le piège de se positionner exactement à l'endroit prévu par l'ennemi.

Il ne fallut pas longtemps au commando ennemi pour tous les abattre, et prendre leurs places.

L'intervention du côté est ne se déroula pas mieux, les militaires entrèrent exactement de la même façon, mais c'est dans les bois qu'ils disparurent.

La forêt étant très dense, il ne pouvait bénéficier d'une assistance d'une troupe de tireurs d'élite.

Et c'est en avançant en file indienne que l'attaque s'est produite.

Ce fut d'abord le dernier qui tomba, un ennemi surgissant de nulle part le saisit par-derrière et tout en l'empêchant de crier lui trancha la gorge, avant d'entraîner son corps dans un buisson.

Trente secondes plus tard, lorsque celui qui le précédait se retourna juste pour faire un état de lieu et surpris qu'il manquait son coéquipier fut poignardé par un autre ennemi.

Cette seconde attaque faisant plus de bruit, la troupe s'arrêta alors net et se retourna.

Mais d'un seul coup et en une seule détonation c'est tous qu'ils reçurent une balle entre les deux yeux.

Comme s'il y avait cinq tireurs et qu'il avait appuyé exactement au millième de seconde près sur la détente.

Une deuxième troupe abattue sauvagement sans qu'il ne comprenne ce qu'il se passe ou puisse même se défendre

Pour l'entrée principale, le général avait prévu les gros moyens et c'est deux chars d'assaut qui devaient faire tomber la grille et foncer jusqu'au QG.

Mais alors qu'ils se dirigeaient en direction de l'entrée il y eut comme une sorte d'éclair qui les stoppa net.

Le second éclair lui les fit voler en éclat en quelques secondes.

Ce fut donc un massacre similaire pour toutes les troupes.

Aucun des douze commandos qui avaient été envoyés ne put réussir leurs missions.

Pour chacun d'entre eux, l'ennemie était là, exactement au bon endroit.

Ils les attendaient, savaient comment ils allaient agir et les ont exécutés en ne leur laissant aucune chance.

— Une exécution !

C'est l'expression qu'avait utilisée le général qui avait suivi l'action à l'entrée principale sans se douter que c'est exactement ce qui s'était passé dans tous les points d'attaques.

Ils savaient, ils devaient savoir, ils devaient être au courant des plans pour se préparer et leur tendre de telles embuscades.

Comment l'avait-il su ?

Le général avait expressément demandé à chaque troupe de ne pas communiquer par radio.

Il se doutait que l'ennemie devait écouter les conversations, et ne souhaitait pas qu'il puisse entendre les ordres.

La seule communication serait le go de départ de mission.

Mais c'est bien l'ennemi lui-même qui a saisi les radios des troupes et les a expressément allumées.

Ils voulaient que le poste de commandement écoute ce qu'ils se passent.

Qu'ils entendent les cris, les bruits des mitraillettes, les détonations et les exécutions.

Le général et ces adjoints n'ont alors pu qu'assister impuissant au massacre.

Et quand tout fut fini, le général ni même personne n'osa dire quelque chose.

Il se retira alors dans sa tente sans attendre le rapport des troupes de secours.

Comment avaient-ils pu anticiper et préparer des contre-attaques pour chaque troupe qu'il a envoyées ?

Y avait-il un espion parmi ces hommes ? Et quand bien même, à quel moment aurait-il pu transmettre toutes les informations ?

Pourquoi les militaires sur le camp s'étaient retournés contre l'état français et abattent froidement leurs véritables confrères ?

Toutes ces questions sont tournées et retournées dans la tête du général.

S'il avait pu rebondir, se remettre en question et préparer l'offensive suite à la première attaque pour celle-ci par contre il ne put l'accepter.

Le général espérait finir sa carrière sur un coup d'éclat. Une belle mission qu'il aurait réussie avec honneur et fierté.

Dans son cas, c'était tout le contraire. Il termine sur un échec, une mission suicide où il a conduit ses troupes à se faire massacrer.

Jamais il n'aurait pu vivre avec la mort d'autant de soldats sur la conscience.

Il s'assoit alors à son bureau et prend le temps de rédiger une lettre de plusieurs pages.

Cette lettre est adressée à sa famille.

Puis naturellement de par sa carrière de militaire, il range son bureau afin que tout soit carré.

Il se lève, remet sa veste, enlève ces décorations qu'il repose sur son bureau.

Puis il se rassoit, ouvre son tiroir, sort son pistolet, le point sur sa tape et tire.

Il s'est suicidé car il devait assumer ses responsabilités, il les avait menés à leurs pertes, il devait en subir les conséquences et mourir avec eux.

Chapitre 70
Le plan de l'inspecteur

Le plan de l'inspecteur était simple, il n'en avait pas.

Pendant tout le trajet entre l'appartement de Viviane et le cratère, il était dans l'ambulance avec son corps.

Il avait tenté tous les moyens pour la ramener, mais il savait que son esprit n'était plus là.

Dans leurs échanges, Viviane lui avait décrit précisément comment se déroulait le moment où elle entrait dans la tête des personnes.

Notamment l'épisode où ils étaient dans l'inspecteur du fisc et que celui-ci avait capturé Zéon.

Il en avait donc la certitude, si Viviane semblait être dans le coma, c'est qu'elle avait dû entrer dans Zéon et qu'il l'avait capturé exactement de la même manière.

Sa seule chance de la ramener alors était de lui parler, de lui insuffler la force nécessaire pour se libérer du piège de Zéon.

Et cela, il ne pouvait le faire qu'en étant à proximité de son esprit, donc de Zéon.

À côté de son corps, cela ne pouvait fonctionner car il était hermétique à toute sollicitation extérieure.

Son but était alors de s'approcher le maximum de son ravisseur, tenter de l'immobiliser par tous les moyens et lui dire quelques phrases directement dans l'oreille.

L'issue était vraiment incertaine, mais c'est la seule partie de son plan qui était vraiment plausible.

Pour le reste c'était le flou total.

Il avait agi dans la précipitation et voulait réfléchir à celui-ci en cours de route, mais il n'avait pas suffisamment de données.

C'était certainement une mission suicide, mais peu importe, il devait la sauver.

Il ressentait quelque chose de très fort pour elle. De tellement fort qu'il était prêt à donner sa vie pour sauver la sienne.

Finalement là où il s'en voulait c'était d'avoir entraîné Myriam avec lui. Il aurait dû insister pour ne pas qu'elle le suive ou jusqu'à l'entrée des grottes.

Pour elle aussi il s'en voudrait si elle lui arrivait quelque chose.

Mais il appréciait son entêtement, son caractère et sa manière dont elle lui avait forcé la main pour venir.

D'une certaine manière, elle lui rappelait sa jeune sœur qui pouvait être pénible à certains moments.

Il ne comptait pas les fois où ils s'étaient disputés pour des choses sans importance.

Cette pensée le réconfort quelques instants car il l'aimait profondément avant d'être interrompu par Myriam.

— Inspecteur, vous rêvez ou quoi ? On arrive au QG.

— Non, je réfléchissais, répondit l'inspecteur.

Peut-être que tu devrais faire demi-tour ? Ça devient risqué maintenant peut-être que nous ne nous en sortirons pas.

— À commencer pas, inspecteur ! Je suis là, je n'ai pas fait tout ce chemin pour renoncer maintenant, on doit sauver Viviane et surtout il faut se débarrasser une bonne fois pour toutes de ce tyran.

— D'accord, Myriam, je tiens d'abord à te remercier pour ton soutien et tout ce que tu fais pour elle.

— Prenons un peu le temps de la réflexion, observons les lieux sans se faire remarquer et établissons un plan d'action.

Ils n'étaient plus qu'à une centaine de mètres du cratère, mais toujours dans la forêt et pouvaient donc se cacher derrière les arbres pour observer.

Zéon et le gouvernement avaient déployé de nombreux dispositifs pour « étudier le phénomène. »

Comment avait-il pu les convaincre qu'il était nécessaire de faire venir autant de matériel et de personnel pour une simple météorite ?

Il avait sûrement dû user de ces pouvoirs de persuasion.

L'inspecteur ne pouvait qu'être ébahi par sa fibre commerciale, car le gouvernement avait presque dépensé sans compter en enrichissant ETC par la même occasion.

La zone principale était constituée d'une vingtaine de tentes similaires.

Comment pouvaient-ils alors deviner celle qui servait de QG et où Zéon devait se trouver ?

Ce qui par contre surprit l'inspecteur c'est qu'il n'y avait quasiment pas de garde.

Quelques scientifiques parcouraient le site et vaquaient à leurs occupations comme s'ils ne savaient pas que la guerre avait commencé, mais pas de militaire, pas de patrouille.

Zéon avait dû les déployer vers les différentes entrées et les bordures du site afin d'empêcher les ennemis d'entrer.

Soit ils n'étaient pas nombreux, soit Zéon avait une confiance aveugle en eux et savaient que les troupes françaises n'arrivaient pas jusque-là.

En tous cas, cela en faisait le meilleur atout pour s'approcher de Zéon.

Il ne leur restait alors maintenant qu'à trouver un moyen de passer incognito, se mêler aux scientifiques et visiter toutes les tentes.

Myriam allait alors sortir de la forêt pour courir vers le camp, quand l'inspecteur la retint par le bras.

— Attends, ne te précipite pas, regarde.

Et il tendit son doigt en direction du camp et plus précisément la tour centrale.

C'était un pylône métallique d'une vingtaine de mètres qui avait été installé là pour éclairer toute la zone.

Elle était donc équipée de puissants projecteurs mais aussi de caméras de surveillance.

— Je ne comprenais pas pourquoi il n'y avait pas de gardes à l'extérieur, dit alors l'inspecteur.

— Je trouvais ça louche que Zéon n'ait pas prévu de surveillance. Je comprends mieux maintenant.

— Tu vois toutes ces caméras braquées dans toutes les directions, il doit sûrement y avoir dans une des tentes plusieurs gardes qui surveillent toute la zone sur des écrans.

— Zut alors, si on court, ils nous verront, répondit alors Myriam.

— J'ai bien peur que oui, il faut que l'on trouve un moyen de rentrer coûte que coûte, mais je ne sais pas comment pour l'instant.

Ils restèrent alors à surveiller la zone de longues minutes avant qu'un camion ne s'arrête juste devant eux.

Ce n'était pas un camion de l'armée mais un véhicule transportant du matériel scientifique.

Un homme alors en descendit, fit le tour de celui-ci, ouvrit les portes de derrière et monta.

Il resta quelques minutes à l'intérieur puis en ressortit avec un capteur.

Il déplia alors les pieds, pointa celui-ci en direction de la tour centrale, fit quelques réglages et sortit un talkie-walkie.

— Robert, tu m'entends ?

— Oui, je t'entends, répondit alors la radio.

— Je viens de placer le capteur numéro douze, est-ce que tu reçois son signal ?

— Attend trente secondes, il est en train de s'initialiser.

— Voilà c'est bon, tu peux passer au suivant.

— OK très bien il ne m'en reste plus que quatre, je continue. On les place toujours tous les 500 mètres ?

— Tout à fait, comme cela, on aura bien quadrillé toute la Zone.

Jusque-là, Myriam et l'inspecteur s'étaient tus.

Elle voulait profiter de l'occasion et se jeter sur le scientifique afin de lui voler le camion, mais l'inspecteur la retient une nouvelle fois par le bras et lui faisant signe de ne pas faire de bruit et d'attendre.

Il laissait alors filer le camion.

Une fois loin, Myriam se retourna, fâchée, vers l'inspecteur et lui dit :

— Pourquoi vous m'avez retenu inspecteur ? C'était l'occasion rêvée.

— Tu as entendu comme moi, il lui restait quatre capteurs à placer tous les 500 mètres, on va le suivre, le laisser finir son travail et on interviendra à ce moment-là.

— À oui inspecteur vous avez raison si on était intervenu maintenant cela aurait éveillé les soupçons et ils auraient envoyé une patrouille.

Ils se mirent alors en route vers le prochain point.

Heureusement pour eux, le camion ne pouvait pas rouler trop vite à travers les prés et l'intervention du scientifique prenait quelques minutes.

Ils purent alors à chaque fois le rattraper et même me devancer pour le dernier point.

Ils surveillèrent alors de très près la pose du dernier capteur et attendirent le dernier check radio pour bondir sur le scientifique et l'assommer d'un solide coup de poing.

Il eut juste le temps de se retourner, surpris par un bruit derrière lui, mais ne put comprendre et réagir avant de tomber par terre.

L'inspecteur lui ôta sa blouse blanche avant de l'enfiler, puis le ligoter solidement et le mit dans le camion.

Enfin, ils remontèrent dans le camion et roulèrent en direction du camp.

Chapitre 71
L'ultime réunion avec Zork

— Alors Yohan c'est bon on a la communication ?

— Oui ça arrive.

Zéon et Yohan étaient dans la tente dédiée à la communication.

Les techniciens ayant fini de déployer toute l'installation avaient été priés de sortir car ils n'avaient nullement besoin d'assister à la conférence qui allait suivre.

Comme les scientifiques, eux-mêmes ne savaient pas réellement l'utilité et le fonctionnement de tout l'équipement qu'ils avaient installé.

Tout ce matériel provenait bien de ETC. Ils avaient été formés dessus afin de pouvoir équiper un site en peu de temps.

Ils suivaient à la lettre les procédures d'installation et de tests.

Ce qu'ils ignoraient c'est que tous ces appareils avaient ce que l'on pourrait appeler un dark mode.

Par exemple, une simple radio qui permet de transmettre des ondes radio sur des fréquences standard, pouvait lorsque ce mode était activé transmettre d'autres types d'onde avec une portée bien supérieure.

Ce type d'onde n'était bien évidemment pas perceptible ou captable par les appareils humains, même les plus évolués.

Au centre de la table, une première lumière s'éclaira puis une sorte de globe lumineux apparut avec à l'intérieur le visage d'un homme.

C'était Zork, l'allié de Zéon qu'il avait contacté il y a peu de temps.

— Bonjour général Zork, commença alors Zéon.

— Bonjour Zéon. Où en sommes-nous ?

— Tout d'abord merci de prendre le temps de nous rejoindre pour cette dernière réunion de cadrage avant l'assaut final.

— Je vais commencer par vous présenter Yohan mon bras droit. C'est le technicien qui a pu analyser, comprendre et mettre au point le portail qui permet de communiquer entre nos mondes.

— Je vous propose alors que l'on commence par ses avancées et la situation actuelle, je vais donc le laisser expliquer tout cela.

— D'accord, répondit Zork, mais ne tentez pas de m'embrouiller avec des termes trop techniques et n'essayez pas de me prendre pour un imbécile. Sans quoi je couperais la communication directement.

Malgré que Zéon avait préparé Yohan pour cette réunion en lui ayant décrit le personnage de Zork, il fut quand même étonné de l'entrée en matière du général.

— Eh bien ! pensa-t-il, Zéon m'avait prévenu mais il attaque directement.

— Enchanté de vous rencontrer mon général. Je vais faire court et précis, je vous rassure.

— Actuellement, tout le dispositif est les équipements sont opérationnel et testé.

Il ne nous reste plus que le calibrage à finaliser.

— Cette phase est en peu longue et nous ne pouvons pas en faire l'impasse car si nous nous trompons là-dessus, le portail ne s'ouvrira pas et nous risquons de déclencher une explosion équivalente à celle qui s'est passée sur notre terre.

— Comment ça ? questionna Zork qui suivait attentivement toutes les explications.

— Quand Zéon a voulu s'échapper, il a créé toutes les conditions favorables pour ouvrir le portail, mais il n'était pas stabilisé et la terre a donc explosé.

— Nous avons pu analyser et trouver comment arriver à cette stabilisation.

— Nous avons donc conçu les appareils dans ce sens-là.

— Dans nos différentes simulations, nous arrivons à un taux de 85 %. Ce qui n'est malheureusement pas suffisant pour lancer l'opération car le risque est encore trop grand.

— D'accord, j'entends bien, alors ma question est la suivante, quel taux visez-vous et combien de temps vous faut-il pour y arriver ?

— Nous visons les 99 %, les équipes sont à fond et je pense que d'ici deux voire trois heures nous y serons.

— Trois heures mais c'est beaucoup trop long ! cria Zork. Mes vaisseaux sont prêts à intervenir.

Zéon reprit alors la parole afin de calmer les choses ;

— Merci d'être prêt généralement, mais comme l'a dit Yohan, le risque est trop grand pour l'instant.

— Nous devons lui faire confiance afin qu'il termine correctement ces travaux.

— Je vous demande d'être patient et surtout pensez à l'avenir.

— Ce nouveau monde vous attend, d'ici peu il sera à vous. Alors cela mérite bien d'attendre encore quelques heures.

— D'accord pour trois heures maximum, s'exclama Zork qui s'était calmé grâce à cette vision ou il se voyait déjà empereur de ce nouveau monde.

— Mais vous, vous allez pouvoir encore trois heures, ils ne sont pas en train de vous attaquer ?

— Rassurez-vous, ils ont effectivement déclenché les hostilités contre nous, mais nous sommes bien mieux entraînés et équipés pour les combattre, même s'ils lancent une bombe nucléaire, nous pourrions les stopper.

— Bon je vous fais confiance, recontacter moi dans trois heures, nous serons prêt à traverser le portail.

Chapitre 72
Le remplaçant

Tous les médias étaient concentrés sur « l'affaire du siècle ».

Les radios et les chaînes de télévision ne parlaient presque plus que de cela.

Imaginez-vous, un groupe de terroristes qui s'emparent d'une zone scientifique où est tombé un météorite et qui en plus demande la création d'un nouvel état indépendant.

Avec en plus à sa tête un inconnu sorti de nulle part, qui a trompé tout le monde et qui projetait de devenir président de la République.

L'armée et le gouvernement n'avaient bien sûr quasiment pas communiqué aux médias ; juste une conférence de presse pour affirmer qu'ils avaient la situation en main, et que toute cette histoire allait bientôt se terminer.

Ils ont bien sûr dû nier la création de l'état indépendant en insistant sur le fait que les terroristes ne souhaitent finalement que leurs libertés et beaucoup d'argent.

C'était bien sûr sans compter sur l'équipe de communication de Zéon.

Malgré qu'il n'avait théoriquement plus aucun contact avec l'extérieur puisque les techniciens avaient coupé toutes les lignes de communication, ils transmettaient quand même avec certains journalistes.

Et ce grâce aux gros systèmes informatiques qu'ils avaient pu mettre en place chez de gros clients plusieurs mois auparavant.

Mr Robinson et ses équipes étaient parvenus à entrer et paralyser ces systèmes-là, mais Yohan ayant toujours un coup d'avance pouvait facilement et rapidement contourner leurs sécurités pour diluer de l'information par-ci par-là.

Le but de Zéon était bien évidemment de mettre le gouvernement sur de fausses pistes par des manières diverses et variées pour gagner un maximum de temps.

L'échec de la tentative de négociation, la perte de nombreux soldats dans la première attaque puis enfin le suicide du général mettait donc les dirigeants dans une bien mauvaise posture.

Ils allaient devoir réagir vite en toute efficacité pour reprendre le contrôle de la situation et arrêter Zéon coûte que coûte.

Le plus gros point noir c'est qu'il ne connaissait pas leur ennemie.

Il était bien sûr hors de question de lui donner ce qu'il souhaite.

Le Premier ministre évoqua même de raser la zone à coup de missiles en tout dernier recours.

Le président avait écarté cette possibilité car il y avait encore de nombreux scientifiques à l'intérieur. Il ne pourrait alors pas être le président qui a massacré sa population.

Mais il ne pouvait pas non plus être celui qui a vendu son pays à un groupuscule terroriste.

Quel pouvait être le meilleur choix entre deux décisions aussi insupportables qu'insurmontables ?

Personne ne s'attendait non plus au suicide de Géneral Buffard qui pourtant était l'homme de la situation.

Qui pouvait alors le remplacer et réussir cette mission impossible ?

C'est finalement le général Grandjean qui se porta volontaire, il avait suivi toute l'affaire depuis l'Algérie où il était en mission.

Il voulait venir en aide à son vieil ami le général Buffard.

Ils se connaissaient bien et s'appréciaient réellement.

Il était donc revenu en France en urgence car il avait pressenti que c'était un piège et que le général allait s'engouffrer dedans sans hésiter.

Il espérait arriver avant que celui-ci lance une opération commando qui allait au final être une opération suicide.

Malheureusement il n'avait pas pu stopper la précipitation du général Buffard.

Le gouvernement accepta tout de suite sa proposition car il n'avait bien sûr aucune autre option.

Il débuta donc sa mission par un recueillement sur la dépouille de son ami, puis il organisa une réunion avec tous les membres concernés directement ou indirectement par cette histoire, et cela ne concernait pas seulement les militaires.

C'était plutôt quelqu'un de terre à terre, de pragmatique mais qui n'écartais pas pour autant d'autres théories.

Il ne voulait bien sûr pas croire aux ovnis, revenants, zombies ou autres « contes de fée », mais il savait bien que tout ne pouvait être expliqué dans l'état actuel de la science.

Il y avait des éléments qu'il ne fallait surtout pas écarter et qui finiront par trouver leurs explications le moment venu.

Malgré qu'il ait été tenu au courant des avancées et qu'il avait un bon point de vue de la situation, cette réunion-là devait lui donner une vision beaucoup plus globale et pourquoi pas d'un autre angle.

Comme une partie d'échecs, vous établissez à l'avance une stratégie d'attaque et vous déplacez vos pions au fur et à mesure en suivant celle-ci.

Mais à plus la partie avance et évolue, à plus vous vous rendez compte que ce n'est pas la bonne approche et que si vous continuez vous allez échouer.

Alors que faites-vous ?

Est-ce que vous vous entêtez dans celle-ci en essayant de la modeler, de l'adapter tout en sachant que votre ennemie la peut-être découverte et lui donne donc plusieurs coups d'avance.

Ou alors vous renversez la situation et vous changez complètement d'angle d'attaque ?

Surtout que cette première offensive vous a permis d'en apprendre davantage sur votre adversaire.

Vous savez qu'il est réactif et capable d'anticiper vos attaques, vous savez maintenant qu'il a prévu vos prochains déplacements et qu'il a même déjà le coup final en tête.

Alors allez-vous tomber dans son piège, allez-vous finalement faire exactement ce qu'il souhaite ?

C'est donc bien tout cela que le général avait en tête, il n'aimait pas spécialement les échecs, lui était plutôt un joueur de Go.

Il devait alors maintenant étudier le plateau, les territoires conquis par Zéon et les libres.

Il devait retourner la situation et changer totalement de stratégie initiée par le général Buffard.

Étant âgé et proche de la retraite, c'était peut-être la dernière grande mission qu'il aura à mener pour l'armée française alors autant partir en beauté.

Comme son prédécesseur, il avait donc réuni les lieutenants des différentes troupes, et demandé le point de vue et la situation de chacun.

Il avait également demandé un état des lieux cartographique de toute la région.

Il savait maintenant qu'il devait agir vite mais sans précipitation car il redoutait que Zéon n'en profite et lance une contre-attaque encore plus dévastatrice.

Il ne savait pas exactement ce qu'il avait en tête, mais avait émis quelques hypothèses afin d'être préparé pour chaque situation.

Il réorganisa alors les troupes avec les nouvelles sections qui étaient venues en renfort.

Il se doutait qu'il y avait un espion ou que Zéon savait ce qu'il se passait exactement dans cette tente.

Alors il ne cachait rien et toute l'information qu'il divulguait n'avait rien de secret, au contraire.

Il en profita pour diluer habilement quelques phrases destinées spécifiquement à Zéon.

Elles permettraient alors d'avoir la certitude que Zéon écoute, mais aussi qu'il réadapte son plan de défense.

Ainsi, le général Grandjean pourra basculer dans une nouvelle phase de son plan.

Quand tout le monde savait ce qu'il avait à faire, ils quittèrent la tente.

Le général en personne devait quant à lui quitter le camp pour une réunion avec le préfet, avait-il précisé avant de partir.

Chapitre 73
L'improbable réunion

Qui aurait pu imaginer retrouver autour d'une table un général, un gangster, un médium, un drogué, un pirate informatique, un préfet véreux et tout cela pour établir un plan d'action contre un ennemi encore pire qu'eux tous réunis.

Et pourtant c'est bien cette voix-ci qu'avait choisi de prendre le général.

Quoi de mieux qu'une alliance avec les ennemis de son ennemi pour le terrasser.

Cette réunion était bien sûr organisée en toute discrétion car il ne pouvait y avoir aucune fuite.

Tous avaient alors été invités en tête à tête de manière informelle.

Personne ne devait soupçonner ce qu'il allait se passer, le général avait alors chargé une personne neutre de prévenir les invités en toute discrétion.

Cette personne n'était autre que son chauffeur.

Qui pourrait deviner qu'en réalité c'était son bras droit ?

Il les a donc conduits un par un à une station-service d'un des villages voisins.

Personne ne se soucie de ce qu'il se passe dans une station-service, tout le monde ne fait que passer pour faire le plein ou acheter des sandwichs et, à cette époque-là, il n'y avait pas de caméra de surveillance.

Il devait simplement prétexter une envie pressante pour se rendre dans les toilettes, mais pas n'importe lequel.

Celui tout au fond, il fallait ensuite chercher et tirer sur une manette cachée sous le lavabo, pour déverrouiller la porte qui se trouvait juste derrière les WC.

Cette porte menait à un escalier, puis une sorte de cave.

Une personne de même corpulence les attendait là.

Il devait alors échanger leur vêtement et tout appareil électronique.

L'inconnu ressortait alors des toilettes en prenant leur place le temps de la réunion.

L'échange de retours se fera de manière identique mais dans un restaurant différent pour chaque membre.

Il ne fallut qu'une trentaine de minutes au chauffeur pour ramener tous les convives.

La réunion pouvait alors démarrer.

Le général était en bout de table, il n'y avait pas de dossier, de papier, ni même un stylo.

À sa droite se tenaient le préfet et Mr Robinson.

À sa gauche le petit ami de Myriam, le fondateur de l'association en finir avec la drogue, puis Mr Giraud, le Gitan qui avait repris en partie la tête du réseau de Zéon.

Et enfin le fils de Mr Filippetti.

C'est alors avec un certain rictus que le général commença son introduction :

— On se croirait dans un mauvais film ou en introduction d'une blague.

— Seule une personne comme Zéon a pu se faire tellement d'ennemies que des gens comme nous en arrivent à se réunir pour le contrer.

— Merci en tous cas, d'être venue et d'avoir joué le jeu avec mon chauffeur.

— J'ai personnellement suivi toute cette opération de très près et je suis persuadé que Zéon a encore des espions au sein de l'armée et qu'il écoute toutes nos conversations d'une manière ou d'une autre.

— Si on a une chance de le terrasser, il faut à tout prix changer de stratégie, il a déjà plusieurs coups d'avance sur ce qu'a entrepris mon prédécesseur et les prochaines étapes que nous pourrions lancer.

— Mais avant tout, j'ai besoin d'avoir une vision beaucoup plus globale de l'homme, de ses troupes, de ses ambitions.

— Je vous le dis franchement que cette histoire d'état indépendant je n'y crois pas du tout. C'est un écran de fumée pour un plan bien plus ambitieux selon moi.

— Je vous demande alors maintenant d'être sincère avec moi et je vais poser à chacun d'entre vous deux questions :

— La première c'est en quoi êtes-vous impliqué dans cette histoire ?

— Et la deuxième, comment votre don pourrait me servir ?

— Enfin dernière chose, comme vous l'avez remarqué il n'y a aucun appareil électronique ici, personne ne prend de note, donc tout ce qu'il se dira ici restera à tout jamais ici.

— Sommes-nous tous d'accord ?

Personne n'osant prendre la parole s'est Mr Robinson qui se lança en premier.

Il expliqua que c'était l'inspecteur qui était venu le trouver et qu'il avait confirmé tous les doutes qu'il avait sur le soi-disant astéroïde.

Puis, comment il a pu participer à la chute de Zéon en piratant tous les systèmes informatiques.

Il avait également pu intercepter une partie de la conversation entre Zéon et Zork, même s'il ne savait pas qui il était, il commençait à comprendre le véritable plan.

Ce fut alors au tour de Mr Filippetti, il été éduqué et habile car il ne parlait pas tout de suite de son don médium et de ses facultés hors du commun.

Il amena la chose tout doucement en expliquant le rôle qu'avait joué son père.

Enfin, sentant qu'ils étaient réceptifs aux explications surnaturelles, il peut expliquer en détail ses pouvoirs ainsi que ceux de Viviane et Zéon.

Le mari de Myriam, quant à lui, fit le récit de sa femme.

Ce n'était pas lui l'invité mais étant donné qu'elle était introuvable, il devait prendre sa place.

Enfin l'ironie de l'histoire c'est que se sentant en confiance par le récit des autres personnes le gitan et le préfet purent eu aussi raconter en toute sincérité leurs activités en lien avec Zéon.

Le général quant à lui écoutait attentivement les différents retours sans poser de questions.

Il prit ensuite dix minutes de réflexion ou personne n'ose l'interrompre puis il propose une prémisse de plan en demandant à chacun de participer.

Finalement, la réunion ne prit que trente minutes.

Cela pourrait paraître court pour un plan de cette ampleur, mais en allant droit au but il avait attiré l'attention de tout le monde.

Une fois reconduit dans les divers lieux d'échange, chacun savait ce qu'il avait à faire.

Personne ne fut au courant de cette réunion qui allait tout changer à la suite de l'histoire.

Le général quant à lui reprit ses fonctions comme si de rien était et allait organiser les deuxièmes offensives pour reprendre le cratère.

Chapitre 74
Dans la tête du général

Zéon était plutôt un adversaire sérieux qui ne supportait pas les tricheurs et aimait combattre à la loyale.

En temps normal, il n'aurait donc pas utilisé ces dons pour découvrir le plan de son adversaire mais là l'enjeu était trop important pour prendre le moindre risque.

Il avait perdu tout ce qu'il avait construit, s'il perdait cette guerre, il ne lui resterait plus rien et ne supporterait pas de revivre en prison ni même l'exil.

Il se décida donc à appeler le général, dans le but de faire connaissance mais aussi c'était la porte d'entrée vers ses pensées.

Lorsque le téléphone retentit dans la tente principale, le général qui surveillait les opérations décrocha à la troisième sonnerie.

— Allo, je me demandais quand vous alliez vous décider à me contacter.

— Bonjour, a qui ai-je l'honneur ? répondit calmement Zéon.

— Je suis le général Grandjean, je suis le remplaçant de feu le général Buffard.

— Enchanté mon général, je suis Zéon, le représentant du nouvel état indépendant. Êtes-vous au courant de la situation ? Vous ont-ils tout expliqué et donné le détail de nos revendications ?

— Oui, bien sûr ne vous inquiétez pas, je viens peut-être d'arriver sur les lieux, mais j'ai suivi toute l'affaire dès le début et je pense que vous êtes partis de mauvais pieds avec mon regretté collègue.

— Il aurait dû davantage échanger avec vous avant de lancer une attaque, j'en suis fort désolé.

— Allons, bon, quelles sages paroles !

— Je ne vous cache pas que j'en ai quelques rancunes envers lui.

— Je suis profondément vexé et humilié qu'il ne nous ait pas pris au sérieux et qu'il pensait nous terrasser aussi facilement.

— Je suis d'accord avec vous, coupa alors le général.

J'ai tenté de le contacter avant qu'il lance ses opérations, malheureusement toute la zone est bouclée et aucune communication vers l'extérieur n'est autorisée.

— Je suis donc ici pour reprendre les discussions avec vous, et tenter de trouver un terrain d'entente.

— Soit ! reprit alors Zéon. Vous me faites bonne impression mon cher Général, je vais donc mettre de côté mes rancunes, ne pas tenir compte de vos premières attaques et suis à votre écoute quant à vos propositions concernant nos revendications.

— Je vous en remercie.

— Comprenez bien que vos demandes sont complexes et difficiles à mettre en œuvre mais nous y travaillons.

— J'ai personnellement repris contact avec notre président de la République qui va discuter avec ses homologues afin d'étudier votre demande. Cela risque de prendre du temps, mais afin de vous prouver ma bonne foi je vous propose de vous faire livrer des repas dans un premier temps.

— Vos hommes et tous les civils à l'intérieur doivent avoir faim, et je ne suis pas sûr que ayez encore de la nourriture.

Surpris par cette proposition, Zéon accepta.

— J'apprécie votre attention, effectivement nous allons bientôt être à court de nourriture, mais attention pas de pièges, nous fouillerons minutieusement les véhicules et si vous tentez quoi que ce soit, nous rompons les échanges.

— Mais enfin pour qui me prenez-vous ? Nous venons juste de nous rencontrer, je ne vais pas vous tendre un piège alors que je souhaite profondément trouver une issue clémente et ainsi obtenir votre confiance.

— C'est pour cela que je ne vous demande rien en échange.

— Très bien, finit alors pas conclure Zéon avant de raccrocher.

Cette conversation commençait à traîner en longueur, il y mit alors fin rapidement.

Ce premier échange avait été suffisant pour faire connaissance avec son rival, mais surtout elle lui avait laissé le temps de le sonder.

Il se doutait bien qu'il n'avait pas été totalement honnête avec lui.

Tout ce qu'il lui avait été raconté n'était pas la vérité.

Effectivement, le général avait bien joint le président de la République et tenté de le convaincre de réunir ses homologues pour chercher une solution.

Mais comme pour son prédécesseur, il était simplement hors de question qu'il négocie avec des terroristes, il ne se donnerait sûrement pas la peine de joindre ses confrères.

C'était à lui de régler le problème, sans dommage collatéral si possible.

Il n'avait par contre pas menti sur les repas qu'il avait prévu de faire livrer, il a chargé un de ses lieutenants de s'en occuper et de s'assurer qu'il n'y avait aucun appareil électronique à l'intérieur des voitures.

C'était effectivement la première phase du plan, obtenir la confiance de Zéon afin qu'il relâche un peu sa garde.

La deuxième phase, quant à elle, allait être beaucoup plus musclée.

À travers ses souvenirs, Zéon avait comme participé à la réunion de préparation. Il avait vu la carte de la zone, où allaient se placer chaque unité et comment elles allaient intervenir.

Il ne lui restait alors qu'à se préparer en conséquence.

Il prit quand même le temps de parcourir son passé et ses souvenirs plus anciens, afin de trouver le levier qu'il le ferait craquer au cas où.

Il ne souhaitait pas utiliser cette option tout de suite, mais mieux vaut être totalement préparé.

Enfin dernier point, avant de rentrer dans son cerveau il s'était bien assuré d'être seul, et de ne pas retomber dans un piège comme celui de Mr Robinson.

Aucun souci de ce côté-là, il n'y avait personne, pas d'autres médiums qui aurait pu intervenir et le piéger ou altérer la réalité.

C'est donc confiant et serein qu'il allât se préparer.

La partie d'échecs commence Mon cher Mr Grandjean pensa-t-il alors.

Chapitre 75
L'observation

Myriam et l'inspecteur avaient pu facilement s'introduire dans le camp.

Heureusement pour eux, le scientifique ayant terminé sa mission et posé tous les capteurs, personne ne l'attendait pour son rapport.

Ils purent alors garer la voiture tranquillement puis se diriger dans une des tentes qui servaient à entreposer du matériel et des équipements.

Afin de passer incognito, ils avaient décidé de se faire passer pour des membres de la zone.

Myriam en scientifique avait donc revêtu une blouse blanche.

L'inspecteur, quant à lui, avait pu trouver une tenue militaire et la revêtir.

Elle était un peu petite pour lui, mais avec le blouson par-dessus, personne ne pouvait deviner que ce n'étaient pas ses affaires.

Lors du voyage de retour, il avait cherché à établir un plan. Le principal désaccord était de définir s'il devait rester ensemble ou se séparer.

L'inspecteur lui n'envisageait surtout pas cette possibilité.

C'est lui qui l'avait attiré dans cette histoire, à lui donc de veiller sur elle et de la protéger.

Mais il est évident qu'avec son caractère et sa force mentale, il était hors de question qu'elle se fasse materner.

C'était une adulte responsable, elle n'avait ni besoin d'un chaperon ou d'un protecteur quel qu'il soit.

De plus, la zone étant répandue, elle estimait qu'ils devaient explorer chacun de son côté afin de couvrir un maximum de terrain.

Presque comme ce qui pouvait devenir une habitude, l'inspecteur finit par céder et accepta contre son gré.

Chacun de leur côté devait maintenant faire cavalier seul.

Il ne pouvait même pas communiquer par radio, car même si Mr Robinson leur avait fourni des appareils adaptés et hors de portée des ondes standard il n'était pas certain que Yoann ne sonderait pas toutes les fréquences et finirait par les détecter.

Ils avaient donc gardé cette option en tout dernier recours, s'il leur arrivait quelque chose de très grave dont ils ne pourraient s'en sortir seuls.

Une dernière embrassade en signe d'encouragement et c'est Myriam qui quitte la tente la première. Quelques dossiers en main et une paire de lunettes sur les yeux, elle se dirigea vers le centre du camp.

Elle croisa alors un groupe de scientifiques qui se dirigeaient dans la même direction.

Elle les aborda alors en toute sympathie.

— Hello, qu'est-ce qui vous met de si bonne humeur ?

— Salut, tu es nouvelle ici, on ne se connaît pas ?

— Oui je suis arrivé ce matin, dans l'équipe du Mr… Mince j'ai oublié le nom.

— Mr Charleroi ?

— À oui c'est ça, vous le connaissez ?

— Oui, c'est notre responsable, tu étais avec lui ce matin, pour les récoltes de matériaux pour les analyses UX215T ?

— Heuu… c'est ça oui, c'est exactement ça.

— Cool, à oui pour répondre à ta question, si nous sommes de bonne humeur, c'est parce que le directeur du camp a fait livrer un buffet pour nous féliciter et nous remercier pour notre travail.

— Ça changera des conserves de d'habitude. Je ne sais pas trop ce qu'il se passe en ce moment mais il nous même la pression de tous les côtés pour que l'on finisse nos analyses.

— Mais un peu de repos ce n'est pas de refus et ça nous rebooste. Si tu veux te joindre à nous, tu es la bienvenue, on discutera de tout cela devant un bon repas chaud.

Côté discrétion on peut dire que Myriam avait bien réussi son entrée. Elle passerait inaperçue dans ce groupe et pourrait alors observer la zone en toute sérénité.

Elle ne craignait pas non plus d'être reconnue par Zéon ou ces hommes, car dans le passé elle n'avait traité qu'avec Léo.

Par contre, même si elle ne l'avait jamais vu, elle savait à quoi il ressemblait, la prochaine étape serait alors de trouver un moyen de l'approcher.

Pour l'inspecteur la mission allait être plus compliquée, il peut paraître simple de s'incruster dans une équipe de scientifique car le personnel change souvent, pour les militaires c'est plus complexe, c'est un général des sections entières qui se remplace mais pas un seul homme.

Il resta alors un moment après le départ de Myriam, le temps de se rappeler ces classes, les codes, signes et salut militaires.

Et c'est alors qu'il commençait à perdre espoir et se disant que cela ne fonctionnerait pas, qu'il allait être démasqué, qu'une sirène retentit.

C'était le signal d'un rassemblement, chaque militaire devait alors s'y rendre, peu importe ses occupations.

C'était alors l'occasion rêvée pour s'incruster.

Dans ce genre de rassemblement, chacun est libre et n'est pas obligé de se ranger avec sa troupe.

Il se rendit alors sans trop réfléchir car il ne pouvait pas passer à côté d'une telle occasion.

Ce n'est qu'une fois arrivé qu'il réalisât que ça allait peut-être être Zéon en personne qui allait prendre la parole. Il ne pouvait plus faire demi-tour et tenta de se cacher tant bien que mal.

Zéon le reconnaîtrait sans hésitation, c'est donc tout son plan qui tomberait à l'eau.

Bien heureusement ce fut son premier lieutenant qui se présenta devant ses hommes.

Il n'avait aucune idée des derniers événements, ni même que le général Buffard s'était suicidé mais il avait un mauvais pressentiment.

Il observa autour de lui et s'étonna de ne rencontrer aucun scientifique ni personnel civil.

Si ce rassemblement était réservé aux militaires, c'est qu'une opération de grande envergure était en train de se préparer.

Le lieutenant commença par féliciter et remercier ses hommes qui avaient habilement repoussé la première attaque.

Puis comme il s'y attendait, l'heure n'était pas à la trêve.

Les tentatives de négociations avaient sûrement dû échouer car la guerre avait bien commencé et c'est une nouvelle phase plus meurtrière à laquelle le lieutenant était en train de préparer ces hommes.

Chacun d'entre eux se devait d'être prêt à donner sa vie pour Zéon, chacun d'entre eux allait devoir se battre dignement et jusqu'à la fin.

L'inspecteur ne pouvait l'expliquer mais il avait compris que Zéon connaissait par avance les plans de l'armée.

Avait-il des agents infiltrés, avaient-ils des micros-espions ?

En tous cas c'est exactement ce que le lieutenant expliqua à ces hommes : les positions qu'allaient prendre l'armée française et comment ils allaient devoir se placer en conséquence pour les contrer.

Cela mit en rage l'inspecteur qui se dit que Zéon avait toujours deux ou trois coups d'avance.

Tout en écoutant attentivement les lieutenants, il aperçut Zéon qui sortit de la tente qui servait de QG.

Il n'était pas croyant, mais pria presque Dieu que Zéon ne tourne pas la tête.

Ce qu'il ne fit pas car il continua sa route et se rendit dans une tente plus petite qui devait lui servir de chambre.

Une fois son discours terminé, le lieutenant appela deux volontaires pour faire des rondes autour du camp principal et assurer la sécurité de Zéon.

Pourquoi, mais pourquoi se dit l'inspecteur après avoir levé la main et avoir été choisi.

S'il y a des choses stupides qu'il avait faites dans sa vie, celle-ci était peut-être la pire de toutes.

Il avait sauté sur l'occasion car c'était l'opportunité rêvée de se rapprocher de Zéon et ainsi de Viviane.

Mais comment allait faire pour que Zéon ne le reconnaisse pas ?

Le tour de passe-passe qui s'était déroulé dans la caverne allait pouvoir se rejouer s'il tombait nez à nez avec Zéon.

Les médiums seraient-ils assez forts pour le masquer ou changer sa perception et lui donner un autre visage ?

Finalement, il finit par se dire qu'il pensait trop, qu'il n'était plus le temps de réfléchir, mais d'agir.

Il allait donc prendre son poste et démarrer sa nouvelle mission.

Il allait faire ses rondes autour de la tente de Zéon, attendre qu'il y a moins de monde et entrer dans la tente de Zéon, et puis... et puis...

Il ne fallut alors qu'une dizaine de minutes pour que chaque militaire s'équipe puis quitte le lieu de rassemblement pour prendre leurs nouvelles positions.

Son coéquipier lui proposa alors de commencer sa ronde près de la tente de Zéon pendant que lui ferait un aller-retour jusqu'à l'entrée pour sécuriser la zone.

Il s'exécuta alors, se mit en position devant la tente pendant que l'autre militaire commençait déjà à s'éloigner.

Bien qu'il s'était décidé à ne pas trop réfléchir et agir, il ne put s'empêcher de repenser à l'enchaînement des situations.

Comme si tout lui avait été servi sur un plateau, le rassemblement, le discours, la demande de volontaires, personne qui le reconnaît ou semble étonnée de travailler avec un inconnu puis finalement sa garde devant la tente.

Cette mission semblait trop facile, mais il était trop tard pour reculer, il était trop près du but.

C'était maintenant ou jamais.

L'autre garde étant loin maintenant, il entrouvrit la porte de la tente et s'aperçut qu'il n'y avait pas de lumière.

Zéon avait sûrement dû prendre du repos avant la bataille finale.

Il devait donc dormir, il se décida donc à entrer et avait vu juste car il était allongé sur un lit de camp et semblait dans un sommeil profond.

Il dégaina et arma alors le pistolet qu'il avait à sa ceinture avant de s'approcher de lui sans un bruit.

Il contourna le lit de camp afin de se positionner au-dessus de lui.

Il s'accroupit alors puis pointa son arme sur la tempe de Zéon, puis chuchota :

— Viviane, Viviane, tu es là ? C'est l'inspecteur.

— Viviane, il faut que tu te libères de son emprise. Viviane, on a besoin de toi, j'ai besoin de toi.

— Inspecteur ? s'exclama alors Zéon qui se réveilla juste à ce moment.

Comme c'est touchant.

Surpris, l'inspecteur cria :

— Ne bouge plus, j'ai mon arme sur ta tempe. Je n'hésiterais pas à tirer.

— Mais bien sûr, cher inspecteur, mais est-ce que je peux me relever ?

Et sans attendre de réponse, il commença par s'asseoir, l'inspecteur qui ne s'attendait pas à cela et sachant qu'il ne fallait pas lui donner l'avantage, s'apprête à tirer.

Il s'était préparé à cette situation et savait qu'il devait agir vite car sinon il serait perdu.

Il avait la volonté, la force et l'envie de la faire mais il ne put tirer, ce n'est pas l'hésitation ou sa conscience qui l'en empêchait mais bien Zéon lui-même.

En l'espace de quelques secondes, il avait pris le contrôle de son esprit et de son corps.

Il le tenait, le maîtrisait, à tel point que l'inspecteur ne pouvait plus bouger.

Il se leva alors, saisit le pistolet, le retourna puis assomma l'inspecteur qui tomba inconscient sur le sol.

Ça en était fini pour lui.

C'était un piège, tout s'était trop bien agencé pour qu'il arrive jusqu'à lui.

Zéon a dû sentir qu'il allait venir et il lui a même ouvert toutes les portes.

Quelle stupidité, si au moins cela avait servi à quelque chose, mais Viviane l'avait-elle entendu ? Était-elle toujours en vie ?

Chapitre 76
L'otage

C'est dans la tente principale que se réveilla l'inspecteur. Il avait mal, très mal au crâne, sûrement dû au choc de la crosse.

Il mit un peu de temps pour immerger et réaliser qu'il était solidement attaché à une chaise au centre des opérations.

Zéon était là lui aussi, il finissait de donner ces ordres avant de se rendre compte que son otage l'observait.

— Inspecteur, vous êtes de nouveau parmi nous, j'en suis ravi.

— Comment va votre tête ?

— Que, qu'est-ce que je fais ici, vous ne m'avez pas tué ?

— Tué, mais pourquoi aurais-je voulu faire cela ?

— Parce que vous m'avez pris tout ce que j'avais ?

— Parce qu'en un claquement de doigts, vous avez mis fin à toute mon entreprise, mes ambitions et mes rêves ?

— Ou alors tout simplement parce que vous avez failli me battre à plat de couture ?

— Allons, inspecteur, ce ne sont pas des raisons suffisantes. Vous pensez bien que j'avais couvert mes arrières.

— À vrai dire, je vous admire presque, comment un pauvre petit inspecteur surgissant de nulle part, un petit fonctionnaire de police sans ambition, sans mérite et arrivé petit à petit à comprendre et démanteler toute la formidable organisation que j'avais mise en place ?

— Et surtout, félicitations pour l'ingéniosité dont vous avez dû faire preuve pour forcer les membres de mes différentes associations à se révolter.

— Ou alors était-ce une faiblesse de ma part de ne pas les avoir suffisamment encadrés et d'insister sur le fait que la trahison était inacceptable chez moi.

— Lorsque j'ai voulu montrer l'exemple avec l'un d'entre eux, il était déjà trop tard.

— Le virus que vous avez injecté avait déjà atteint toutes les branches.

— Mais, mais alors pourquoi me garder en vie dans ce cas, Interrompit alors l'inspecteur ?

— Comment ça, vous ne comprenez toujours pas ?

— Si je vous garde en vie ici, c'est pour que vous assistiez à ma victoire, mon triomphe.

— Les réseaux de drogue, de prostitution, mon ascension à la tête d'ETC n'était que les prémices de mon plan.

— J'étais bien partie pour être nommé ministre, puis dans quelques années président et ainsi avec toute la technologie que nous avons installée, nous aurions fini par conquérir tout votre monde et je serais devenu empereur.

— Votre intervention ne fait qu'accélérer mes plans, je pensais le faire de manière douce quitte à ce que cela prenne trois ou cinq ans, mais maintenant les choses sont différentes.

— Votre armée souhaite la guerre tout de suite, qu'il en soit ainsi, vous n'avez aucune chance contre mes soldats.

— Je sais très bien ce que prévoit votre nouveau général, une première offensive qu'il perdra, puis plus en plus de blindés, de militaires, son prédécesseur était prêt à aller jusqu'à la bombe atomique.

— Pensez-vous que lui aussi ?

— Bref, peu importe pour cela aussi, nous sommes prêts.

— Allez je ne tiens plus, maintenant que vous avez perdu je peux bien vous donner plus d'explications.

— Je ne vais pas tarder à vous présenter le général Zork.

— Grâce au portail que nous pouvons ouvrir entre votre galaxie et la mienne, il sera bientôt là.

— Lui et tous ces vaisseaux.

— Pensez-vous que toutes les armées de votre monde ont une quelconque chance contre eux ?

Il pointant alors du doigt la boule de lumière au centre de la pièce d'où l'on pouvait largement distinguer toute la flotte ennemie.

L'inspecteur n'en croyait pas ses yeux, il ne pouvait qu'être d'accord avec Zéon, car leur technologie avait au moins deux cents ans d'avance sur la nôtre.

Et même s'ils sont en infériorité numérique, il est certain que nous ne pourrons rien contre eux.

— Alors inspecteur, que pensez-vous de mon plan ?

— Vous attendiez-vous à cela ? dit-il avec un rictus sur le coin des lèvres venant appuyer son immense intellect.

— Enfin dernier point mon cher inspecteur, je sais que vous n'allez rien de tenter de stupide pendant cette phase finale, n'est-ce pas ?

— Quelque chose, de stupide ? Vous avez gagné, il ne me reste plus rien et je sais que tôt ou tard vous allez me tuer, il ne me reste plus rien.

— Oh mais si, mon ami, il vous cette Viviane.

— N'oubliez pas qu'elle est ma prisonnière tout comme vous.

— Je l'ai capturé, je peux la tuer en quelques secondes ou alors la faire souffrir, la torturer.

— Vous souhaitez vraiment qu'elle subisse tout cela à cause de vous alors qu'elle tient à vous ?

— Non, je vous en prie, ne lui faites pas de mal ! s'écria l'inspecteur.

— Cela ne tient qu'à vous, très cher.

— Je vous en supplie, d'accord, je n'ai qu'une chose à dire.

— Je suis tout ouïe.

— Échec et mat, Finit par conclure l'inspecteur.

Zéon ne s'attendait pas à cela, mais c'est exactement ce qu'il ressentait ou ce qu'il aurait pu dire.

Finalement, les choses avaient pris un virage soudain à cause de cet homme, mais n'était-ce pas mieux ? Il gagnera cinq ans dans ses prévisions et ne sera plus obligé de se rabaisser ou faire des courbettes à des hypocrites juste pour atteindre son but.

Avec Zork, il ne sera pas maître de l'univers, mais peu importe, lui c'est ce monde qu'il veut, et il l'aura bientôt, très bientôt.

Quant à l'inspecteur et Viviane, il en finira bientôt aussi avec eux, maintenant qu'il les a vaincus, ils n'ont plus aucun intérêt. Il joue encore un peu en leur offrant une mort lente et douloureuse.

Chapitre 77
La partie commence

Combien de temps l'inspecteur avait-il été inconscient ? Il ne le savait pas mais il pensait que Zéon s'était reposé et ne pouvait que constater qu'ils étaient prêts.

Jamais il n'aurait imaginé vivre la fin de toute cette histoire d'aussi prêt et surtout du côté de l'ennemi.

Il n'était même pas au courant pour le général, mais s'il suivait exactement les mêmes plans que son prédécesseur c'est exactement ce qu'avait prédit Zéon.

Il ne pourrait alors qu'assister impuissant au massacre.

Il ne pouvait plus rien faire, juste essayer de rester en vie avec un espoir minimum d'au moins arriver à sauver Viviane.

Mais là aussi, c'était selon lui peine perdue car il était bien plus fort que lui et ne possédait pas tous ces pouvoirs.

Il commença par observer autour de lui, puis plus attentivement la carte pour se rendre compte avec effroi et stupéfaction qu'effectivement le général suivait exactement le même plan que Buffard.

Les positions de ses troupes étaient représentées quasiment au même endroit que ce qu'aurait pu prévoir son prédécesseur.

Il reprit alors un peu de ses esprits quand il constata certaines nuances et changements de positions de troupes qui pourrait leur assurer la victoire.

Malheureusement, là aussi, Zéon avait toujours ce coup d'avance car il avait placé les bons éléments en face pour assurer leur défense.

Comment pouvait-il systématiquement prévoir ce qu'ils allaient faire, comment a-t-il pu deviner avec une telle précision le déroulement de l'attaque ?

Premier message radio :

— La troupe nord arrive, section trente-deux, soyez prêt.

Cette partie du camp étant éloignée, il était difficile d'imaginer ce qu'il était en train de se passer.

Les messages similaires s'enchaînèrent ensuite c'est bien une attaque coordonnée qui était en train de se dérouler.

Le général avait placé ces blindés aux portes nord car c'étaient les endroits les plus accessibles, mais il avait prévu aussi des troupes de snipers côté est et ouest, et aussi une section d'infanterie du côté des falaises.

Le plan n'était pas compliqué en soi.

Attaquer de tous les côtés en même temps afin de les déstabiliser, atteindre le quartier général et terrasser Zéon.

Yohan et ses équipes d'opérateurs suivaient la position de chaque troupe et véhicule sur des écrans cathodiques.

Tout se déroulait exactement comme prévu.

Aucun point ne reculait ou ne s'éteignait. Ils tenaient leurs positions.

Zéon avait confiance en ces hommes et savait qu'il ne céderait jamais.

Ce n'était maintenant plus que question de temps pour que l'armée française perde petit à petit ses troupes et finissent par reculer, tenter de nouvelles attaques pour enfin se rendre.

Ce premier assaut dura bien trop longtemps selon l'inspecteur qui imaginait le massacre qu'il devait être en train de subir.

Des pièges, comme pour le premier assaut du général Buffard, Zéon leur avait tendu des pièges et ils étaient tous tombés bêtement dedans.

Mais pourquoi ont-ils recruté ce nouveau général ?

Comment pouvait-il être aussi stupide pour ne pas changer de stratégie ?

Dix minutes passèrent encore sans que plus rien ne se passe. Les points ne bougeaient plus, les opérateurs attendaient des signaux.

Zéon fait alors un signe de tête à son lieutenant qui signifie de reprendre contact.

— À toutes les sections, check radio. Quels sont vos positions, vos états ?

— Section un au rapport, toujours en position, l'ennemi a reculé. Aucune perte à déclarer.

Et ce fut le même message pour toutes les sections.

Aucune perte à déclarer, aucune perte à déclarer, aucune perte à déclarer.

L'inspecteur ne supportait plus ce message, si c'était le cas pour toutes les sections de Zéon, qu'en était-il de l'armée en face ?

Si elles avaient toutes reculé, combien d'hommes étaient tombés ?

Y avait-il encore un espoir ?

Quelle serait la prochaine étape, la bombe atomique ?

Le général avait-il oublié que le camp était encore rempli de civils ?

Il ne pouvait s'empêcher de penser à tout cela quand le téléphone retentit.

C'était le général.

— C'est sûrement le général ! s'écria Zéon victorieux.

Sans hésitation il décrocha et s'apprêtait à négocier, ne serait-ce que pour faire durer le plaisir et gagner encore quelques heures car Yohan et le portail n'étaient pas encore tout à fait prêts.

— Allo, répondit alors Zéon, c'est vous, général ?

— Oui, c'est bien moi, je ne vous poserais qu'une question.

— Est-ce que vous vous rendez ?

— Que, quoi ? Me rendre ? Mais êtes-vous fou général, je viens de vous écraser et vous me demander de me rendre ? C'est plutôt à vous de vous rendre et d'exécuter mes ordres.

Et c'est calmant que le général répondit simplement :

— Très bien, je considère cela comme un non, c'est votre choix. Avant de raccrocher.

— Mais il est complètement stupide ce général ! s'écria alors Zéon.

Ni l'inspecteur ni Zéon ne pouvait comprendre l'attitude du général.

Comment pouvait-il lui demander de se rendre alors qu'il venait de perdre une bataille importante ?

Perplexe Zéon demanda à Yohan de lui montrer les images de toutes les caméras de surveillance.

Ils les balaient alors une par une pour se rendre compte que tout était normal de leur côté.

Leurs troupes étaient bien en position. Ils pouvaient également constater qu'à l'entrée les deux puissants chars d'assaut avaient bien été bombardés comme il l'avait ordonné.

Les corps des militaires français gisaient un peu partout, en attendant d'être récupérés par les troupes de secours.

Zéon ne comprenant pas l'attitude du général décida alors de retourner dans sa tête afin de voir ce qu'il se passait chez l'ennemi et quelle serait la prochaine étape.

Les chefs des différentes troupes étaient en train de faire leur rapport en déplorant les nombreuses pertes. Les secours commençaient à s'organiser pour sauver les survivants.

Cette partie-là n'intéressait guère Zéon, ce qui le préoccupait plus c'était la suite.

Il ne pensait pas que le général en arriverait là, mais c'était bien la solution finale qu'il envisageait.

La bombe atomique !

Finalement, cette partie d'échecs était plus simple que prévu et presque même décevante.

Le général allait déjà jouer sa carte maîtresse.

Il va avancer sa dame à côté du roi adverse alors qu'il lui reste d'autres possibilités.

Il ne me prend pas au sérieux ce crétin, se dit alors Zéon qui était sortie de son cerveau et rejoint son corps.

Je l'avais bien prévenu que nous avons des armes bien plus puissantes que les leurs, comment peut-il espérer en finir avec une bombe atomique sans se douter que nous pourrions la détruire en plein vol ou la retourner contre eux ?

C'est Zork qui sera content lorsqu'il entrera dans ce monde et qu'il constatera que nous avons facilement gagné la première bataille.

Si tous les autres pays combattent de la même manière, ce monde sera à nous dans sept jours maximum.

Zéon se retourna alors vers Yohan qui attendait des réponses sur son voyage intérieur.

Il ne le fit pas plus attendre et lui répondit simplement :

— Des simples d'esprit, ce ne sont que des sots.

— Ils ont tenté deux attaques désastreuses et maintenant ils sont perdus. Ils vont nous envoyer une bombe atomique. Ou a-t-il pu avoir son grade de général, celui-là, dans un Kinder surprise ?

Yohan éclata aussitôt de rire.

Aux côtés de Zéon, il en avait fait des guerres.

Perdues certaines mais surtout gagnées les principales.

Il avait réellement cru y rester plusieurs fois et ces guerres-là étaient d'un autre niveau.

Elles duraient des semaines, des mois et pour certaines même des années.

Le nombre de soldats morts se comptait en millions.

Des villes et métropoles, il ne restait en général que des cendres, de la poussière, et des gravats tant les missiles et bombes étaient puissants.

— Que faisons-nous maintenant, demanda-t-il ?

— Je pense que la partie est terminée, dit-il avec un soupir d'un enfant qui aurait tant aimé refaire une autre partie.

— Je vais rester ici à surveiller leurs mouvements, et surtout attendre qu'il lance leur bombe atomique.

— Toi de ton côté, retourne voir les scientifiques et remets-toi sur les projections. On peut maintenant ouvrir le portail en toute sécurité.

— Très bien, dit-il en se retournant et en quittant la tente.

Chapitre 78
Nous avons les moyens de vous faire parler

Attendre, effectivement, il ne lui restait plus que cela à faire.

Zéon réfléchissait encore au déroulement de la situation et les différents événements.

Il était entré par deux fois dans la tête du général, il ne pouvait en être autrement.

Il n'avait pas prévu de plan b ou de prochaine attaque.

Il avait ressenti aussi la pression qu'il subissait par le gouvernement afin que cette prise d'otage se termine rapidement.

Même si le président de la République ne lui avait pas proposé directement, il savait qu'il ne serait pas contre cette solution finale.

Il sortirait plus gagnant en étant le président qui a ordonné le massacre de civils français plutôt que le traître qui a vendu son pays.

Il se mit alors à compter.

Combien de temps faudrait-il pour préparer l'avion qui allait larguer la bombe ?

Quelles autorisations et combien de signataires faut-il pour autoriser cette opération ?

Bref, peut-être est-il maintenant le temps de se divertir un peu.

Il repensa alors à l'inspecteur et s'étonna de ne pas s'être demandé comment il avait pu venir jusqu'ici, et aussi était-il venu seul ?

Il s'approcha alors de celui-ci avec un sourire dans le coin et dit :

— Alors, mon cher inspecteur, que pensez-vous de la situation ? On dira bien que j'ai gagné cette partie-là aussi ?

— T'es qu'un fumier, comment t'as pu faire exécuter autant de monde.

Il n'eut pas le temps de répondre que Zéon lui envoya une droite directement dans le menton.

Il ne mit pas toute sa force car il ne voulait pas qu'il s'évanouisse.

Après tout, il avait une heure ou peut être deux à tuer, il fallait bien s'occuper.

— Allons inspecteur, gardons notre calme.

— Restons polis entre nous. Il y a un point dont on a pas discuté, c'est comment vous êtes arrivé ici ?

L'inspecteur ne souhaitait pas répondre, mais il savait que Zéon n'hésiterait pas à le frapper de nouveau et que cela ne servirait à rien de rester muet. Il devrait donc gagner du temps.

— Je, je suis venu par les falaises, vous n'avez pas sécurisé ces lieux, c'était le seul point accessible.

— Bravo inspecteur, vous avez percé ma défense, félicitation, mais comment avez-vous fait pour ne pas être repéré par les caméras de surveillance ?

— Attendez, laissez-moi deviner ?

Il fit deux ou trois aller-retour, puis s'écria :

— Eurêka, je sais, l'agent qui a posé les capteurs.

L'inspecteur ne s'attendait pas à ce qu'il trouve la solution aussi rapidement, mais ne peut répondre ou dire quelque chose avant que Zéon ordonne à ces hommes de lui repasser le film de la voiture de fonction.

Sur celui-ci, on pouvait clairement distinguer qu'il n'y avait qu'une personne au départ et deux au retour.

On reconnaissait facilement l'inspecteur au volant, quand à son passager on ne pouvait distinguer son visage car il portait une casquette.

— Quelles mémoire et déduction ! se félicita alors Zéon !

— J'ai vu cette voiture sur les caméras de surveillance tout à l'heure et je m'étais fait la réflexion de ce qu'elle faisait avant que Yohan m'explique. Quelle aubaine pour vous inspecteur.

— Maintenant, vous allez devoir me dire qui est votre compagnon. Soyons joueurs, je ne vais pas rentrer dans votre cerveau tout de suite, mais je sais que vous allez finir par me le dire.

Il prit donc un malin plaisir à le frapper à plusieurs endroits afin de le faire parler.

Dans le visage pour commencer, puis les côtes dont il en brisa quatre au passage.

Mais l'inspecteur était solide, il résistait. Il s'était promis de protéger Myriam alors il devait tenir un maximum.

— Quelle ténacité, inspecteur, je vous admire ! Très bien nous allons passer au sérum de vérité.

Il demanda alors à un de ses sergents d'aller lui chercher un scientifique qui maîtrisait les piqûres et ce genre de solution.

Celle-ci arriva alors dix minutes plus tard et lui fit une première injection qui n'eut pas l'effet escompté.

L'inspecteur, n'avoue pas.

Une deuxième un peu plus dosé, devrait faire l'affaire, mais là non plus l'inspecteur résiste, raconte des choses insensées qui n'ont aucun rapport.

Il parle de son enfance, de ce Jérémy qui l'avait traumatisé, du boudin, il n'aimait pas le boudin quand il était petit, il n'aime toujours pas d'ailleurs.

De ses parents et des dessins animés qu'il regardait petit.

Mais rien sur son plan et son coéquipier.

Zéon commence donc à perdre patience. Inutile de lui faire une dose supplémentaire, il y a des personnes chez qui le sérum n'a aucun effet.

Tant pis, se dit-il, il aurait voulu continuer la partie sans tricher.

D'égal à égal, ce détail et cette personne n'avaient peut-être finalement pas d'importance, mais il n'avait rien d'autre à faire et ne voulait rien négliger.

Il prit alors une grande inspiration et allait entrer dans la tête de l'inspecteur lorsqu'une sonnerie retentit.

Chapitre 79
La phase finale

Ça y est, on y arrive, se dit l'inspecteur.

Ils vont tous nous descendre, se dit-il.

Il avait compris que la sonnerie était en réalité l'alerte de détection d'avions de chasse.

Ils venaient de décoller de la base aérienne voisine car on pouvait les distinguer sur l'écran radar dont trois points venaient de s'allumer.

Ils étaient donc trois, et l'un d'eux devait contenir la bombe atomique.

— Quoi, s'écrit Zéon, ce n'est pas possible ! Ils ne peuvent pas être déjà prêts.

— Soldats, vous êtes sûrs de vos appareils ?

— Il n'y a aucun doute, mon général, ce sont deux mirages et un bombardier qui se dirigent droit sur nous.

Cela n'aurait pu être qu'une seule attaque aérienne, mais c'est bien cette vision-là qu'il avait vue dans la tête du général.

Trois avions décollent de la base de Massillon.

Deux mirages assurent la protection du bombardier contenant la bombe atomique.

Ainsi, ils sont prêts à en finir aussi rapidement, dommage, Zork ne sera pas là pour assister à ce spectacle, pensa tout haut Zéon.

Il saisit alors une radio afin de lancer un ultime appel à tous ces soldats.

— Mes chers compatriotes, nous y sommes, deux mirages et un bombardier se dirigent tout droit sur nous.

— Armez les canons terre-air, préparez-vous, nous allons les intercepter.

— La victoire est proche, nous allons les terrasser.

Il ne leur faudra que douze minutes pour arriver sur les lieux.

Dix minutes d'attente et deux pour agir.

Mais c'était largement suffisant, selon Zéon.

Le général et même le président de la République ne s'entendront sûrement pas à ce qu'il puisse repousser cette attaque-là.

Leur armée ne serait pas en mesure de le faire avec leur équipement actuel.

Ils pourraient certes envoyer des chasseurs pour abattre les trois avions en plein vol.

Mais Zéon lui n'en avait pas besoin, Yohan avait amélioré grandement la technologie militaire.

Les lance-missiles qu'il avait préparés et armés abattront les trois avions depuis le sol sans problèmes.

Les chasseurs pourront tenter de riposter, d'envoyer des leurres ou des missiles antimissiles, ils ne pourront rien faire.

Leurs missiles atteindront leurs cibles sans soucis et s'en sera fini du général.

Les neuf premières minutes passèrent alors sans un bruit.

Chaque personne dans la tente avait les yeux rivés sur les trois lumières qui s'approchaient du centre de l'appareil.

L'Inspecteur se repassait le plan dans sa tête. Quel élément n'avait-il pas anticipé ? Avait-il sous-estimé Zéon ?

Avait-il gagné trop en confiance dans la première manche pour ne pas suffisamment se préparer pour le coup fatal ?

Zéon quant à lui était en train de préparer le discours qu'il ferait à ces troupes, mais aussi à la manière dont il allait accueillir Zork.

Finalement, il n'aura pas besoin de lui pour cette guerre-là, il aura donc économisé ses vaisseaux pour les suivantes.

— Trente secondes ! s'écria l'opérateur en chef, avant qu'il soit à portée de tir.

— Commencez le compte à rebours ! ordonna alors Zéon se délectant de cette victoire si facile.

— Vingt-huit, vingt-sept…

Et c'est quasiment en cœur que tout le monde décompte les cinq dernières secondes.

Puis Zéon cria :

— Un, feu à volonté !

Trois énormes explosions retentirent alors non loin de là car les canons antimissiles avaient été placés au centre de camp afin de pouvoir intervenir dans toutes les directions.

Il ne fallut alors que quelques secondes pour que trois nouveaux points fassent leurs apparitions sur l'écran radar.

Ceux-ci se déplaçaient deux fois plus vite que les premiers.

Il ne leur faudrait même pas une minute pour atteindre leurs cibles.

Nouveau compte à rebours.

Cinq, quatre, trois, deux, un.

Zéro et, et, et…

Rien, aucun bruit, pas d'explosion ou de tremblement de terre.

Et les points continuaient leurs progressions comme s'ils ne s'étaient pas rencontrés.

Les missiles devaient percuter les avions par le plancher c'est donc naturellement qu'ils ont continué leurs ascensions pour certainement se perdre dans l'espace.

Zéon devient fou et s'écria :

— Mais c'est pas vrai, que s'est-il passé ?

Puis il sortit en trombe de la tente pour aller constater par lui-même.

S'il était encore trop loin pour apercevoir les avions, il devait au moins voir un nuage de fumée laissé par les explosions.

Mais rien, le ciel était clair, sans aucun nuage.

Il attendit alors deux minutes.

Si les avions n'avaient pas été percutés par les missiles, ils devraient en toute logique maintenant les survoler.

Mais là non plus aucune activité, il ne comprenait plus rien, quelle était cette supercherie, ou étaient-il passé ?

Sa rage et sa colère grandirent encore d'un coup quand il baissa le regard pour se rendre compte que le camp était vide.

Il n'y avait plus personne, aucun militaire, aucun civil, ni même de scientifiques.

Le seul qui pouvait encore avec des explications c'était l'inspecteur.

Il rentra en trombe dans la tente et se rua sur lui afin d'obtenir des réponses.

Mais il ne cherchera pas à les avoir par la force ou les sérums. Il les prendra directement dans son cerveau.

Il allait le parcourir, quitte à le détruire, peu importe car il devait comprendre.

L'inspecteur lui avait-il encore joué un tour ?

Il fouilla de partout, mais il ne savait rien.

L'inspecteur n'avait été qu'un pion dans cette attaque, il n'avait pas assisté aux réunions de préparation.

Elles se sont déroulées pendant que lui s'infiltrait dans le camp avec son complice.

Ou plutôt sa complice, il vit le visage de Myriam à ce moment-là.

Enfin il pouvait l'identifier et mettre un visage sur l'espion qu'il a voulu trouver en jouant avec l'inspecteur.

Il ne la connaissait pas mais son visage lui était familier, mais pourquoi ?

Il ne met alors que quelques secondes pour comprendre.

Il sortit alors en urgence du cerveau de l'inspecteur pour réintégrer totalement son corps.

Mais il était trop tard.

Il avait enfin compris et savait pourquoi il connaît ce visage.

Ce n'est alors qu'en ouvrant les yeux qu'il le vit juste devant lui.

L'infirmière, c'était elle l'espion, voilà pourquoi le sérum ne fonctionnait pas.

Il sentit alors juste à ce moment-là une piqûre dans son cou.

C'est à lui qu'elle venait d'injecter le sérum ou tout autre poison.

Une piqûre entière d'un produit inconnu.

Il eut quand même la force de lui arracher le bras et la piqûre en même temps et de lui asséner un violent coup de poing, qui la fit chuter et perdre connaissance aussitôt.

Il veut les tuer tous les deux à ce moment, sauf que le produit commence déjà à agir.

Il se sent faible, ses jambes frétillent.

Il doit fuir cette tente, trouver de l'aide dans la seule personne en qui il pourrait encore avoir confiance, c'est Yohan.

Il doit être au cratère, il l'a envoyé là-bas pour ouvrir le portail, seul lui pourra lui donner le bon antidote.

Il sort de la tente en trombe alors et commence à courir avec le peu de force qui lui reste.

Il doit survivre, il doit ouvrir le portail.

Zork les punira tous, quitte à détruire ce monde.

Le cratère n'est qu'à cinq cents mètres, il va y arriver.

Il met toute sa force sur sa jambe droite alors qu'il traîne la gauche.

Plus que deux cents mètres, cent mètres.

— Zéon ? entend-il crier derrière lui.

Il connaît cette voie, arrête sa course et se retourne rapidement pour reconnaître Viviane.

— Viviane, comment c'est possible ? Comment tu t'es échappé, dit-il en vérifiant dans son cerveau et sa prison pour constater qu'effectivement elle n'y est plus.

Elle ne se donne pas la peine de lui répondre avant de lui foncer dessus et lui asséner un coup de ses deux poings dans l'estomac, ce qui le fit reculer et s'écraser contre un transformateur derrière lui.

Était-ce le choc, la colère ou la soif de vengeance, mais il se sentait presque déjà mieux.

Il prit quelques secondes pour respirer, reprendre son souffle, puis méditer.

Et ensuite, expulser littéralement le poison de son corps.

Lui-même ne savait pas qu'il possédait ce don, mais l'instinct de survie peut quelques fois révéler de nouvelles aptitudes chez les êtres humains et encore plus pour les êtres évolués comme Zéon.

Viviane s'apprêtait alors à charger de nouveau, il fallait en finir, d'une manière ou d'une autre elle allait le tuer.

Mais dans un sursaut instantané, il arrêta net son coup de pied.

Elle fut surprise mais pas désemparée, et se prépara à une nouvelle attaque.

Elle ne devait lui laisser aucune chance en espérant que le poison agisse encore.

Le général Grand Jean, Mr Robinson, et trois sections de l'armée françaises étaient maintenant également sur les lieux.

Ils avaient libéré l'inspecteur et Myriam et avaient fait prisonniers les derniers soldats de Zéon.

— Zéon rend toi ! cria et alors le général. Tu es fini. Tu n'as plus personne.

— Jamais ! répondit Zéon en reprenant le combat avec Viviane.

Celui-ci était beaucoup plus intense et violent que la première fois.

Ils alternent entre les coups de poings, de pieds, mais aussi de champs de force qu'ils se projetaient alternativement.

Cette histoire allait maintenant se terminer entre Zéon et Viviane car personne ne pouvait intervenir.

Même les snipers ne pouvaient tirer au risque de tuer Viviane ou que Zéon retourne les balles contre eux.

Zéon avait totalement repris sa force, sa puissance physique et mentale et était bien plus puissant que Viviane.

Ce n'était maintenant plus qu'une question de minutes avant qu'il ne la terrasse complètement.

Il arrivait à l'atteindre sur les côtes, dans le visage alors qu'elle ne pouvait pas en placer une seule car il anticipait tous ces coups.

Puis, d'un coup, il lui envoie un puissant hypercute suivi d'un champ de force qu'elle ne peut contrer ni même esquiver.

Celui-ci est tellement puissant qu'il atteint même les militaires qui s'étaient positionnés tout autour de la zone de combat.

Il reprit alors son souffle et sa force avant de s'approcher de Viviane.

C'était fini, il avait gagné et lui mettait le coup fatal.

Cette histoire n'avait que trop duré, il fallait en finir.

Il se concentra pour rassembler toute la force suffisante pour l'écraser quand d'un coup il entendit.

— Papa, aide-moi, ne me laisse pas !

C'était Viviane qui parlait avec la voix de sa fille, en l'espace d'un centième de seconde, il la vit là dans cette grotte sur Jupiter.

Là où il l'avait abandonné, le temps de terrasser ses ennemis.

Là, dans ce trou.

Là où elle était morte quand un missile détruisit la grotte.

Ce missile, il le revoit lorsqu'il est tiré par ce soldat, il le voit passer devant lui et c'est au moment où il s'écrase qu'il ressent le souffle et la puissance de l'explosion.

Viviane s'était relevée alors à ce moment-là.

Elle avait réussi à détourner et retourner contre lui-même le champ de force qu'il était en train de préparer.

Finalement elle avait bien eu lieu l'explosion nucléaire, tant celui-ci était puissant.

Bien heureusement pour toutes les personnes présentes sur les lieux il ne subir que le souffle, il n'y eut ni flamme, ni chaleur intense.

Et personne ne meurt.

Malheureusement même pas Zéon.

Il était toujours vivant et ne tarda pas à se relever.

Mais il ne voulait plus combattre Viviane, il ne pouvait plus.

Elle avait percé son secret le plus profondément enfoui en lui.

Elle connaissait maintenant son point faible, il ne pourrait alors plus la combattre car il n'avait plus aucune chance de la battre.

S'il essayait, elle allait le torturer avec ses souvenirs et sa culpabilité.

Il ne lui restait alors plus qu'une seule possibilité : la fuite.

Le portail, c'était sa dernière option.

Il se dirigea alors vers le cratère, et se jeta dans celui-ci afin de glisser jusqu'au centre.

Yohan l'attendait, il savait qu'il devait coûte que coûte terminer sa mission, il avait bien ressenti la bataille et les champs de force, mais il n'avait pas été touché et continuait les simulations.

— Yohan ! cria Zéon. Ouvre le portail vite.

— C'est trop tôt Zéon, nous ne sommes qu'à 80 % de probabilité nous risquons de tout détruire.

Zéon, courut alors vers Yohan, le poussa et lança la procédure.

Tout l'équipement se mit alors en fonctionnement.

Des rayons de lumières sortent alors de ce que l'inspecteur pensait être des capteurs.

Tous ces éléments puisent de l'énergie de la terre pour l'envoyer et la concentrer juste en dessus du cratère.

Le point de fusion étant bien évidemment le centre du cercle.

Ils ont conçu la technologie pour reproduire le phénomène qui les avait conduits ici.

Un boule d'énergie commença à se former alors, puis grandissait de manière exponentielle.

Jusqu'à ce que tout d'un coup beaucoup de sirènes se mettent à retentir et Yohan cria :

— Zéon c'est instable, ça va exploser.

Zéon était fou de rage, Yohan s'était trompé encore une fois, il venait de lui enlever sa dernière chance.

Il se jeta alors sur lui en lui envoya un coup de poing directement dans le corps.

Celui-ci était tellement puissant qu'il lui cassa six côtés qui allaient se planter directement dans le cœur.

La boule grandissait, il tenta de couper les systèmes puis arracha tous les câbles pour se rendre compte que cela ne servait plus à rien.

Leur technologie n'était là que pour amorcer le système.

C'était une réaction en chaîne qu'ils avaient démarrée et qu'il ne pouvait plus contrôler.

Ce plan-ci aussi allait échouer.

Le portail allait peut-être s'ouvrir quelques secondes, mais c'est exactement le même phénomène qui avait détruit sa terre, qui était en train de se produire.

Tout allait exploser, Zéon ne savait plus quoi faire, il n'aurait plus beaucoup de temps.

Et c'est tout naturellement et bêtement qu'il commence à courir pour sortir du cratère.

Quand tout à coup une force puissante le saisit et l'empêche alors de bouger.

Comme une main géante qui l'avait saisie.

Celle-ci l'amena alors exactement dans la boule au centre du cratère.

Était-ce un nouvel élément dans l'équation ou bien un des vaisseaux de Zork qui tentait de rentrer dans le portail qui produisit l'explosion ?

Personne ne pourra jamais le dire.

Quelle ironie, Zéon avait détruit son monde avec son vaisseau, Zork avait détruit le nôtre de la même manière

Finalement, le surnom de Zéon devrait plutôt être le destructeur de monde.

Chapitre 80
Renaissance

On dit souvent qu'il faut qu'une chose se termine pour qu'une autre recommence.

Après tout, que serait la vie sans la mort ?

Une planète qui explose, c'est de la terre, de la matière qui va se disperser dans l'univers pour se rassembler, en d'autres lieux ou d'autres temps et créer quelque chose de nouveau, de nouvelle formes de vie.

C'est bien comme cela que c'est formé l'univers, rien, puis une explosion, de la poussière qui se rapproche, s'assemble.

Qu'était-il advenu de la planète de Zéon et de ces habitants ?

Une nouvelle forme de vie était-elle apparue ?

Une autre planète allait se former ?

En créant ce portail est-ce que ce n'est pas un nouveau type d'univers qui allait se créer ?

Peut-être que tous ces univers parallèles finiraient-ils par fusionner et quelque chose de nouveau en naîtrait.

Une nouvelle forme de vie que l'on ne peut pas imaginer.

— Viviane, Viviane.

— Ou, où suis-je ?

— C'est moi Viviane, ton mentor.

— Je, je suis morte, ça y est tout est fini ? Zéon à tout détruit.

— Qu'en penses-tu, Viviane ? Comment te sens-tu ?

— Je me sens vaseuse, j'ai mal, très très mal aux jambes et aux bras et en même temps je me sens vidée, comme si toute mon énergie avait fui mon corps.

— Et alors, tu n'en déduis rien ?

— Penses-tu que l'on a mal, quand on est mort ?

— Tu les as sauvés, tu les as tous sauvés.

— Tous les individus et la planète.

— Tu n'as plus d'énergie, c'est normal, te rends-tu compte de la puissance qu'il faut pour contenir une telle explosion ?

— Contenir, comment cela contenir ?

— Oui, c'est ce que tu as fait Viviane.

— Peut-être pensais-tu que nous étions parties et t'avons abandonnée, mais nous étions avec toi.

— Nous ne sommes pas intervenus car tu n'avais plus besoin de nous.

— Juste au moment où nous t'avons, disons forcé un peu la main, pour agir au bon moment et créer le champ de force nécessaire pour contenir l'explosion.

— Et Zéon dans tout cela ?

— Disons qu'il avait la meilleure place pour assister au spectacle.

— Nous devons te laisser maintenant, ils t'attendent.

— Non, non, attendez, je n'ai pas toutes les réponses.

Elle se sentit alors revenir dans son corps.

— Viviane, Viviane ?

Cette fois, c'était la voie de l'inspecteur qu'elle entendit et qui lui permit de sortir de son coma.

En ouvrant les yeux, elle vit qu'ils étaient tous là.

L'inspecteur, Myriam, Mr Robinson, le général…

L'inspecteur lui sourit.

— Tout est fini Myriam, tu nous as tous sauvés.

Elle se releva alors, aidée par l'inspecteur, pour constater les dégâts.

Mais rien n'avait bougé.

Le camp, le cratère, tout était encore là.

Elle s'imaginait qu'il y avait dû avoir une énorme explosion et que le souffle et les flammes auraient tout ravagé.

Mais non rien. Tout étant dans le même état que lorsqu'elle se battait avec Zéon et qu'elle s'était évanouie.

Elle s'approcha alors du cratère.

Elle constata alors par contre qu'il n'y avait plus rien.

Plus que des cendres qui brûlaient et de la fumée qui s'en échappait.

Tous les matériels électriques et les infrastructures qui avaient été installés n'y étaient plus.

Elles avaient certainement brûlé dans l'explosion.

C'est en repensant alors à ce moment-là qu'elle eut une sorte de flash.

Elle vit Zéon qui tentait de s'échapper, qui se trouvait au centre de la boule, puis toute l'énergie qu'elle a dû déployer pour former la sphère de protection qu'elle a pu construire juste avant l'explosion.

Décidément elle n'en finirait pas de se découvrir des pouvoirs tous plus surprenants les uns que les autres.

Les secours arrivèrent alors sur les lieux, mais elle n'avait pas besoin d'hospitalisation.

Elle se sentait bien, libérée, soulagée et amoureuse.

Tellement bien qu'elle n'hésita pas à prendre l'inspecteur dans ses bras. Elle aurait eu envie, mais n'osa pas l'embrasser.

Elle le serra fort et lui chuchotant simplement :

— Merci.

— Merci pour quoi ? répondit l'inspecteur surpris.

— C'est toi que l'on doit remercier Viviane. C'est toi qui nous as tous sauvés.

— Bien sûr je vous ai tous sauvée, mais qui c'est qui m'a sauvé moi ? Gros nigaud !

C'était sorti spontanément et elle s'en voulait de l'avoir insulté, mais c'était purement affectif.

L'inspecteur, lui, au contraire, prit cela plutôt bien.

— Au fait, mon prénom c'est Jérémy.

Il n'avait eu que des rapports de suspects à policiers pour l'instant.

Cette taquinerie prouvait qu'il s'était rapproché, et qu'il allait maintenant pouvoir construire quelque chose de sain.

Cette histoire étant terminée c'est d'autres liens qu'il allait pouvoir créer.

Ce fut ensuite le tour de Myriam.

Viviane et elle ne s'étaient jamais rencontrées physiquement par le passé, mais elle avait aussi établi des liens forts entre elles.

Elles se prirent alors aussi dans les bras avec la tendresse de deux sœurs qui se retrouvent après des années de séparations.

Finalement, tous quittèrent rapidement les lieux, car ils avaient besoin de passer à autre chose.

Le général fit une conférence de presse en déclarant que Zéon avait été abattue par leur tireur d'élite et que tout allait rentrer dans l'ordre.

Ce qui l'énervait le plus dans cette histoire, c'est que le président de la République, tous les ministres, et politiciens véreux s'en sortaient finalement bien.

Il a fallu juste une semaine pour que le monde recommence à vivre normalement et oublie cette histoire.

Les journalistes étaient partis, tout comme l'armée et le calme étaient revenus au village.

Il n'y avait plus que le bruit des camions de chantier qui traversaient celui-ci.

ETC avait été chargé de boucher le cratère et remettre en ordre toute la zone.

Le monde renaissait, la vie reprenait son cours.

Mais en avait-il tiré des leçons ?

Chapitre 81
L'orphelinat

— Alors, c'est tout, elle finit comme cela ton histoire, mamie ?

— Pourquoi, elle ne te plaît pas, cette fin ? Cela se termine plutôt bien, non ?

— Non, elle est complètement nulle, et ça n'a aucun sens.

— Comment ça ?

— Ben Zéon, il est super puissant, et il perd comme ça ?

— Oui, oui, et les avions alors, la bombe atomique, ils sont passés où ?

— Tout cela n'a pas tellement d'importance, si ?

— L'important c'est que Zéon n'ait pas pu ouvrir le portail, que la terre n'ait pas explosé.

— Et que notre bonne vieille terre soit toujours là, non.

— Bien sûr, mais il y a plein d'incohérences sans ton histoire.

— Pourquoi Zéon n'avait pas vu les plans du Général Grandjean ?

— Et pourquoi quand il est sorti de la tente, il n'y avait plus de militaires ni de scientifiques dans le camp ?

— Ah, vous me surprenez, comme quoi vous avez bien suivi toute l'histoire.

— N'avez-vous pas remarqué que cette histoire tourne toujours autour d'une seule et même stratégie ?

— Le morcellement.

— Personne n'a anticipé ce que Zéon préparait car il avait morcelé et dispersé ces activités.

— L'inspecteur en avait fait de même pour le faire tomber. Il avait allumé des tout petits feux à droite à gauche.

— Zéon pensait que c'étaient des problèmes à résoudre à droite à gauche sans se rendre compte qu'ils étaient tous reliés à une seule et même personne.

— Il en a donc été de même pour le Général Grandjean.

— Très tôt, très tôt, il avait compris comment Zéon fonctionnait.

— Il l'a donc tout bêtement pris à son propre piège.

— Mais avec des petites nuances qui font toute la différence.

— Comment ça, quelle nuance ?

— Oui, allez nous tous mamie ?

— Très bien, bande de petits malins. Alors, le point clé a été la réunion.

— Cette fameuse réunion entre le général, les mafieux, et le club des médiums.

Vous êtes prêt alors, rembobinons un peu la K7 et reprenons alors juste à ce moment-là.

Chapitre 82
L'improbable réunion

Souvenez-vous, je vous ai parlé de cette réunion improbable qui s'était déroulée entre le général, Mr Robinson et les autres.

C'est cette réunion qui est la clé de toute cette histoire.

Et surtout je vous ai raconté l'histoire selon les yeux de Zéon, il se sentait super puissant et intouchable sans se rendre compte que tout ce qu'il avait vécu à ce moment-là n'était que de la poudre aux yeux.

Le général Grandjean n'était pas stupide, bien au contraire.

Il avait étudié tout le dossier bien avant de prendre ces fonctions.

Il connaissait parfaitement Zéon.

Il avait suivi son ascension et découvert comment il était parvenu à se hisser à ce niveau.

Au début, il avait complètement écarté le côté surnaturel, les ovnis, médiums et autres imbécillités pour réaliser en fin de compte que certains points essentiels ne pouvaient être expliqués de manière scientifique, ou tout du moins pas avec les connaissances actuelles.

Il a par la suite longuement étudié la stratégie de l'inspecteur, et le pari très risqué qu'il avait fait à ce moment-là.

Il y avait énormément d'inconnues dans son plan, et la réussite provient de coïncidence, du fruit du hasard.

Il a misé sur des personnes, des sentiments, des êtres humains sans pouvoir anticiper leurs réactions, ni comment elles allaient agir en conséquence.

Tout cela, il l'a étudié, mais surtout comment avait réagi Zéon à chaque fois.

Cette réunion n'était donc pas si improbable que cela, son plan était déjà conçu depuis plusieurs semaines, elle n'a donc servi qu'à donner les instructions à chacun d'entre eux.

Il avait compris comment Zéon et l'inspecteur avaient procédé.

Il y avait effectivement qu'un seul et même plan, mais morcelé, découpé méticuleusement et méthodiquement.

Chaque acteur du plan ne devait exécuter à la perfection qu'une seule tâche sans se soucier de l'importance de ce qu'il faisait et surtout sans connaître sa position dans le puzzle.

Ce plan-là, c'était lui qui l'avait conçu, lorsqu'il les a tous réunis, au moment de la réunion.

Tout à ce moment-là connaissait le puzzle en entier et c'est ce qui était le principal défaut.

Le maillon faible qui aurait pu faire échouer tout le plan.

Et c'est là que tout son génie s'est mis en œuvre, comme pour une partie d'échecs ou l'on déplace le premier pion sans importance et qui pourtant conditionne tout le reste de la partie menant à la victoire.

Il a demandé au participant de poser leur téléphone à l'entrée de la salle de réunion et qu'il pourrait les récupérer à la fin de celle-ci.

Comme dans un spectacle d'hypnotiseur qui vous endort puis vous réveille d'un signal précis, par exemple un claquement de doigts.

Et bien c'est exactement cela qu'il a demandé aux médiums de faire.

Ils ne posaient ou récupéraient pas simplement leur téléphone, c'était un signal.

Un premier signal pour « Entrer dans la réunion », entendre le plan et apprendre sa leçon puis le même signal pour « Sortir de la réunion » en oubliant totalement ce qui ne le concernait pas.

Oui, il a demandé aux médiums d'effacer une partie de leurs souvenirs.

Et cela pour tous les acteurs présents dans la réunion, y compris lui-même.

Ainsi personne ne connaissait le plan en totalité, Zéon pouvait donc bien explorer toutes les têtes, il ne pourrait alors jamais comprendre ce qui était en train de se passer.

Retraçons alors maintenant les événements, d'un point de vue différent en ayant connaissance de toutes les pièces du puzzle mais en nous mettant dans la peau du personnage qui lui n'a qu'une idée en tête, réussir sa mission coûte que coûte.

Commençons donc ce récit étrangement par le cerveau de cette opération mais qui à ce moment-là n'était que le bras armé de la République française.

Le général :

Lui c'est avant tout un militaire qui sert l'armée depuis de nombreuses années, il a l'habitude de gérer des conflits et combattre des terroristes.

Il n'y a qu'une seule façon de battre ses rebelles, c'est la force et la discipline.

Son prédécesseur a échoué car il était faible et n'a pas osé faire ce qu'il fallait pour combattre ces moins que rien.

Lui ne se laisserait pas intimider, il irait jusqu'au bout coûte que coûte.

C'est ce qu'il a fait.

Une première phase d'approche pour discuter avec son ennemie, pour le cerner, le comprendre et déterminer à quel type d'individu il avait à faire.

Il a tout de suite su que Zéon était tout comme lui, un général, un meneur d'homme, quelqu'un de déterminé, un combattant redoutable.

La partie serait très certainement serrée, il devrait alors agir fortement et rapidement pour le déstabiliser.

Son prédécesseur avait perdu ses deux premières batailles, il ne pouvait plus en perdre d'autres.

Son plan était parfait et avait réussi, il avait placé stratégiquement ses troupes à des points clés.

L'offensive n'avait pas duré longtemps mais suffisamment pour affaiblir l'ennemie.

Quand il avait vu tous les soldats ennemis à terre, il savait qu'il devait donner le coup de grâce.

Une dernière chance à l'ennemi pour se rendre avant d'envoyer l'artillerie lourde.

Il n'y avait plus aucun civil à l'intérieur donc trois mirages et s'en était fini des terroristes.

Pas besoin d'une bombe atomique, quelques missiles sol-air et l'affaire est réglée.

Mission réussie totalement.

Passons maintenant à Mr Robinson, le pirate informatique.

Dès le début de l'histoire il était là, très tôt il avait compris, appréhendé et fini par maîtriser la technologie de Yohan.

Il était là dans la phase un de l'inspecteur.

On peut vraiment dire que lui et son équipe ont foutu une sacrée merde dans tous les systèmes informatiques qu'ETC. a vendu aux administrations, à l'armée, à l'état aux citoyens.

Ils se devaient alors d'être là aussi pour la phase deux du plan.

L'inspecteur lui n'était plus là et c'est tout naturellement qu'ils ont apporté leurs compétences au général Grandjean qui proposerait le même type de plan pour combattre Yohan et Zéon.

Des systèmes informatiques ils en avaient à pirater, ils allaient en quelque sorte pouvoir s'amuser.

L'opération commence alors principalement par la première attaque.

Deux équipes, deux stratégies différentes.

Chacune des deux équipes doit prendre le contrôle des caméras afin d'arranger un petit peu la vérité de telle sorte que chaque adversaire pense qu'il a gagné.

Ensuite et c'est là que tout se complique et que Mr Robinson doit assurer, il doit prendre le contrôle de la technologie de Yohan, mais aussi de toute la technologie quel que soit.

Un petit défi pour Mr Robinson, idem deux équipes.

Avec deux cibles bien différentes et deux objectifs distincts.

— Alors, que désirez-vous, Monsieur ?

— Deux mirages, un bombardier.

— Pas de soucis. En direction du nord-nord-ouest, à quelle vitesse ?

— Vous souhaitez changer d'avis et préférez trois mirages ?

— Pas de soucis, et si nous ajoutons un transporteur de bombe atomique pour corser un peu le truc non ?

On pourra dire qu'au final ils ont bien fait leur travail, ils se sont vraiment bien amusés comme des enfants.

Et tels des enfants qui s'amusent, ils en ont oublié l'essentiel.

Aucun message ni signal n'est jamais parvenu à aucune base aérienne.

Aucun mirage ni bombardier n'a jamais décollé ni même reçu l'ordre de se mettre en position.

C'est une guerre informatique qu'ils ont menée.

Cette guerre, ils l'ont durement menée contre Yohan qui a lui aussi luttait tant bien que mal pour les combattre.

Mais vous l'aurez compris la deuxième équipe elle travaillait contre le général sans le savoir

Ils ont piraté les écrans radars des deux camps pour faire croire à tout le monde que les bombardiers avaient décollé.

Le général lui-même devait être persuadé que ces ordres avaient bien été exécutés.

Nous avons parcouru peut-être ensemble les deux éléments les plus faciles du plan.

La force et la technologie, mais cela ne reste que du matériel et de la puissance.

Mais avant d'aller plus loin et d'enchaîner sur peut être les principaux que sont les médiums.

Je voudrais vous poser une question que je me suis moi-même posée.

Pourquoi faire intervenir des malfrats et des drogués ?

Après tout, il faisait tous partir de la longue liste d'ennemis que s'était faite Zéon.

Alors avait-il un rôle essentiel à jouer pour que le général les invite ?

Il est certain qu'ils devaient se venger de Zéon car il leur avait pris leur terre, leur business.

Certes, il avait voulu ratifier un certain accord entre eux, mais en voulant être beaucoup plus gourmand.

Les guerres en gitans, mafieux, hispaniques ça a toujours existé et cela le sera toujours.

Aucun accord ne sera jamais possible.

C'est la loi de la rue, la loi du business. Alea jacta est comme dira un certain Jules César.

En prenant cela en considération, seriez-vous étonné si je vous disais qu'un être mauvais serait prêt à n'importe quel subterfuge pour prouver qu'il est le meilleur ?

Quitte à demander à ses propres hommes de se déguiser en militaires agonisant ou mourant et lui au milieu qui les a tous tués.

Imaginez-vous l'impact de telles images pour ces ennemis.

Vous l'aurez compris, les images que Zéon a demandé à visionner n'étaient en réalité qu'une mise en scène.

Zéon pensait voir les militaires de l'armée française morts alors que le gitan lui pensait faire ces images pour ces rivaux.

Mais forcément ce ne serait pas suffisant pour un homme comme lui.

Un homme comme lui ne s'achète pas comme cela, il lui en faut plus, beaucoup plus.

Le général pouvait lui donner plus, beaucoup plus.

Et cela, il pouvait le trouver dans le camp où il y avait la foi des armes et des médicaments.

Des armes pour combattre ces ennemies, des médicaments pour faire de la méthamphétamine.

Alors c'est bien dans pour cela qu'il avait accepté cette réunion.

Premièrement pour récupérer son honneur, deuxièmement récupérer son territoire et troisièmement pour combattre Zéon même si pour cela il en était moins sûr.

Malgré tout il fallait des hommes comme lui hors de l'armée pour apporter les camions et effectuer les livraisons de repas proposé par le général.

Ces fameux camions et ce repas n'avaient bien sûr pas d'appareil électronique, ils n'étaient pas là pour les espionner ou apporter des espions mais de l'espoir de la vérité et surtout de la transparence.

Chaque camion transportait de la nourriture pour l'armée mais surtout un membre de l'équipe de Myriam.

Et enfin, pour le gitan, il pouvait récupérer tout le stock de médicaments qui était sur les lieux.

On enchaîne alors directement au quatrième chapitre, l'équipe de Myriam.

Myriam est quelqu'un de généreux, qui malgré ses souffrances et ses complications dans sa vie à toujours sur rebondir et s'en sortir.

La plus grosse erreur qu'elle est faite dans sa vie c'est de se fier à Zéon et sa putain de drogue pourrie.

Mais c'est une battante qui veut s'en sortir et qui rayonne toujours et veut s'en sortir.

Même si elle n'était pas là dans la réunion, c'est cet esprit que recherchait le général et surtout un membre fidèle de son association.

Si cela lui tenait tellement à cœur, c'est parce qu'il savait qu'il savait qu'il pouvait compter que sur des personnes altruistes pour sauver le personnel présent sur le site.

Et c'est exactement ce qu'il a fait.

Lilian était là. Il a assuré la mission à la place de Myriam car elle n'était pas là.

Il a fallu gérer tout cela.

La logistique c'est pas forcément son truc.

C'est Myriam qui était forte et qui rassemblait et avait une grande gueule pour ramener du monde et rassembler.

Mais à ce moment-là heureusement qu'elle n'était pas là car elle n'aurait pas pu s'empêcher de crier ou d'éveiller les soupçons d'une manière ou d'une autre.

Quelle alliance improbable, un ex-drogué avec celui qui lui fournissait la drogue se rejoignent pour sauver des scientifiques ?

Voilà, nous en sommes au moment du récit où nous avons évoqué les personnages principaux du récit sans parler des médiums.

Et pourtant leur rôle n'est pas des moins importants.

Le briquet, le téléphone portable c'est eux qui on fait tout cela.

Le plan du général n'aurait jamais pu fonctionner sans eux.

Ils ont réussi l'exploit d'effacer totalement le plan du général pour retrancher chaque acteur dans sa réalité qui lui était la plus importante.

Bien sûr, ils ont pu bénéficier d'un atout majeur.

À votre avis ?

L'inspecteur, mais bien sûr c'est l'inspecteur.

Il avait mené la première bataille par souci d'équité de justice, et finalement par amour.

Il s'était jeté bêtement dans la gueule du loup en espérant la sauver, elle, puis, regrettant d'avoir été aussi con et se morfondant, il leur avait finalement donné l'avantage.

Tout le temps qu'il était dans la tente était en réalité un véritable atout pour les médiums.

Ils ont vu tout ce qu'ils se passaient.

Ils ont pu modeler la réalité au besoin de chacun.

Et enfin, ils ont pu rentrer dans la tête de tous les militaires qui étaient à la solde de Zéon.

Ces fameux esprits que Zéon avait ramenés et implantés dans le corps des militaires du camp.

Lorsque le général avait lancé l'attaque coordonnée, c'est en réalité eux qui sont allés combattre.

Ils sont rentrés dans le cerveau de chaque soldat et ont terrassé chaque esprit de Zéon.

Effectivement, il n'y avait aucune perte à déclarer et ce sont bien les soldats de l'armée française qui ont répondu cela pour tromper Zéon.

— D'accord.
— Mais Viviane, comment elle a pu s'échapper alors ?
— Tout simplement question d'attention.

Zéon était très concentré et suspicieux lorsqu'il est entré dans la tête du général la première fois.

La deuxième fois, il l'a fait dans l'urgence et a baissé sa garde, c'était exactement le bon moment pour la récupérer et c'est ce qu'ils ont fait.

Ils l'ont substitué à ce moment-là sans qu'il s'en rende compte.

Vous l'aurez donc compris, Zéon a pu arriver au pouvoir en morcelant ses activités, en semant des pièces de puzzle par-ci, par-là qui une fois réunit représentait toutes ses ambitions et son réseau.

Et c'est sa vanité qui l'a perdue car ce n'est pas une, mais deux fois où il s'est fait exactement battre à son propre jeu.

Le général Grandjean savait qu'il était fourbe et que, tôt ou tard, il tenterait de rentrer dans la tête d'un ou plusieurs acteurs.

Il n'a donc pas fermé cette porte-là.

En réalité, Zéon n'a vu que des parties distinctes du plan sans se rendre compte que cela faisait partie d'un puzzle qui allait causer sa perte.

Le général Grandjean a réuni ses alliés et aussi ses pires ennemis pour en venir à bout.

Chapitre 83
L'orphelinat

Voilà les enfants j'arrive au bout de toute cette histoire, elle vous a plu ?

Oh oui, très, mais c'est une histoire vraie, c'était toi Viviane ?

Eh oui, c'était moi.

L'inspecteur et moi avons peu de temps après fini par nous marier et fonder notre propre famille.

Après cela on peut dire que nous avons eu une vie heureuse et paisible, même si cela fait pas mal d'années maintenant qu'il m'a quitté.

— Les enfants c'est l'heure dû goûté, appela alors la surveillante qui s'occupait des enfants.

On arrive, une dernière petite question Mamy.

Elle s'est passé en quelle année cette histoire ?

En 1982.

Ils sortirent alors du salon pour se rendre dans le réfectoire.

L'un d'entre eux ayant fait le calcul, s'étonna alors.

Mais, si elle s'est passée en 1982 et que l'on est en 2160, ça voudrait dire que Mamy aurait plus de 200 ans.

Ils l'aperçurent alors par la fenêtre se dirigeant vers le parc avec une canne dans la main gauche et une laisse dans la droite.

Au bout de la laisse, un grand chien.

C'était Charlie.

Un grand merci à mon fils Enzo
pour la réalisation des illustrations.
Je souhaiterais aussi remercier mon épouse
qui m'a soutenu et encouragé dans cette belle aventure.

croquis de Zéon

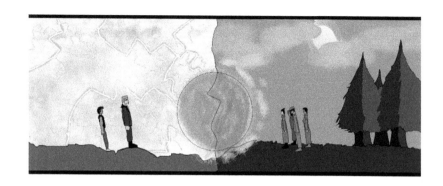

Imprimé en Allemagne
Achevé d'imprimer en juin 2023
Dépôt légal : juin 2023

Pour

Le Lys Bleu Éditions
40, rue du Louvre
75001 Paris

Milton Keynes UK
Ingram Content Group UK Ltd.
UKHW040729010823
426141UK00004B/271

9 791037 799425